# Il était une fois à Québec

MICHEL LANGLOIS

# Il était une fois à Québec

tome 1

D'un siècle à l'autre

Roman historique

Hurtubise

**Catalogage avant publication de Bibliothèque et Archives nationales du Québec et Bibliothèque et Archives Canada**

Langlois, Michel, 1938-

    Il était une fois à Québec

    L'ouvrage complet comprendra 2 volumes.

    Sommaire : t. 1. D'un siècle à l'autre.

    ISBN 978-2-89723-873-5 (vol. 1)

    I. Langlois, Michel, 1938-    . - D'un siècle à l'autre. II. Titre.

PS8573.A581I4 2016          C843'.6          C2016-941073-0
PS9573.A581I4 2016

Les Éditions Hurtubise bénéficient du soutien financier du gouvernement du Québec par l'entremise du programme de crédit d'impôt pour l'édition de livres et de la Société de développement des entreprises culturelles du Québec (SODEC). L'éditeur remercie également le Conseil des arts du Canada de l'aide accordée à son programme de publication.

Financé par le gouvernement du Canada | Canadä

*Graphisme de la couverture :* René St-Amand
*Illustration de la couverture :* Alain Massicotte
*Maquette intérieure et mise en pages :* Andréa Joseph [pagexpress@videotron.ca]

Copyright © 2016 Éditions Hurtubise inc.

ISBN 978-2-89723-873-5 (version imprimée)
ISBN 978-2-89723-874-2 (version numérique PDF)
ISBN 978-2-89723-875-9 (version numérique ePub)

Dépôt légal : 3e trimestre 2016
Bibliothèque et Archives nationales du Québec
Bibliothèque et Archives Canada

Diffusion-distribution au Canada :
Distribution HMH
1815, avenue De Lorimier
Montréal (Québec) H2K 3W6
www.distributionhmh.com

Diffusion-distribution en Europe :
Librairie du Québec/DNM
30, rue Gay-Lussac
75005 Paris FRANCE
www.librairieduquebec.fr

*Imprimé au Canada*
**www.editionshurtubise.com**

# Personnages principaux

**Bédard, Clémence :** fille de Philibert Bédard et Laetitia Parent, médecin.

**Bédard, Firmin :** fils de Philibert Bédard et Laetitia Parent, époux de Chantale Robert.

**Bédard, Gertrude :** fille de Philibert Bédard et Laetitia Parent et épouse de Maurice Mercier.

**Bédard, Hubert :** fils de Philibert Bédard et Laetitia Parent, bossu et célibataire.

**Bédard, Léonard :** fils de Philibert Bédard et Laetitia Parent, écrivain et poète.

**Bédard, Malvina :** sœur de Philibert Bédard.

**Bédard, Maria :** fille aînée de Philibert Bédard et Laetitia Parent, célibataire.

**Bédard, Marjolaine :** fille de Philibert Bédard et Laetitia Parent, épouse d'Ovila Joyal.

**Bédard, Mathilda :** sœur de Philibert Bédard.

**Bédard, Philibert :** époux de Laetitia Parent.

**Bédard, Rosario :** fils aîné de Philibert Bédard et Laetitia Parent, prêtre.

**Bédard, Sévérin :** frère de Philibert Bédard.

**De Bellefeuille, Françoise :** amie d'Hubert Bédard.

**Dumont, Réal**: ami d'Hubert Bédard.

**Joyal, Ovila**: époux de Marjolaine Bédard.

**Mercier, Joseph**: fils de Maurice Mercier et de Gertrude Bédard.

**Mercier, Maurice**: boulanger, époux de Gertrude Bédard.

**Paradis, Jean-François**: ami de Hubert et de Firmin Bédard.

**Parent, Laetitia**: épouse de Philibert Bédard.

**Robert, Chantale**: épouse de Firmin Bédard.

# Personnages historiques

Un nombre considérable de personnages historiques sont mentionnés dans ce roman. Nous n'avons retenu ici que les noms des principaux. Pour chacun, en plus de leur année de naissance et de décès, nous précisons leur titre et soulignons parfois leurs principales réalisations.

**Bédard, Pierre-Stanislas (1762-1829)**: avocat, politicien, journaliste et juge.

**Casgrain, Henri-Raymond (1831-1904)**: prêtre, historien et critique littéraire.

**Chambers, Robert (1809-1886)**: avocat, maire de Québec de 1878 à 1880.

**Crémazie, Octave (1827-1879)**: libraire, écrivain et poète.

**Dantin, Louis (1865-1945)**: de son vrai nom Eugène Seers, prêtre, critique, poète et romancier.

**Drapeau, Stanislas (1821-1893)**: journaliste, éditeur et écrivain.

**Falb, Rudolph (1838-1903)**: météorologue et astronome allemand, il naît à Obdach. Il est ordonné prêtre en 1862, mais renonce à son sacerdoce en 1866. Il a prédit la fin du monde pour le 13 novembre 1899.

**Foerster, Wilhelm (Guillaume) (1832-1921)**: astronome, il dirige l'observatoire de Berlin à partir de 1903. L'astéroïde (6771) Foerster est nommé en son honneur.

**Fréchette, Louis-Honoré (1839-1908)**: poète, dramaturge, écrivain et politicien.

**Grelot (1785-1862)**: de son véritable nom Michel Langlois. Il vit dans Saint-Roch de Québec et sombre dans la folie en s'entendant sans cesse appeler Grelot.

**Laliberté, Jean-Baptiste (1843-1926)**: fondateur en 1867 du magasin qui porte son nom, rue Saint-Joseph. Un des grands magasins de fourrures et de vêtements de Québec.

**Laurier, Wilfrid (1841-1919)**: politicien, premier ministre du Canada de 1896 à 1911.

**Lavallée, Calixa (1842-1891)**: musicien, compositeur de la musique de l'*Ô Canada*.

**Le May, Pamphile (1837-1918)**: poète, romancier, conteur et traducteur.

**Létourneau, Lorenzo (1867-1945)**: né à Saint-Constant de Laprairie, il se fait chercheur d'or au Klondike de 1898 à 1902 et laisse un précieux journal de son séjour là-bas. Ce journal a été publié sous le titre *17 Eldorado*.

**Livernois, Jules-Ernest (1851-1933)**: photographe, directeur du Studio Livernois de Québec.

**Mailhot, Alfred (? -1847)**: originaire de Verchères. On le retrouve en 1834 pensionnaire au Séminaire de Saint-Hyacinthe. Il termine ses études en médecine à McGill en 1846 et travaille comme médecin à la Grosse Île lors de l'épidémie de typhus. Il y meurt le 22 juillet 1847.

**Marchand, Félix-Gabriel (1832-1900)**: journaliste, auteur, notaire et premier ministre du Québec de 1897 à 1900.

**Masson, Louis François Rodrigue (1833-1903)**: politicien, ministre, lieutenant-gouverneur du Québec de 1884 à 1887.

**Paquet, Zéphirin (1818-1905)**: manufacturier et fondateur du magasin Paquet de Saint-Roch de Québec.

**Parent, Étienne (1802-1874)**: journaliste, avocat, député, rédacteur du journal *Le Canadien* et de *La Gazette de Québec*.

**Routhier, Adolphe-Basile (1839-1920)**: romancier, critique littéraire, avocat et professeur. Auteur des paroles de l'*Ô Canada*.

**Seton-Karr, sir Henry (1853-1914)**: explorateur anglais, chasseur et écrivain; politicien conservateur, il siège à la Chambre des communes de 1885 à 1906.

**Stanley, lord Frederick Arthur (1841-1908)**: gouverneur général du Canada de 1888 à 1893.

**Tanguay, Cyprien (1819-1902)**: prêtre, généalogiste et auteur du *Dictionnaire généalogique des familles canadiennes*.

**Tarte, Joseph-Israël (1848-1907)**: notaire, journaliste, propriétaire de journaux et politicien.

« Si la vie allait moins vite,
peut-être pourrions-nous suivre. »

*Michel Langlois*

# PROLOGUE

Mon beau-frère Hubert Bédard, sonneur de cloches à l'église Saint-Roch de Québec, m'invita un jour à lire ce qu'il avait écrit sur la famille Bédard du temps de sa jeunesse. Il me confia qu'il désirait que soit retenue l'histoire de sa famille. Toutefois, il manquait de confiance en ses moyens et il me demanda ce que je pensais de ce qu'il racontait dans son cahier. Comme je suis journaliste au journal *Le Soleil* de Québec, il avait confiance en mon jugement. Pour ma part, je fus heureusement surpris de ce qu'il écrivait et je lui dis qu'il devait continuer.

Cela me donna l'idée d'en faire autant et je me mis à mon tour à rapporter un peu tout ce qui touchait ma vie, celle de mon épouse Marjolaine et celle de sa famille. En même temps, j'en profitai pour conserver dans ce cahier, comme pour une chronique, certains écrits des principaux événements dont j'avais à faire part dans *Le Soleil*.

Je crois qu'ainsi celui qui lira le journal de mon beau-frère et le mien aura une bonne idée de ce que vécut la famille Bédard et, en même temps, de ce qui se passait dans notre milieu entre 1888 et 1940. Pour nous, ce sont là de précieux souvenirs. Pour le lecteur, ce sera une occasion de découvrir comment nous avons vécu à cette époque qui fut celle de notre vie, sans doute bien différente de la sienne. Nous aurons de la sorte l'impression, même après notre mort, d'être encore vivants.

PREMIÈRE PARTIE

# LES BÉDARD

1888-1900

# Chapitre 1

# Les Bédard

*Ovila*

Vous auriez cherché en vain une fleur autour de l'église Saint-Roch. On n'y voyait même pas de pissenlits, et Dieu sait que ça pousse partout. Cette fleur ressemble à un petit soleil chargé de rayons. Elle me fait penser à mon épouse Marjolaine, mon rayon de soleil, toujours de bonne humeur, affable et pleine de vie. Dire que j'aurais pu ne jamais la connaître si, au sortir de l'église Saint-Roch, après la grand-messe du dimanche, je ne m'étais pas buté au sonneur de cloches, un bossu costaud mais attentionné qui a tendu le bras pour m'empêcher de tomber au moment où je ratais une marche devant la porte.

— Un peu plus, commenta-t-il, vous alliez embrasser le perron ! Avouez qu'il y a mieux à embrasser qu'un perron d'église…

Je le remerciai de son intervention.

— Vous m'avez évité le pire. J'avais la tête ailleurs.

— Quelque chose vous préoccupe ?

— Je cherche où habite le poète Pamphile Le May.

Un grand sourire éclaira son visage.

— Rien de plus simple. Suivez-moi, c'est notre voisin.

Chemin faisant, j'eus le loisir de me familiariser avec cet homme que la nature n'avait pas choyé. Sa bosse avait dû lui attirer bien des vexations. Elle ne semblait pas pour autant avoir atteint ce qu'il y avait de meilleur en lui, car il causait avec beaucoup de douceur.

— Ce poète, notre voisin, est un de vos amis ?

— Pour ainsi dire. Je ne l'ai pas vu depuis un bon bout de temps. On m'a appris qu'il a loué un appartement dans Saint-Roch où il se retire pour écrire.

— On vous a bien renseigné. Il passe des heures enfermé au deuxième étage de la maison voisine. On ne peut guère trouver plus discret que lui. Je n'aurais d'ailleurs pas pu vous renseigner si, tout récemment, je n'avais pas découvert qui il est. Je revenais chez moi quand je l'ai croisé sur le trottoir. Il y avait longtemps que je m'interrogeais à son sujet. Je le saluai. Il s'arrêta et, comme s'il sortait d'un rêve, il m'examina des pieds à la tête. Je lui demandai : "N'est-ce pas vous qui habitez rue du Pont, à l'étage de la maison de madame Frémont ? Si oui, vous êtes notre voisin." Il me répondit qu'il n'y habitait pas, qu'il y avait seulement un pied-à-terre pour travailler en paix, son métier demandant de la tranquillité et beaucoup de concentration. Je m'informai de quel métier il s'agissait. Il me répondit : "Du plus beau du monde, celui d'écrivain." Nous nous sommes ensuite présentés et voilà comment j'ai appris son nom. Mon père me montra plus tard de ses textes dans les journaux. Êtes-vous poète vous-même ?

— Hélas ! Seulement journaliste. Je veux justement le rencontrer pour un article qu'il m'a promis il y a de cela passablement de temps.

— Vous travaillez pour quel journal ?

— Au *Soleil*.

Nous étions arrivés. Je montai chez Pamphile et frappai vainement à sa porte. Rien ne me rebute autant que de me cogner le nez contre une porte close. On vient en se figurant ce que sera notre rencontre, et puis voilà que tout se termine en eau de boudin devant une porte fermée. Fort heureusement, le bossu était un homme attentionné. Il s'était attardé pour s'assurer qu'on allait m'ouvrir. Il s'avisa que je n'obtenais pas de réponse, revint au-devant de moi et me conseilla :

— Vous devriez lui laisser un message.

Cordonnier mal chaussé, je n'avais rien sur moi pour écrire. Je m'exclamai :

— Je le ferais bien volontiers si j'avais de quoi écrire !

— Rien de plus simple. Venez chez nous. Je vous prêterai encre, plume et papier.

Je lui emboîtai le pas, pour me retrouver bientôt dans une maison chaleureuse dont les habitants s'apprêtaient à passer à table. Le bossu me présenta à sa famille, expliquant le motif de ma présence.

— Vous allez dîner avec nous ! m'invita spontanément un homme d'une cinquantaine d'années que je supposai, avec raison, être le père de famille.

Je ne sus quoi répondre devant tant d'amabilité. Je crois que je me serais esquivé si je n'avais pas aperçu à la table une jeune femme d'une beauté rare, qui esquissa un sourire quand nos yeux se croisèrent. Du coup, je me ravisai :

— C'est trop de bonté, balbutiai-je.

— Prenez place, insista l'homme en me désignant de la main la chaise voisine de la sienne.

Je me présentai :

— Ovila Joyal, journaliste.

Il me serra vigoureusement la main.

— Philibert Bédard, se nomma-t-il en ajoutant : Vous avez là devant vous toute ma famille.

Il prit le temps de me présenter son épouse, Laetitia, et continua en me désignant ses enfants un par un.

— Face à vous Marjolaine (celle qui avait attiré mon attention), sa voisine immédiate Gertrude, près d'elle Clémence et à ses côtés Hubert dont vous avez fait la connaissance, à ma droite Léonard et Firmin. Tout au bout, la place libre est celle de Maria, notre fille aînée en charge du service.

Son épouse, une femme quelque peu effacée, s'empressa d'ajouter :

— Il y a aussi Rosario.

— Notre fils aîné, dont vous occupez la place, précisa mon hôte. Il est curé dans Portneuf. Il n'a pas pu se joindre à nous aujourd'hui.

Je pensai : voilà une famille nombreuse, huit enfants, de quoi remplir une maison. J'en étais là dans ma réflexion quand, arrivant de la cuisine, la fille aînée s'approcha de la table avec une soupière qu'elle déposa tout au bout. Chacun lui refila son assiette qu'elle remplit prestement au moyen d'une louche. Je n'eus pas besoin de me demander de quel potage il s'agissait tant la pièce était remplie d'une bonne odeur d'oignons. Je profitai de ce moment où ils étaient tous occupés à récupérer leur assiette pour les examiner de plus près. Je ne pus m'empêcher d'arrêter mon regard sur Marjolaine assise en face de moi dont la beauté me subjuguait. Je n'eus guère le temps de l'admirer, car son père entama le bénédicité.

Après l'avoir récité, il me demanda :

— Comme ça, vous êtes un ami de notre voisin le poète ?

— Je dirais que Pamphile est plus une connaissance qu'un ami.

Se tournant vers son fils assis à sa droite, il commenta :

— Léonard le connaît, je crois.

L'intéressé, un grand nerveux au visage pâle dont le nez et la pomme d'Adam semblaient commander toute la figure, acquiesça :

— Si je le connais ? Bien sûr ! Il a mis sur pied la bibliothèque de la législature où je travaille. Ce sont ses contes surtout qui sont intéressants.

— Il écrit des contes ? s'étonna Hubert.

J'en profitai pour intervenir :

— En effet, son dernier recueil s'intitule *Contes vrais*. Je l'ai lu et j'ai bien aimé deux des contes en particulier.

— Vous vous souvenez des titres ?

— Bien sûr ! *Le bœuf de Marguerite* et *L'anneau des fiançailles*.

— Qu'est-ce que ça raconte ?

— Dans le premier, il s'agit de l'histoire d'une bonne femme qui n'entendait pas à rire et dont on disait que le bœuf était ensorcelé.

— Il l'était pour vrai ?

— Pas du tout, vous le savez bien ! Mais il passait pour un animal possédé du démon. À plusieurs reprises on vit ses cornes se mettre à brûler et à jeter du feu.

— On a su pourquoi ?

— Je comprends donc ! Un homme qui aimait jouer des tours enveloppait les cornes du bœuf dans des guenilles trempées dans le pétrole et y mettait le feu.

Le titre de l'autre conte, *L'anneau des fiançailles*, piquait la curiosité d'Hubert. Il me pria d'en raconter l'intrigue.

— C'est une histoire toute simple, comme vous allez voir. Vous savez comme moi que les étudiants en médecine hantent parfois les cimetières afin de se procurer un squelette sur lequel ils exercent leurs connaissances. Il est de bon aloi d'avoir dans sa chambre un squelette entier, ne serait-ce que pour se familiariser avec l'anatomie. Un soir, des étudiants en médecine décident de se rendre dans un cimetière afin de déterrer un cadavre. Une fois sur place, ils se dirigent vers la tombe que des amis leur ont indiquée. Ils creusent afin de déterrer le cercueil et d'en extirper le squelette. Pour leur malheur, ils se trompent de lot, et les restes sur lesquels ils mettent la main sont ceux d'une femme morte depuis quelques années seulement.

« Après avoir effacé les traces de leur passage, ils reviennent chez eux avec leur dépouille. Quand, enfin, ils peuvent l'examiner de plus près à la clarté d'une bonne lampe, ils se rendent compte que la morte porte à l'annulaire de la main gauche un magnifique anneau d'or serti d'une guirlande de petits diamants. L'un des étudiants, dont le père est riche, décide d'en verser la valeur en messes pour le repos de la morte en question. Il s'approprie l'anneau et le range précieusement avec l'idée de l'offrir à celle qu'un jour il choisira pour femme.

« Au moment de ses fiançailles avec une jeune fille au curieux prénom d'Amaryllis, le jeune homme passe l'anneau au doigt de sa future épouse. En l'apercevant, la jeune femme devient toute pâle, se pâme et tombe dans les pommes. Son fiancé n'y comprend rien. Son futur beau-père intervient. Cet anneau, assure-t-il, est similaire en tout point à celui qu'il a offert à son épouse, morte il y a quelques années. Le jeune homme s'en tire bien, car un de ses copains présents aux fiançailles prétend qu'à la demande de son ami, il a acheté cet anneau à Paris et y a fait graver à l'intérieur le prénom d'Amaryllis à qui il devait être donné. La réflexion du beau-père est alors remarquable : "Regarde, ma fille, j'avais fait graver à l'intérieur de l'anneau que j'ai donné à ta mère son prénom d'Amaryllis que tu portes si bien. Eh bien! Le joaillier de Paris a commis la même erreur que celui d'ici en le gravant. Il a oublié un l."»

Ils avaient tous écouté avec attention. Un des garçons dont je n'avais pas retenu le nom commenta:

— Tu parles d'une drôle d'idée... déterrer les morts.

— Dangereuse en plus, ajouta son père. Une violation de sépulture est passible de plusieurs années de prison.

Le dîner se passa ainsi. Dès que j'eus terminé mon message pour Pamphile Le May, je pris congé de ces bonnes gens en remerciant vivement le père de famille pour son invitation. J'eus une fois de plus la chance de croiser les yeux de Marjolaine. Dès lors je sus que je reviendrais dans cette maison.

Comme j'en sortais, j'aperçus un voisin en queue de chemise, en plein dimanche après-midi, une bouteille de bière à la main, qui chantait horriblement faux. *En avant, marchons, en avant, marchons, soldats du Christ à l'avant-garde.* Les portes autour s'ouvrirent et on entendit la voix de stentor d'un homme commander:

— Farme ta gueule, Giroux, ou ben j'vas t'la farmer.

La réponse ne tarda guère:

— Farme ta porte, Lessard, ou ben j'vas t'la farmer.

*En avant, marchons, en avant, marchons...* Son chant s'arrêta là, car il s'affala dans la rue et les plus vieux de ses enfants le ramenèrent à la maison en siphonnant ce qui restait de bière dans sa bouteille.

Pendant tout ce temps, ma pensée revenait sans cesse à Marjolaine dont je revoyais les yeux si doux. Je rêvais déjà du jour où je pourrais de nouveau les admirer.

# Chapitre 2

# Notre famille

*Hubert*

Quand je vis sortir le journaliste de chez nous, je me dis que j'avais bien fait de l'inviter à venir écrire son mot. Il me semblait être un bon bougre. À la façon dont il avait regardé ma sœur Marjolaine, je fus persuadé qu'on le reverrait. Je me demandai si Marjolaine en serait ravie. Il faut savoir que nous sommes une famille tricotée serrée. Ce qui arrive à l'un ou à l'autre nous affecte tous.

Parlant de la famille, nous avons nos habitudes comme, j'imagine, toutes les familles dignes de ce nom.

Ainsi, le même rituel se déroule chaque fin d'après-midi. Peu après le retour de p'pa, nous nous mettons à table pour souper, p'pa, m'man et nous tous, les enfants. Nous avons chacun notre place assignée autour de la grande table de chêne. Avant de nous asseoir, nous nous tenons debout devant notre chaise. P'pa dit le bénédicité: «Bénissez-nous, Seigneur, ainsi que la nourriture que nous allons prendre, au nom du Père et du Fils et du Saint-Esprit.» Nous répondons en chœur: «Amen.» Chacun tire sa chaise et s'assoit en silence. Comme elle le fait, il me semble depuis toujours, Maria, l'aînée de la famille, va servir en premier notre père.

Ensuite, c'est Rosario quand il est là, puis, dans l'ordre, Marjolaine, Léonard, Gertrude, Clémence, Firmin et moi Hubert, le bossu et petit dernier. Maria termine en servant m'man et en se servant elle-même.

À part mes parents dont j'aurai bien le temps de vous raconter l'histoire, que vous dire de Rosario, notre frère aîné ? Je le connais très peu. Il m'intimide comme un étranger. Comme dit mon frère Léonard : « Il a sa propre odeur, différente de toutes les autres, et ce n'est pas une odeur de sainteté… Vraiment, il sent le curé à plein nez, un mélange d'encens et d'encaustique. Nous n'en avons pas fini avec lui. Rosario sent l'éternité. »

Il est curé dans Portneuf. Avant ça, il était vicaire à Saint-Jean-Baptiste de Québec. Dans ce temps-là – mais j'étais trop jeune pour m'en souvenir –, il venait souvent manger à la maison. Depuis qu'il se trouve au loin, on ne le voit presque plus. À dire vrai, personne, sauf peut-être m'man, ne s'ennuie de lui. Il a toujours l'air distrait, avec la tête dans les nuages, sans doute pour être plus près du ciel. Il est tellement imbu de son rang qu'il nous regarde de haut comme si nous avions tous la peste et il ne manque pas une occasion de nous faire la morale.

M'man l'informe des moindres faits et gestes de la famille. Il a toujours une remontrance au bord des lèvres, surtout pour mes sœurs. Il n'a pourtant rien à redire sur Maria, qui n'est pas mariée et qui seconde fort bien notre mère pour toute la tenue de la maison. Par contre, il est toujours sur le dos de Marjolaine. C'est la beauté de la famille. Il semble en être jaloux. Il passe son temps à dire que les belles femmes sont des occasions de pécher. Quand il parle ainsi, il ne s'adresse évidemment pas directement à Marjolaine, mais personne n'est dupe : c'est d'abord elle qu'il vise. Avec lui, d'ailleurs, tout est péché, même ce que l'on peut penser.

Pendant nos repas, il s'empare du crachoir et ne le lâche pas. Il nous entretient de Dieu et des anges. Il nous ennuie royalement avec ses sermons sur les bonnes mœurs et les commandements de Dieu et de l'Église. Il est incapable de parler d'autre chose. On jurerait qu'il ne vit pas sur terre. M'man adore l'entendre discourir. P'pa ne le laisse pas voir, mais il est bien heureux quand l'un ou l'une d'entre nous prend la parole à son tour. Il me semble d'ailleurs que tout ce que les autres racontent s'avère bien plus intéressant que tout ce que Rosario rabâche, miracles et guérisons inclus.

Marjolaine est une vraie beauté. Le genre de femme qui fait se retourner tous les hommes sur son passage. Elle a la chance d'avoir des yeux qui parlent et elle sait bien s'en servir. Son sourire la fait rayonner. Avec ça, elle a de beaux cheveux bruns bouclés. C'est une femme adorable. Je n'ai pas manqué de remarquer avec quelle intensité le journaliste la regardait. Tous les hommes, d'ailleurs, agissent de même en la voyant.

Après Marjolaine vient, dans l'ordre, Léonard. C'est le génie de la famille. Il vit dans un petit appartement attenant à la bibliothèque où il travaille. Il est écrivain et poète. On peut le qualifier d'encyclopédie vivante. Nous lui posons n'importe quelle question et il y répond comme un grand livre, avec aplomb et grand savoir. Lui et Rosario, c'est le feu et l'eau. Ça se comprend, Léonard ne va plus à l'église. Il ne pratique plus. «Dieu n'a que faire des églises», répète-t-il à qui veut bien l'entendre. Quand Rosario vient dîner, et que Léonard le sait, la plupart du temps il reste chez lui. Rosario le méprise et le considère comme le pécheur de la famille. Le Dieu de Rosario et celui de Léonard sont très différents. Celui de Rosario est un Dieu vengeur, tandis que celui de Léonard est un Dieu de bonté.

J'aime bien mon frère Léonard. Quand je me pose des questions sur un sujet ou l'autre, je vais le voir. À chaque fois, j'obtiens une réponse sensée et non pas quelque chose comme : « C'est la volonté de Dieu. » Parce que pour Rosario, tout se résume à la volonté de Dieu. Qu'on soit heureux ou dans la misère, c'est la volonté de Dieu. Tandis que Léonard a toujours des réponses judicieuses à ce que nous lui demandons et Dieu n'en fait jamais partie.

Celle qui est née tout juste après Léonard se prénomme Gertrude. Une vraie boule de feu. Avec elle, tout va vite. On la voit toujours occupée à cent mille affaires. Elle touche à tout, s'occupe de tout. Il faut savoir qu'elle n'a pas très bon caractère. Elle ne sourit que rarement. Ajouterai-je que la patience n'est pas son fort non plus…

Vient ensuite Clémence, ma préférée, une petite femme très intelligente et déterminée. Quoiqu'elle ne fasse pas grand bruit, je sais qu'elle ira loin. Elle se passionne pour toutes sortes de choses. Elle n'a qu'un rêve, devenir médecin. Elle est persuadée qu'un jour des femmes pratiqueront la médecine aussi bien que les hommes. Il faut la voir étudier l'anatomie dans les livres que lui prête Léonard. Sans lui, elle ne pourrait jamais mettre le nez dans ces volumes qui sont condamnés par l'Église. Clémence les dissimule dans sa chambre, puis les lit en cachette la nuit, à la lueur d'une chandelle. S'il fallait que m'man découvre ça !

Le suivant, Firmin, se prépare à partir au Klondike. Il est le plus entreprenant de la famille. Rien ne l'arrête. En plus, c'est un sacré patenteux. Il démonte et remonte avec succès tout ce qui ne fonctionne plus. Avec lui, il n'y a pas de problèmes, que des solutions. M'man ne vit plus depuis qu'il a décidé de se rendre au Klondike. Il faut dire qu'elle prend tout trop à cœur. Nous avons une bonne mère. Malheureusement, elle broie constamment du noir. Elle s'inquiète pour tout et pour rien. Quant à p'pa, malgré le fait qu'il ait réalisé de bonnes études au Séminaire de Québec, il a choisi de devenir peintre en bâtiment. Il est au courant de tout. Il lit beaucoup, ne serait-ce que le journal qu'il épluche de la première à la dernière page. Il ne fait guère de bruit. Il aime vivre et laisser vivre. Jamais il ne hausse le ton. Nos querelles l'amusent. Pour qu'il intervienne, il faut que ça brasse vraiment fort! Il est jaloux de sa tranquillité. Son plus grand plaisir, il le trouve dans la lecture du journal et le tabac de sa pipe. Il vit dans le passé. Comme il a une mémoire à toute épreuve, il se rappelle d'une foule d'événements avec une précision surprenante. Il n'y en a pas deux comme lui pour nous raconter les faits du passé qui ont le plus marqué sa vie.

Quant à moi, Hubert le bossu, le petit dernier de la famille, je suis l'assistant du bedeau de notre paroisse Saint-Roch-de-Québec. Avec ma bosse et ma jambe plus courte que l'autre, je cause certainement du souci à mes parents. Je n'ai pourtant pas choisi de naître avec une jambe comme celle-là et, avec le temps, de devenir bossu par-dessus le marché. Charles, le cordonnier du bout de la rue, m'a fabriqué une paire de chaussures adaptées: celle de ma jambe courte est munie d'une épaisse semelle. Ça me permet de marcher sans trop claudiquer.

Comme mes frères Rosario, Léonard et Firmin, j'ai eu l'occasion de m'instruire. J'ai fréquenté l'école de la paroisse dirigée par les frères des Écoles chrétiennes. En raison de mon infirmité, je ne pouvais pas aller au Séminaire de Québec pour devenir prêtre. Les frères des Écoles chrétiennes qui dirigent l'Académie commerciale déplorèrent cette situation. J'avais été un de leurs bons élèves jusqu'à la septième année, aussi, ils espéraient faire quelque chose ou quelqu'un de moi. Ils m'acceptèrent charitablement dans leur institution, située rue d'Auteuil, à la Haute-Ville. J'ai poursuivi un temps mes études à l'Académie commerciale de Québec. J'y étais pensionnaire comme tous les élèves de cette institution. Ma bosse fit de moi un individu à part. N'étant pas sportif, je passais le plus clair de mon temps le nez dans les livres. J'étais reconnu comme ayant beaucoup d'imagination et une bonne plume. Le journal de l'Académie était rempli de mes textes et reportages. Je n'avais pas d'amis et je fus, hélas, le souffre-douleur de mes compagnons de pensionnat. Ça m'obligea, après quelque temps, à cesser mes études.

Mais voilà que je vous parle de Québec comme si vous connaissiez la ville aussi bien que le creux de votre main! Je soupçonne que plusieurs d'entre vous n'y avez jamais mis les pieds. Je vais vous décrire la ville en deux temps trois mouvements. Il y a d'abord le Saint-Laurent. Il coule au pied d'une très haute falaise, le Cap-aux-Diamants. Dessus est construite la Haute-Ville. En bas, tout le tour de cette falaise ou de ce cap, se trouve la Basse-Ville. Elle est constituée en grande partie, du côté nord, par la paroisse Saint-Roch où nous vivons. La rivière Saint-Charles, un affluent du Saint-Laurent, en marque la limite. La rue principale de Saint-Roch porte le nom de Saint-Joseph. La plus importante rue secondaire est la rue de la Couronne. Elle mène à la Côte d'Abraham et, de là, à la Haute-Ville. L'autre rue secondaire porte le nom de Dorchester. Toutes deux croisent la rue Saint-Joseph. Voilà donc en gros pour Saint-Roch. Nous vivons, non loin de l'église, rue du

Pont. Elle est ainsi nommée parce qu'elle mène au pont Dorchester sur la rivière Saint-Charles. Il permet l'accès en banlieue à Limoilou, Gros-Pin et Charlesbourg.

Vous voilà donc fixé. Vous savez maintenant qui nous sommes et où nous demeurons. Je vous entretiendrai bientôt de notre vie et de notre bonne ville si vous avez encore la patience de me suivre.

# Chapitre 3

# Premier dîner en famille

*Ovila*

Je n'allais pas oublier de sitôt mon passage chez les Bédard. Les beaux yeux de Marjolaine avaient fait ma conquête. J'avais tellement le goût de la revoir que je me trouvai un prétexte pour m'arrêter chez eux. On ne manque pas d'imagination quand on désire vraiment quelque chose. Certains se transforment en voleurs quand un objet les tente trop, d'autres en charmants gentilhommes ou encore en savants quand une belle femme les intéresse. Pour ma part, mon excuse fut beaucoup plus simple. Je me procurai un exemplaire du livre de contes de Pamphile Le May et j'allai le leur offrir pour les remercier de leur accueil. Lors de mon passage chez eux, Philibert m'avait appris qu'ils avaient l'habitude de dîner ensemble chaque premier dimanche du mois. Je choisis précisément ce moment pour m'y pointer.

En approchant de la maison, je supposai que Maria et sa mère étaient à leurs chaudrons. J'étais heureux comme on peut l'être quand on sait qu'on va vivre des instants exceptionnels. La nature collaborait. Dans le ciel, aucun nuage ne traînait et les silhouettes des maisons de la Haute-Ville tranchaient sur le firmament. Je m'approchai de cette demeure vivante où j'entendais des assiettes s'entrechoquer. Une bonne odeur de bœuf rôti chatouilla mes narines avant même que j'entre dans la maison. J'essayai d'imaginer ce que devait être la chambre de Marjolaine. Ça me rappelait le temps de mon enfance, quand j'allais flâner dans la chambre des filles pour y humer leur parfum.

Ces gens sont tellement affables que, comme je l'espérais, Philibert m'invita à partager leur repas. Ils attendaient patiemment l'arrivée de Rosario, le curé de la famille, qui, comme je l'appris plus tard, aimait se faire désirer. Comme sa mère le vénérait, elle avait sorti rien de moins que sa vaisselle des fêtes. Il était évident que son curé de fils comptait beaucoup pour elle.

— Il ne devrait pas tarder, m'assura Philibert en m'invitant à prendre place au salon où, en l'attendant, la famille entière était réunie.

J'étais à peine assis quand je vis entrer un petit homme bedonnant, très conscient de son rang et dont je remarquai tout de suite le bec pincé. Comme s'il était le pape en personne, il installa ses fesses bénies dans le fauteuil de son père – c'était le seul qu'ils avaient – et ce dernier, sans doute pour éviter de se chicaner avec son épouse, se contenta de la chaise berçante que lui céda nulle autre que Marjolaine.

Tout ce que ce petit curé raconta de la paroisse qu'il dirigeait se résumait à une seule chose : elle n'était composée que de pécheurs impénitents. Il soupira et s'exclama : «Notre monde est malade!» Les autres l'écoutaient sans rien dire et le laissaient déverser sa bile. Quand, enfin, il daigna se taire, ils osèrent passer à autre chose. Mais sa mère s'inquiéta de ne plus l'entendre.

— Rosario, quelque chose ne va pas ?

Ce n'était pas la question à poser, car il semblait bien qu'avec lui rien n'allait jamais. Il se fit un long silence, puis il recommença ses lamentations.

— J'ai été au chevet de deux personnes mourantes cette semaine. Pourquoi les gens choisissent-ils de mourir la nuit ?

Sa question tomba dans le vide. Puis Léonard rappliqua à son tour et dès lors les choses s'animèrent. Le nouvel arrivant savait fort bien que son frère n'approuvait pas sa façon de vivre. Le petit curé n'aimait pas les artistes et les têtes fortes et, d'après ce que j'avais deviné, Léonard pouvait fort bien être affublé de ces deux qualificatifs. Il entra, enleva d'un grand geste le chapeau de feutre à large bord qui lui servait de couvre-chef et lança :

— Bonjour chacun, chacune ! Vous avez eu, je l'espère, une aussi belle semaine que la mienne, surtout que j'ai appris des choses...

Il se tut un moment en apercevant Rosario, puis en manière de dérision, comme je le constatai par la suite chaque fois qu'il s'adressait à lui, ajouta :

— Mon bien cher frère se porte bien ? J'ai justement à m'entretenir avec lui d'une grave question.

Tout de suite Rosario fut sur ses gardes. Il soupira :

— Qu'est-ce que j'ai fait au bon Dieu pour avoir hérité d'un frère comme toi ?

Léonard ne se laissa pas démonter.

— Le bon Dieu voulait sans doute ajouter une épreuve de plus sur ta route vers la sainteté. Figure-toi donc que dans une de mes lectures de cette semaine j'ai appris qu'au Moyen Âge notre Sainte Mère l'Église a déplacé son trône papal à Avignon.

— Toute personne qui s'intéresse un peu à l'histoire de l'Église sait cela.

— J'ignorais, toutefois, que nos beaux et bons cardinaux d'alors se sont fait jouer un très vilain tour.

Rosario ne répondit pas. Il voyait sans doute venir le coup. Il s'enfonça plus profondément dans le fauteuil de son père et pinça davantage les lèvres, ce qui n'était sans doute pas un bon signe. Sachant tout le monde à l'écoute, Léonard poursuivit :

— Ils ont élu pape, sous le nom de Jean VIII, une certaine Jeanne qui, il faut le préciser, se déguisait en homme.

— Pas vrai ! s'écria Hubert en rigolant.

— Ce sont là des ragots d'impies ! rugit Rosario.

— Je ne voudrais pas te contredire, mon bien cher frère, mais la Jeanne en question a régné comme pape, ou papesse, pendant deux ans. Pour son malheur, elle a accouché au beau milieu d'une procession.

Rouge comme un coq, Rosario grommela :

— Des histoires à dormir debout.

Imperturbable, Léonard ajouta :

— Il paraît que par la suite, pour éviter que ne se reproduise une telle erreur, pour ne pas dire horreur, on décida, une fois qu'un nouveau pape était élu, qu'on allait vérifier ses attributs de près. On faisait asseoir le nouveau pontife sur un banc troué. Un vérificateur passait la main sous le banc et tâtait. Puis, avec un large sourire, il déclarait : *"Duos habet magnificas, et bene pendentes."* Ce qui veut dire : il en a deux magnifiques et bien pendantes. Les cardinaux présents s'écriaient en chœur : *"Deo gratias ! Habemus papam !"*

Rosario était cramoisi. Je me penchai, la main sur la bouche pour ne pas lui éclater de rire en pleine figure, tellement la scène était cocasse. Son père ne broncha pas. De la cuisine, où elle suivait sans doute la conversation, sa mère brassa vigoureusement ses casseroles. Firmin faillit se rouler par terre, pendant qu'Hubert s'était levé et tournait le dos. Les filles se regardaient en se tenant les côtes. Un grand silence tomba sur la maison. Léonard le rompit en s'exclamant d'une voix moqueuse : « Un ange passe ! » Fort heureusement, la soupe était prête et Maria invita tout le monde à passer à table. Leur mère pria Rosario :

— Bénis le repas !

En bon curé, il s'exécuta.

— Merci mon Dieu pour cette nourriture que tu nous donnes si prodigalement, à nous, pauvres pécheurs, qui n'en méritons pas tant.

Il avait à peine terminé sa phrase que Léonard intervint :

— Est-ce que le bon Dieu nous fait une faveur en nous permettant de manger ? À ce que je sache, ce n'est pas lui qui a gagné les sous ayant permis d'acheter ce que nous dégustons, c'est p'pa. On devrait dire : merci p'pa !

Visiblement, Rosario préparait sa réplique, mais Firmin ne lui en laissa pas le temps. Il se mit à raconter la dernière histoire qu'il avait entendue. Son père était friand de ce genre de blagues et il tendit aussitôt une oreille attentive. Je constatai bientôt que Firmin n'avait pas son pareil pour tourner des histoires. Il raconta qu'un vieux et sa vieille étaient tout bonnement en train de veiller dans leur maison en plein hiver quand la fournaise explosa. Ils se retrouvèrent tous les deux projetés dehors dans un banc de neige, la maison en feu. La vieille pleurait. Son vieux la consola : « Allons, Irma, ne te désole pas comme ça, nous sommes chanceux d'être vivants, nous avons des assurances, nous ferons rebâtir la maison. » « Ce n'est pas pour ça que je pleure ! » « Pourquoi alors ? » « Je pleure d'émotion. Te rends-tu compte que depuis notre mariage, c'est la première fois que nous sortons ensemble ! »

Tout le monde la trouva bien bonne, sauf Rosario qui attendait toujours sa chance de racheter l'Église en déclarant que tout ce qu'avait raconté Léonard à propos de la papesse Jeanne était carrément inventé pour nuire à notre Sainte Mère l'Église catholique, apostolique et romaine. Mais on eût dit que tous étaient aux aguets et ne lui laissaient pas la chance de s'exprimer ou de s'indigner.

Gertrude raconta les dernières finesses de son neveu Archange. Marjolaine, pour sa part, nous étonna avec une histoire de gageure. Un homme, paraît-il, avait parié que s'il perdait un concours de tir au poignet, il parcourrait en aveugle, les yeux bandés, toute la distance entre la rue Dupont et l'Hôpital général. Croyez-le ou non, il paraît qu'il le fit. Firmin ajouta quelques histoires de son répertoire. Quant à Hubert, il nous fit part d'un événement dont il avait été témoin plus tôt cette semaine-là. Comme il en faisait mention, il se passait une foule de choses dans une église et quand on était aide bedeau comme lui, on en voyait de toutes les sortes et de toutes les couleurs. Son histoire n'était pas banale. Il raconta :

« Figurez-vous donc que j'étais occupé à la sacristie quand j'entendis quelqu'un se lamenter dans l'église. J'allai voir ce qui se passait. Je ne fus pas long à le découvrir. Une femme était couchée sur le dos au beau milieu de l'allée centrale. Je m'approchai, la croyant sans connaissance.

« Elle avait les yeux fermés. Je lui secouai une épaule. Elle ouvrit les yeux, me regarda avec frayeur et demanda : "Êtes-vous l'ange du jugement dernier ?" "Jamais de la vie. Je suis l'aide du bedeau de l'église." Elle se cacha vivement la figure derrière son bras droit et s'exclama : "Hors de ma vue, Satan !" J'en déduisis qu'elle n'avait pas tout son esprit et je décidai de prévenir un policier pour qu'il vienne la chercher. Je me rendis le plus rapidement que me le permit ma jambe infirme à la porte principale de l'église et j'interpellai notre voisine, madame Antonio Lachance, qui passait devant. Je lui demandai de prévenir aussitôt le chef Cloutier de venir en vitesse. En attendant qu'il arrive, je retournai voir la femme en question. Je l'informai : "On va venir vous chercher !" Elle répondit : "Je le sais, pour le jugement dernier."

« Je n'insistai pas, me contentant de voir à ce qu'elle ne bouge pas avant l'arrivée du chef Cloutier. Il se pointa quelques minutes plus tard, accompagné de son adjoint Bouchard. J'allai au-devant d'eux leur expliquer la situation. Ils s'approchèrent de la femme et l'aidèrent à se remettre sur pieds. "Je ne vous connais pas, lança-t-elle. Il est défendu par Dieu de me toucher." "Allons, Alphonsine, répliqua le chef Cloutier, nous, nous vous connaissons." Ils l'emmenèrent avec eux. J'appris ensuite par notre voisine que cette femme s'était évadée le matin même de l'asile d'aliénés de la Canardière. On était presque certain qu'elle était l'auteur du début d'incendie que les pompiers étaient parvenus à maîtriser à cet endroit. »

Son récit marqua la fin du repas. En quelques minutes, la maison se vida. Léonard était déjà parti, Rosario courait à la gare prendre le train pour Portneuf, Firmin déclarait qu'il devait préparer sérieusement son équipée vers le Klondike, Maria desservait la table pendant que sa mère s'activait déjà à laver la vaisselle, et Clémence, encore aux études, partait pour sa pension. Quant à Philibert, après avoir retrouvé son fauteuil, il s'absorbait dans la lecture du journal. Il ne me restait plus qu'une chose à faire : partir. Je me levai à mon tour et les remerciai de leur accueil. Philibert ne me retint pas. Hubert me tendit la main et s'excusa: «J'ai beaucoup de choses à rédiger», me dit-il. Marjolaine et Gertrude sortirent en même temps que moi pour une visite qu'elles avaient promis de faire. Je les suivis, ne voulant pas laisser Marjolaine s'envoler sans lui refiler un billet dans lequel je lui demandais la faveur de la revoir. Elle y jeta un coup d'œil, rougit et se contenta de chuchoter: «Il faudra voir.» C'est tout ce dont je dus me contenter.

# Chapitre 4

# Mes frères et moi

*Hubert*

Mes frères ont tous les trois été pensionnaires au Séminaire de Québec. Rosario a parti le bal, si on peut appeler ça un bal… Le curé de notre paroisse Saint-Roch avait trouvé un bienfaiteur pour payer ses études. Les prêtres l'embrigadèrent si bien qu'ils en firent un curé, pour le plus grand plaisir de m'man – et notre déplaisir à nous. Je ne crains pas de le dire, il n'y a pas plus casse-pied que lui. Pourtant les curés ne sont pas tous déplaisants, mais lui, allez savoir pourquoi, il est champion en ce domaine. Comme c'est notre frère, nous l'endurons sans rien dire.

Si les curés ont bien réussi avec Rosario, ils n'ont pas eu autant de succès avec Léonard. Il devint exactement le contraire de ce qu'ils espéraient en faire. Il ne croit plus à leurs salades (c'est comme ça qu'il appelle leurs enseignements) et mène sa vie comme il l'entend. Il ne se sent pas obligé d'être à quatre pattes à l'église tous les dimanches et jours de fêtes. Croyez-moi, tout cela revient souvent. J'en sais quelque chose. Je sonne les cloches pour appeler les fidèles à toutes ces célébrations. Cela n'empêche pas Léonard d'être un pince-sans-rire, vite sur la gâchette et heureux de vivre. Comme il aime à le répéter : on n'a qu'une vie, il faut que ça pète !

Enfin, Firmin a, lui aussi, profité de la générosité d'un bienfaiteur pour fréquenter le séminaire. Je le revois encore avec son costume de jeune séminariste. Il avait l'air d'un épouvantail avec sa casquette un peu semblable à celle des zouaves et sa redingote bleu foncé comme une demi-soutane. Elle lui descendait jusqu'en bas des genoux et était serrée à la taille par une espèce de ceinturon vert ressemblant aux ceintures fléchées de nos ancêtres. Il avait déjà l'air d'un petit curé. Il s'en moquait royalement. Quand il revenait, aux grandes vacances, il me racontait à quel point il avait hâte de retrouver sa liberté.

« Nous sommes comme des bêtes en cage, se plaignait-il. On ne peut pas sortir seul dans la cour de récréation. De plus, un surveillant y épie tous nos gestes. Il nous faut des autorisations pour tout : aller boire, aller aux toilettes, monter à la salle d'étude et même prendre notre douche. Je t'écrirais bien… sauf que ce serait pour ne rien te dire, car nous devons remettre nos lettres décachetées. Sois assuré qu'elles sont lues avant d'être expédiées, si jamais elles le sont. Quand la cloche nous appelle en classe, nous devons nous mettre en rang comme des pingouins. Il faut nous déplacer dans le plus grand silence. Notre journée commence par le lever à six heures. La messe suit. Il ne nous est pas permis de bâiller. Nous devons absolument communier, sinon nous sommes soupçonnés de vivre dans le péché. D'ailleurs, il nous faut nous confesser au moins deux fois par mois, de préférence à notre directeur de conscience. Sinon, nous devons en preuve apporter un billet de confession signé par le prêtre à qui nous avons avoué nos péchés. »

Je l'écoutais discourir de la sorte et je le plaignais. Je savais ce que c'était qu'être pensionnaire. Au fond, pour une fois, je me louais d'être bossu, ce qui m'avait évité de fréquenter le séminaire. Je ne l'enviais pas de devoir se plier ainsi à toutes sortes de règlements plus ou moins stupides. Chaque jour il suivait le même horaire fait de prières, d'études, de récréations et de repas. Il mangeait soupane et tartine de mélasse au déjeuner, bouilli de bœuf au dîner, veau ou ragoût au souper. Firmin ne pouvait pas se retenir de déblatérer sur sa vie de pensionnaire. Il avait pourtant la chance de s'instruire, d'apprendre le français, l'anglais, le latin et même le grec, comme aussi les mathématiques, l'histoire et la géographie, la physique et la chimie et même les sciences naturelles. Heureusement, les après-midi de congé du mardi et du jeudi lui permettaient de sortir du séminaire.

« Encore là, commentait-il, nous défilons en rang d'oignons sur les trottoirs de la ville. Nous envions ces jeunes qui s'engouffrent dans les restaurants ou les théâtres en nous narguant avec leurs larges sourires. J'ai toujours l'impression que les gens nous regardent comme des bêtes curieuses. Il est vrai que nous faisons partie d'un zoo appelé le séminaire. »

Moi, je jouissais de toute ma liberté. Je le prenais en pitié de devoir se plier ainsi à toutes ces exigences de collégiens. Durant le temps des fêtes, il venait à la maison au jour de l'An pour recevoir la bénédiction paternelle. Il s'empiffrait de tous les bons petits plats de m'man et Maria, et ensuite il regagnait son pensionnat à reculons.

Quant à moi, après des études passablement réussies à l'école paroissiale et une année à l'Académie commerciale, ma bosse me valut la pitié du curé. Il fit de moi le bras droit du sacristain. Je devins aide-bedeau, comme on aimait tellement me le rappeler. En fait, pour être plus précis, j'étais le sonneur de cloches attitré. J'obtins ce travail d'une très curieuse façon.

Nous étions réunis à l'église pour le service funèbre de mon oncle Sévérin, le frère de p'pa. À la fin de la cérémonie, quand il fut question de sonner les cloches, l'assistant du sacristain s'affaira à les mettre en branle. Elles avaient à peine commencé à tinter qu'elles se turent presque aussitôt. J'eus la curiosité d'aller voir ce qui se passait. Je trouvai l'assistant par terre, étendu sur le dos. Je pensai qu'il avait trop bu. Je ne savais trop quoi faire. Je saisis un à un les câbles des cloches et complétai le travail qu'il avait commencé. Grâce à moi, mon oncle eut droit à la volée de cloches nécessaire à son entrée au ciel.

Les porteurs du cercueil défilèrent non loin de moi, suivis par les gens désireux d'accompagner la dépouille au cimetière. Une fois l'église vide, je m'occupai de vérifier si l'assistant du bedeau jouait toujours son rôle de vivant ou celui de macchabée. Il était bel et bien mort. Pour transporter le corps à la sacristie, je me fis aider par deux hommes encore occupés à discourir sur le perron de l'église. Je me rendis au presbytère informer le premier vicaire. Il ne put faire mieux que d'attendre le retour du curé pour prévenir la famille.

On raconta au curé ma conduite dans ces circonstances plutôt pénibles. Ma bosse ne semblait pas l'effrayer. Il décida que je prendrais la place du défunt comme assistant du bedeau. Ainsi, en dépit d'études moins poussées que celles de mes frères, je puis, malgré mon handicap, gagner honnêtement ma vie. Comme ça, j'aide mon père à mettre du pain sur la table.

# Chapitre 5

# À propos de Marjolaine

*Ovila*

Tenter, comme étranger, d'entrer dans une famille parce qu'une des filles nous intéresse ne s'avère pas si simple que ça. J'avais remis un billet à Marjolaine et, sans doute intimidée parce qu'elle était avec sa sœur, elle m'avait vaguement répondu : «Faudra voir!» J'attendis vainement, pendant quelques jours, des nouvelles de sa part. Il me semble qu'il n'y a rien de plus pénible que d'espérer ainsi une réponse tardant à venir. On se demande : «Va-t-elle répondre? Est-elle insultée? Ai-je bien fait de tenter ma chance?» Je n'avais pas manqué d'inscrire mon adresse sur le billet. J'espérais bien voir apparaître un bout de papier sous ma porte. Fort heureusement, le dimanche suivant, au sortir de l'église, Hubert me remit un pli venant de sa sœur. J'allais m'empresser de le lire, quand je me ravisai. Et si elle ne voulait rien savoir de moi? C'est en tremblant, je l'avoue, que je finis par le lire :

«Avec l'autorisation de mon père, je vous invite à vous joindre à nous à la maison, ce mercredi midi, pour souligner le départ de notre frère Firmin pour le Klondike.»

C'était signé Marjolaine.

Je poussai un long soupir. Elle ne me rejetait pas! J'ai encore dans mes papiers ce billet de Marjolaine. Il y eut beaucoup d'émotion ce mercredi-là, quand après un bon repas bien arrosé Firmin prit sa valise et passa la porte, accompagné de Léonard et d'Hubert. Mais juste avant de sortir, Hubert me prit à part et me fit promettre de l'attendre, il avait quelque chose à me remettre. J'eus ainsi l'occasion de bavarder avec Philibert que j'appris à mieux connaître. Il me demanda :

— Connaissez-vous un peu l'histoire de Saint-Roch ?

— Ma famille est de Saint-Jean-Baptiste, habiter Saint-Roch est tout nouveau pour moi.

Étonnamment, il évoqua la naissance de Marjolaine.

— Quand Marjolaine est venue au monde en 1868, Saint-Roch se remettait à peine d'un incendie qui avait détruit plus de onze cent maisons. On se serait cru au milieu d'un champ de bataille ! La paroisse ne comptait plus que quelques maisons et on cherchait l'ombre des rares arbres qui, par miracle, avaient survécu à l'hécatombe.

Je me demandais bien où il voulait en venir, quand il ajouta, comme s'il voulait me mettre en garde :

— Marjolaine n'est donc pas née sous un bon signe. Elle a vu le jour deux ans après un incendie et deux ans avant le suivant…

— Que m'importe ! protestai-je. Votre fille est tout à fait magnifique et j'aimerais bien faire meilleure connaissance avec elle et peut-être même passer ma vie en sa compagnie.

Ma réflexion fit rougir l'intéressée, pendant que son père poursuivait :

— À ce que je vois, vous n'êtes pas superstitieux. Ne savez-vous pas qu'habituellement le malheur accompagne les belles femmes ?

— Je n'adhère pas à ce genre de croyances. La beauté n'attire pas le malheur.

— Ainsi, ma fille vous intéresse?

— Beaucoup.

— Dans ce cas, je vous autorise à venir la voir, deux soirs par semaine, les mercredi et samedi. Et, bien entendu, vous serez le bienvenu à nos dîners du premier dimanche du mois.

Je n'en espérais pas tant. Il se leva, mit la main sur l'album de photos de la famille et me montra une photo de Marjolaine alors qu'elle avait sept ans et commençait ses études primaires. Elle portait une robe droite, et comme tous ceux qui se faisaient photographier à l'époque, ne pouvant ni bouger ni sourire, elle avait un air sérieux qui ne lui ressemblait pas. Sa mère s'approcha et me dit:

— Marjolaine a toujours été belle. Tout le monde s'entendait à dire qu'on avait rarement vu un si beau bébé. Je me faisais un plaisir de la promener dans son carrosse, j'en étais tellement fière! Nous avons d'ailleurs toujours été très fiers d'elle, n'est-ce pas Philibert?

— Absolument. Je me rappellerai toujours, quand elle fréquentait le couvent tenu par les religieuses de la Congrégation Notre-Dame, ce jour où elle nous ramena une de ses compagnes à dîner.

Sa femme intervint:

— Tu ne vas tout de même pas raconter ça?

— Pourquoi pas? Comment s'appelait-elle déjà, Marjolaine?

— Gilberte.

— Ah, oui! Gilberte Laberge. Je lui avais demandé: "Mademoiselle Laberge, aimez-vous l'école?" Je la revois, avec sa chevelure noire comme du charbon, lever la tête de son assiette, jeter un coup d'œil vers Marjolaine, plisser le nez et sans plus hésiter, répondre : "Pas en toute !" Alors, je lui ai demandé pourquoi, et elle m'a répondu : "Je n'aime pas les sœurs, parce qu'avec elles nous n'avons pas le droit de rire. Nous devons toujours marcher en silence et, excusez-moi de le dire comme je le pense, les fesses serrées."

Laetitia intervint :

— Elle exagérait. Les sœurs ne sont pas comme ça.

Marjolaine lança :

— C'est vous qui le dites, m'man !

— À ce que je vois, fis-je, cette jeune fille n'avait pas peur de ses opinions et, surtout, ne manquait pas de les exprimer. Jamais mes sœurs n'auraient osé parler de la sorte à table. Il est vrai que dans notre famille les hommes ont toujours pris beaucoup de place, pour ne pas dire toute la place. Mes sœurs, j'en ai deux, font toujours leur petite affaire sans trop faire de bruit, si bien que lors de nos dîners les discussions sont surtout menées par mon père, mes frères et moi.

— C'est la même chose ici, fit remarquer Marjolaine. Rosario, Léonard, Firmin et Hubert ont toujours droit de parole, tandis que nous…

— À bien y penser, approuva Philibert, tu as raison. Tout cela remonte sans doute à il y a bien longtemps quand les oncles venaient manger à la maison et que nous devions les écouter sans intervenir puisque, à table, seuls les adultes avaient droit de parole. Cette compagne de Marjolaine ne devait pas être élevée de la même manière que nous, car elle ne craignait pas de dire franchement ce qu'elle pensait.

Après avoir marqué une petite pause, Philibert revint à son récit :

— J'ai demandé à Gilberte : "Et ça te suffit pour te faire détester les sœurs ?" Elle a répondu spontanément : "Non, il y a autre chose, elles sont hypocrites, menteuses et injustes."

46

— J'en ai assez entendu, marmonna la mère, et elle se retira dans la cuisine.

Philibert continua :

— Je lui ai dit : "Oh ! Tu avances là quelque chose de grave. D'abord, ce ne sont pas toutes les sœurs qui doivent être comme tu le dis."

— Qu'a répondu la jeune fille ? demandai-je.

— "Peut-être, monsieur, mais vous saurez qu'elles ont toutes leurs préférées. Demandez à Marjolaine si ce n'est pas vrai." Et Marjolaine a acquiescé d'un signe de tête.

Philibert avait l'air bien amusé de toute cette histoire mais Marjolaine, qui semblait revivre cette scène, ajouta :

— Je vous assure, plus Gilberte parlait, plus je voyais le visage de m'man s'allonger. Elle ne pouvait pas se figurer qu'une jeune fille, et qui plus est mon amie, puisse avoir un tel franc-parler et elle se retira de nouveau pour ne pas en entendre plus. P'pa lui a demandé : "Qu'est-ce qui te fait dire qu'elles sont injustes ?" "Des fois, elles ne punissent pas la bonne personne." "Vraiment ?" "Marjolaine pourra vous le dire, l'autre jour mère Sainte-Philomène a puni Marceline Saint-Onge et ce n'était pas elle la coupable."

Philibert reprit la parole.

— Je me souviens de lui avoir demandé ce qui s'était passé. Sa réponse vint spontanément. "Justement, sa protégée Huguette a chuchoté durant l'examen de français. Il paraît qu'elle voulait que Marceline lui prête son efface. Mère Sainte-Philomène a levé les yeux et vu Marceline tendre le bras vers le pupitre d'Huguette. Mère Sainte-Philomène a fait venir Marceline à son bureau et l'a envoyée se mettre à genoux dans le coin de la classe pour avoir tenté de tricher. Pas de saint danger qu'Huguette soit intervenue pour lui dire ce qui s'était véritablement passé."

Philibert s'arrêta là-dessus. Après un moment il ajouta :

— Si j'ai tenu, monsieur Joyal, à vous raconter cela, c'est pour que vous vous rendiez bien compte que dans notre famille, nous n'avons pas peur de la vérité et qu'une des choses que je déteste le plus est le mensonge. Comme vous avez pu le constater, Marjolaine n'a pas fait de détour pour obtenir la permission de vous fréquenter. Vous serez toujours le bienvenu parmi nous tant que vos cartes seront bien en vue sur la table. Et si jamais les choses s'arrangent bien entre vous et Marjolaine, sachez déjà que quand vous viendrez me demander sa main, je ne vous dirai pas non, car même si vous êtes journaliste, le peu que je connais de vous ne me déplaît pas.

Je l'assurai que je ferais tout mon possible pour être digne de sa fille. Nous jasions de choses et d'autres quand Hubert revint. Son père s'enquit :

— Comment le départ de ton frère s'est-il passé ?

— On l'a reconduit à la traverse où l'attendaient les deux amis qui partent avec lui. Ils étaient très heureux de s'en aller. Nous ne les avons pas accompagnés à la gare de Lévis. Firmin a assuré qu'il allait nous écrire.

Je m'étais attardé chez eux parce qu'Hubert m'avait fait promettre de l'attendre. Je me levai pour saluer Philibert et Marjolaine en leur disant que je reviendrais le samedi suivant. Hubert m'invita à le suivre à sa chambre et il me remit un cahier couvert d'une écriture serrée.

— Je raconte dans ces lignes un peu de notre enfance. J'ai pensé que ça pourrait vous intéresser et j'aimerais savoir ce que vous en pensez.

Je promis de lire le tout le plus vite possible et de le commenter. Rendu chez moi, j'eus la curiosité d'y jeter un coup d'œil et je me laissai entraîner avec plaisir dans la lecture de ce cahier qu'Hubert avait intitulé : *Nous, les Bédard*.

Chapitre 6

# Le cahier d'Hubert

*Hubert*

## *La maison d'été*

P'pa disait toujours que le meilleur coup qu'il ait fait dans sa vie avait été d'acheter une maison de campagne. Il répétait souvent : « Il y a des choses qui doivent se faire quand c'est le temps de les faire, parce que, comme la vie, elles ne reviennent pas. Souvenez-vous-en ! » Il n'était pas peu fier d'avoir sauté sur l'occasion d'acheter une maison d'été.

Appelé par son travail à se rendre du côté de Saint-Romuald repeindre une maison, il se rendit compte qu'une des habitations voisines était à vendre. Il pensait déjà à sa retraite qu'il voulait passer paisiblement loin des bruits de la ville. Il n'hésita pas un instant à s'en porter acquéreur. Elle était située sur le bord du fleuve.

— Pourquoi avoir choisi la rive sud ? lui demanda Firmin un jour.

La réponse vint rapidement :

— Pour admirer la splendeur des couchers de soleil.

— Mais, protesta Firmin, c'est beaucoup plus compliqué de se rendre de ce côté-là du fleuve.

P'pa ne se laissa pas démonter :

— Nous le faisons en bateau présentement, mais je suis certain qu'un jour nous traverserons sur un pont.

À compter donc de cette année-là, alors que j'avais dix ans, nous passâmes régulièrement nos étés dans cette maison. P'pa prenait quelques semaines de vacances. Sauf que ce n'en étaient pas réellement parce que, presque chaque jour, il faisait des travaux de peinture dans les environs. Il ne rentrait à la maison qu'à l'heure du souper. Rosario passait ses vacances à Maizerets. Il ne vint jamais se prélasser au bord du fleuve. Personne ne s'en plaignait d'ailleurs, sauf m'man. Si lui ne vint pas, ce ne fut pas le cas pour le reste de la famille. Je me souviens encore de cette première fin de semaine de juillet où nous déménageâmes avec armes et bagages. Tout était nouveau et merveilleux à mes yeux. La charrette louée par p'pa débordait de tous les effets que lui et m'man avaient cru bon emporter. Nous étions entassés dans la voiture et si coincés que nous ne pouvions pas bouger. Les plus vieux ne cessaient pas de commenter tout ce qu'ils voyaient. J'entends encore Marjolaine dire à Maria, au moment où nous descendions la côte de Sillery :

« Regarde comme le fleuve est beau. On dirait presque que l'eau est bleue. »

P'pa la reprit : « Où vois-tu du bleu là-dedans ? C'est sans doute le reflet du ciel. L'eau en réalité commence à être plutôt grise. Le fleuve se fait déjà vieux de tout ce qu'on y jette sans discernement. »

Un bateau remontait vers Montréal. Comme pour donner raison à p'pa, on vit un homme à la poupe déverser ce qui semblait être un tas d'ordures. Des goélands en quête de nourriture se jetèrent aussitôt dans son sillage. « Pouah ! s'écria Léonard, les gens sont donc bien cochons ! » P'pa lui reprocha : « Tu pourrais faire attention à tes paroles ! » « Je me reprends, fit Léonard. Pouah ! Les gens sont donc bien gorets ou, si vous préférez, pourceaux ! Est-ce qu'ils sont moins cochons ainsi ? Quand on pense, commenta-t-il, qu'il y en a dont le nom de famille est Cochon ! Je les comprends d'avoir changé leur nom pour Cauchon et ensuite Laverdière. Et que dire des familles Cheval ? »

Comme toujours, bien sûr, Léonard nous faisait la démonstration de son érudition. P'pa le laissa s'exprimer sans plus intervenir.

Nous n'avions pas encore eu la chance de voir à quoi ressemblait cette maison de campagne. Nous avions bien hâte de nous y retrouver. Après avoir encore parcouru un bon bout sur le chemin du Foulon, nous arrivâmes à un quai. Une embarcation d'assez forte dimension nous y attendait. Les plus vieux aidant, tout le contenu de la charrette y fut chargé, nous y compris.

Il faisait un temps propice à la baignade. Non loin, sur la plage de l'Anse au Foulon, nous pouvions apercevoir de nombreux baigneurs. Les filles et les femmes portaient des maillots à jupe et les garçons et les hommes leur caleçon de laine et tricot de corps. Nous les enviions de pouvoir se rafraîchir. Nous nous promettions de les imiter une fois enfin sur l'autre rive. P'pa nous indiqua du doigt où se trouvait notre maison, de l'autre côté du fleuve. Elle nous semblait à la fois proche et très éloignée. Quand la barque quitta le quai nous eûmes l'impression d'être bercés comme lorsque nous étions enfants. La traversée se fit sans problème. Devant nous, de petite, notre maison se faisait de plus en plus grande. Elle se dressait au sommet d'une pente déboulant vers le fleuve. De loin, nous avions l'impression qu'elle baignait les pieds dans l'eau. Puis, au fur et à mesure de notre approche, elle se retira de la rive. Il me semblait qu'elle nous souriait entre les lilas, les saules et les pommiers qui lui faisaient un écrin de verdure. Elle disparut soudain, cachée par un cap surmontant une pointe de terre s'avançant dans le fleuve.

La marée était haute. Menée d'une main de maître, notre embarcation alla doucement coller son flanc au bout d'un quai desservant tout le voisinage. En deux temps trois mouvements, nos effets s'y retrouvèrent et nous de même. Nous étions heureux de fouler à nouveau le plancher des vaches et encore un peu étourdis de cette course sur l'eau. Il nous restait à emporter nos effets jusqu'à la maison. Chacun se munit de ce que sa force lui permettait de porter. Pendant que Léonard restait veiller sur nos biens encore sur le quai, à la suite de p'pa, nous gagnâmes la maison de ses rêves. De là où nous étions nous ne pouvions pas l'apercevoir. «Vous verrez, assura-t-il, elle est là au détour du chemin. Je suis sûr que vous la trouverez coquette. Nous y passerons du bon temps.»

Au bout de cinq cents pieds, le chemin de terre bifurquait derrière un petit cap. À peine l'avions-nous contourné que la maison nous apparut. Ce qui me frappa d'abord, ce fut sa grande galerie, ses hautes fenêtres ouvertes vers le fleuve, sa longue corniche, ses volets verts et ses murs de déclin jaunâtre. Vraiment, p'pa avait fait une bonne affaire. Nous nous écriâmes à l'unisson: «Comme elle est belle!»

De fierté, p'pa gonfla la poitrine. M'man, d'ordinaire peu démonstrative, s'écria: «Philibert, c'est merveilleux!»

Nous pressâmes le pas et bientôt nous nous retrouvâmes tous sur la galerie à contempler le fleuve, assurés que d'heureux jours nous attendaient en ce lieu incomparable. Après deux autres voyages au quai, nous avions récupéré Léonard en même temps que tous nos effets. Nous ne mîmes pas beaucoup de temps à investir les lieux et à répartir les chambres et les lits. Marjolaine, Gertrude et Clémence optèrent pour la chambre verte. Sous la corniche et au-dessus de la galerie, elle possédait une grande fenêtre donnant sur le fleuve et était surmontée d'un œil de bœuf. Nos parents prirent la grande chambre au rez-de-chaussée. Maria se contenta de la petite chambre le long du corridor donnant sur la porte arrière de la maison. Nous nous retrouvâmes, Léonard, Firmin et moi, à l'étage, dans la chambre au-dessus de la grande pièce attenante à la cuisine servant à la fois de salon et de salle à manger.

Nous avions tellement hâte d'explorer les environs que nous mîmes peu de temps à nous installer. Nous courûmes sur la grève en direction du village, curieux de rencontrer nos voisins. Nous étions déjà en quête des meilleurs endroits pour pêcher. Dans notre chambre, ce premier soir, nous discutâmes comme des conspirateurs. Léonard nous fit bien rire.

— Si Rosario était ici, nous aurions certainement dit le chapelet en famille, au nom du père, de la mère et de tous les enfants.

— Au nom aussi du Sacré-Cœur, lança Firmin.

— Et de la sainte enfance, ajouta Léonard.

Il se mit ensuite à imiter à s'y méprendre notre frère Rosario.

— Je vous le dis, mes bien chers frères, ce que vous faites au plus petit d'entre les miens, c'est à moi en vérité que vous le faites.

Il s'arrêta avant d'ajouter :

— Je lui tordrais bien ce que vous savez et on verrait si le Christ sur sa croix se mettrait à hurler.

Firmin et moi ne pûmes retenir nos rires, avec le résultat que nous entendîmes p'pa s'écrier d'en bas : «Ça suffit, les garçons!»

Il intervenait si peu souvent qu'il se fit un silence de mort dans la chambre. Léonard souffla un «amen» qui nous obligea à nous couvrir la figure de notre oreiller pour étouffer nos rires et à nous contorsionner pour ne pas mouiller notre lit.

*Première exploration*

Dès le lendemain de notre arrivée, nous partîmes explorer les environs. Notre maison se trouvait non loin d'une pointe de terre qui s'avançait dans le fleuve là où s'élevait un imposant bâtiment appelé le Manoir de Longwood. Une affiche nous l'apprenait à l'entrée. Les marches y menant étaient surmontées d'un fronton soutenu par quatre colonnes. Nous n'avions jamais vu une telle demeure. Nous nous arrêtâmes un moment pour l'observer. C'est alors que surgit derrière nous un jeune homme maniéré, aux yeux verts et à l'abondante chevelure rousse. Il nous demanda abruptement : «Que faites-vous ici?»

Il semblait avoir le même âge que Léonard, qui lui expliqua que nous étions nouveaux dans le coin et que nous étions curieux de savoir à qui appartenait cette maison. «À mes parents!» certifia-t-il dans un français au fort accent anglais. Nous allions poursuivre notre route quand il nous proposa : «Vous aimeriez visiter?» «Bien sûr!», approuva Léonard.

C'est ainsi que sans l'avoir cherché, nous pûmes accéder à ce manoir de rêve. Nous pénétrâmes d'abord dans un grand hall d'entrée, puis dans un vaste salon. Du salon, à la suite de notre guide, nous passâmes dans la salle à manger où trônait une superbe table de chêne. Aux murs, du plancher au plafond, étaient adossées des bibliothèques débordant de livres. Une tête d'orignal empaillée surplombait le foyer. Tout au fond, une salle de bain était occupée en grande partie par une baignoire de cuivre ressemblant à un sabot géant. Tout au bout, un monumental escalier donnait accès à l'étage.

Curieusement – et sans doute heureusement –, nous ne rencontrâmes personne. Notre guide semblait très nerveux, parce qu'il aurait sans doute été réprimandé de nous avoir conduits là. Il se retourna, regarda à gauche et à droite. Il porta son index à ses lèvres pour nous inciter à ne pas faire de bruit. Il nous fit signe ensuite de le suivre dans l'escalier couvert d'un épais tapis qui, fort heureusement, étouffait le son de nos pas. Le garçon nous mena ensuite dans une pièce où se trouvaient un bon nombre de cages peuplées de pigeons. Il s'assit à un petit secrétaire et rédigea un court texte. Puis, après avoir minutieusement plié le papier, il attrapa un des pigeons. Il glissa le message dans un petit étui de cuir que l'oiseau portait ceinturé sur son dos. Il ouvrit ensuite la fenêtre et le volatile s'envola. Notre guide battit des mains et souffla des baisers dans la direction qu'il venait de prendre.

Nous n'osions pas parler. Le garçon nous fit descendre à sa suite, traverser la maison et en sortir. Par le même chemin, il nous ramena là où il nous avait croisés. Léonard lui demanda à qui il avait expédié le message. Il répondit avec feu : « À mon amour ! » « Qui habite où ? » « À Québec ! » Il proposa à Léonard : « Si tu veux, nous pourrions nous envoyer des messages. Je te donnerai deux pigeons et une cage. » Léonard ne laissa pas passer l'offre. « Bien sûr, fit-il. Mais ça ne serait pas plus simple que nous nous voyions une fois chez nous et le lendemain chez toi ? » « Si tu connaissais mes parents, tu saurais que ce serait cent fois plus compliqué. »

Deux jours plus tard, après moult discussions avec p'pa et m'man, Léonard fut autorisé à garder un pigeon dans une cage accrochée au mur du hangar. Le jeune homme, prénommé Edward, lui apporta la cage promise et deux pigeons voyageurs. Il affirmait que la meilleure façon de procéder avec ces oiseaux était de les garder par couple. Léonard réussit à en convaincre p'pa. Il put garder les deux oiseaux. Quels messages Léonard et Eward s'expédièrent-ils tout au long de l'été ? Nous ne le sûmes jamais. Il fut vigilant à nous en taire le contenu.

Léonard ne décollait plus de la maison, attendant sans cesse le retour éventuel d'un de ses pigeons. Firmin et moi, nous décidâmes de continuer nos explorations. En sortant de la maison, si nous tournions à droite, nous arrivions du côté de Longwood. Du côté gauche, le chemin se butait à des bosquets. Qu'y avait-il derrière cette clôture d'arbustes ? Nous partîmes bravement à la découverte de ce qui s'y cachait. Craignant de voir surgir de derrière chaque arbuste une bête féroce voulant nous attaquer, nous nous étions munis, Firmin et moi, d'un bâton qui devait nous servir d'arme défensive.

Nos pas hésitants, en cette première expédition, nous menèrent à quelques centaines de pieds à peine de notre maison. Il fallait nous frayer un chemin à travers les brous-sailles. Nous avancions de quelques pas, le cœur battant, puis nous ressortions en vitesse pour gagner la rive du fleuve y retrouver le soleil et la liberté des grands espaces. À ce jeu, il nous fallut toute une matinée pour avancer d'au mieux un quart de mille. Nous étions persuadés qu'il n'y avait rien d'intéressant à voir de ce côté, mais nous continuions bravement, et le lendemain, nous reprîmes la même direction. Pendant ce temps, Léonard expédiait un énième message à son correspondant à tête rousse, puis s'enfermait à la maison dans l'attente d'une réponse.

Plus familiers avec les lieux et plus audacieux en ce deuxième jour, nous avançâmes bravement. Il fallut nous frayer un chemin dans des bosquets d'aubépines nous menaçant de leurs épines. Muni d'une petite hache, Firmin frappait et taillait allègrement dans ce fouillis de branchages. Nous fûmes récompensés quand nous débouchâmes au bas d'une falaise dans une vaste crique donnant sur un ruisseau. Après un bond d'une vingtaine de pieds, il se jetait dans un bassin sablonneux. L'eau jaillissait de là-haut, formant une chute sous laquelle, nous le sûmes tout de suite, il ferait bon se doucher. La tentation s'avéra trop forte pour que nous n'y succombions pas. En moins de deux, nous étions tout nus à prendre la plus exquise des douches en pleine nature. L'eau froide nous dégoulinait sur la tête, nous donnant la chair de poule. C'était merveilleux, mais il fallut bien nous résoudre à en sortir.

Encore trempés, après avoir récupéré nos vêtements, nous suivîmes le ruisseau. Il allait se perdre dans le sable de la berge du fleuve. Étendus sur de grosses pierres, comme des lézards au soleil, en quelques minutes nous fûmes séchés. Nous nous rhabillâmes et, en sifflant, nous reprîmes, sur la rive jonchée de bois mort, la direction de la maison. En route, Firmin me dit : « Ce sera désormais notre royaume secret. Pas un mot à personne. » « Promis », assurai-je en ébauchant un signe de croix.

Maintenant que nous avions notre royaume, nous ne nous posions plus de questions sur ce que nous ferions de nos vacances.

*L'ami Jeff*

Le lendemain, nous étions en route pour la chute. Nous avions pris la précaution d'apporter une serviette pour nous sécher après notre baignade. Nous vîmes venir sur la berge un garçon d'une dizaine d'années. Il portait de travers sur la tête un calot d'où jaillissaient des boucles de cheveux blonds. Il avait une figure ronde, des yeux perçants et semblait très éveillé. Il ne parut pas étonné de nous voir, mais s'arrêta pour dire :

— Vous êtes nouveaux ici, je ne vous connais pas. Si vous voulez le savoir, je m'appelle Jean-François Paradis. Mes amis me nomment Jeff. C'est d'même que j'aime être appelé.

— Bonjour Jeff, le salua Firmin. Moi c'est Firmin et mon frère que voici, Hubert. Nous habitons pour l'été la maison que tu vois là-bas.

— La maison des Demers ?

— Mon père l'a achetée. Il faudra dire, à l'avenir, la maison des Bédard. D'où tu viens ?

— De la rue du Sault.

Firmin reformula sa question :

— Tu es venu au monde où ?

— À Saint-Nicolas. Ma mère est morte en me donnant naissance.

— Tu m'en vois désolé, assura Firmin.

Ce que Jeff venait de dire me fit tomber des nues. C'était sa mère qui lui avait donné naissance et non pas les Sauvages qui l'avaient trouvé ! Firmin ne me laissa pas le temps d'approfondir tout ça. Il lui demanda :

— Où vas-tu comme ça ?

— Au village. Y êtes-vous allés ?

— Non, pas encore.

Il reprit d'un ton déterminé :

— Si vous venez avec moi, je vous ferai visiter.

En passant à la maison, Firmin y déposa nos serviettes. Il annonça que nous allions au village et ni p'pa ni m'man ne firent d'objection. Ce que Jeff appelait le village était en fait l'agglomération appelée New Liverpool. Blotties le long du fleuve, les maisons à étage avaient des toits mansardés. Elles s'élevaient tout près du quai où tout se passait. Quand nous y arrivâmes, la rue, tout comme le quai, semblait en ébullition. Ça grouillait de monde. Des charrettes étaient rangées tout le long et les gens s'affairaient à y charger ou en décharger toutes sortes de marchandises. On entendait les cris des matelots, le martèlement régulier des maillets des calfats dans les vaisseaux, le grincement des scies et le sifflement des chaudières à goudron. De temps à autre se faisait entendre la sirène d'un vapeur prenant le large ou s'apprêtant à accoster.

Jeff se faufila entre les charrettes, avec nous à ses trousses. Il nous mena jusqu'à un long entrepôt dans lequel il entra résolument. Il en ressortit deux minutes plus tard, tenant un paquet sous le bras.

— C'est pour mon père, nous apprit-il. Des tubes de peinture, des pinceaux et de la toile à canevas.

— Ton père est un artiste ?

— Il gagne sa vie à faire des portraits.

Comme à regret, Jeff ajouta :

— Je ne peux pas rester plus longtemps. Mon père attend ça depuis plusieurs jours. Il en a besoin le plus tôt possible.

Nous décidâmes de l'accompagner jusque chez lui, rue du Sault. En passant près du manoir de Longwood, il commenta :

— C'est des Anglais qui restent là. Ils s'appellent Wade. Ils sont très très riches. Mon père a peint le portrait de toute la famille. Il y a passé des semaines. Il paraît que ces gens-là ne vivent pas comme nous autres. Ils ont une flopée de serviteurs. La mère ne fait rien, même pas la cuisine ni le ménage. Les dames se réunissent l'après-midi pour prendre le thé, jaser et jouer aux cartes. Les messieurs, s'ils ne se font pas soldats pour défendre leur pays, travaillent pour les faire vivre.

En cours de route, Firmin ne put retenir sa langue. Il révéla à Jeff que nous avions un royaume enchanté.

— Où ça ?

— Le long du fleuve, pas tellement loin de chez nous.

— Qu'est-ce qu'il y a dans votre royaume ?

— Un ruisseau avec une chute et un bassin où nous pouvons nous baigner.

— J'aimerais y aller, vous voudrez bien m'y conduire ?

Revenu à la maison, je n'avais qu'une idée en tête. Je m'adressai à m'man :

— Jeff a dit que sa mère est morte quand elle lui a donné naissance. Comme ça, ce ne sont pas les Sauvages qui apportent les enfants qu'on leur achète ?

M'man s'empressa de dire :

— On reparlera de tout ça. Lave-toi les mains, on va bientôt souper.

Le lendemain, en compagnie de Jeff, nous nous retrouvâmes dans notre royaume. Il ne fit pas d'histoire pour se dévêtir en même temps que nous. Pendant que nous prenions une douche dans le bassin entouré de verdure, il s'écria :

— J'ai toujours rêvé d'une maison dans les arbres. À nous trois, nous devrions nous en bâtir une. Regardez l'arbre là-haut, il ferait en plein l'affaire.

Firmin, toujours aussi pratique, demanda :

— Où prendrons-nous la planche, les outils et les clous ?

— Chez nous, assura Jeff.

Les jours suivants nous trouvèrent occupés à construire notre cabane dans les arbres. Jeff, tout comme Firmin, était très habile. Ils fabriquèrent une échelle à l'aide de planchettes clouées sur le tronc de l'arbre. Ils construisirent ensuite un plancher là où de grosses branches formaient comme une main ouverte. Ce fut un jeu d'enfants pour eux d'élever les murs et d'y asseoir une toiture. De là-haut, au-delà de la cime des arbres, nous pouvions voir le fleuve. Nous avions l'impression d'être dans une tour d'observation. Ça nous enchantait. À nos pieds, à travers la verdure, nous apercevions le ruisseau, la chute et le bassin.

Un jour que nous étions dans notre cabane, occupés à fabriquer des tire-roches, nous entendîmes des rires venant du côté du fleuve.

— Chut ! fit Jeff.

Firmin s'inquiéta. Il chuchota :

— Qui ça peut être ?

— On verra bien…

Quelques minutes plus tard, un jeune homme et une jeune femme apparurent près du bassin. En moins de deux ils étaient nus. Ils se douchèrent tout en s'enlaçant et s'embrassant. Le jeune homme prit sa compagne dans ses bras. Après l'avoir étendue sur les feuilles mortes le long du bassin, il la chevaucha en s'agitant avec vigueur. De là-haut, à travers le feuillage nous étions témoins de leurs ébats.

— Que font-ils là ? s'enquit Firmin à voix basse.

— Ils s'accouplent, assura Jeff.

— Ils s'accouplent ?

— Vous n'avez jamais vu faire un chien et une chienne ou un bœuf et une vache?

— Non!

— C'est d'même qu'ils font des petits. Les hommes et les femmes font pareil quand ils veulent avoir des enfants. On appelle ça faire l'amour.

Pendant ce temps on entendait gémir, soupirer et roucouler la jeune femme. Soudain, son compagnon poussa un cri. Il desserra son étreinte et se laissa tomber sur le dos. Ils restèrent un moment allongés sur les feuilles. Ils retournèrent ensuite dans le bassin pour en ressortir après s'être lavés. Reprenant leurs vêtements, ils allèrent se faire sécher au bord du fleuve. En voilà deux qui avaient découvert la chute et bien d'autres choses avant nous...

C'est médusé que j'assistai à cet accouplement. Ajouté à ce que Jeff nous avait révélé à propos de sa naissance, sans seulement l'avoir cherché, je venais de découvrir un des plus grands mystères du monde, sans doute le plus grand, celui de la vie. Je ne parvenais pas à me sortir les images du couple de la tête. Je ne cessais de me répéter: «Si p'pa et m'man savaient...» On nous avait tellement mis en garde au catéchisme contre les péchés de la chair. C'était certainement de ça qu'on voulait parler. Je risquai:

— Ils viennent de commettre un péché mortel.

— Pas s'ils sont mariés, affirma Jeff.

— Pas s'ils sont mariés?

— Ouais! C'est un des commandements de Dieu, le neuvième: "L'œuvre de chair ne désirera qu'en mariage seulement."

— C'est donc ça, l'œuvre de chair?

— Oui, confirma Jeff, mon père me l'a expliqué.

J'ignore pourquoi, mais je me sentais coupable d'avoir regardé. Je mis des jours à m'en remettre. Jamais Firmin ne reparla de cet épisode. Curieusement, nous ne retournâmes presque plus à notre cabane du reste de l'été.

*Découvertes*

À l'exception de Clémence, nos sœurs ne quittaient pratiquement jamais la maison d'été. Marjolaine et Gertrude s'étaient fait un petit jardin où elles avaient planté des fèves, des carottes, de la laitue et des radis. Elles en surveillaient attentivement la croissance. Clémence, la solitaire, était dans son élément en pleine nature. Un bon jour, elle revint à la maison avec un ouaouaron. Horrifiée, m'man lui ordonna :

— Va me jeter ça !

Clémence obéit. Elle tua la bête et enterra sa dépouille près du hangar à bois. Elle était ainsi assurée de pouvoir en faire ce qu'elle désirait. Rien ne lui répugnait. Quelques jours plus tard, elle disséquait la pauvre bête. Jeff, le spécialiste des insectes et des papillons – il en avait toute une collection –, arriva sur les entrefaites. Ce fut pour admirer son travail et lui poser cette question :

— Que comptes-tu en faire ?

— Étudier son anatomie.

— Tu devrais venir chez moi, j'ai des dépouilles de souris, des peaux de couleuvres et même un squelette de rat musqué.

Je sus que ces deux-là ne se lâcheraient pas du reste de l'été. Clémence nous priva plusieurs fois de la présence de notre ami. Firmin et moi, nous ne nous intéressions pas à leur étrange passion, mais nous les accompagnions parfois chez Jeff. Nous étions d'ailleurs chez lui, par un bon après-midi, quand nous vîmes descendre d'une voiture une grande femme, bien mise. Elle avait à la bouche un fume-cigarette. Elle fumait délicatement en soufflant la fumée droit devant elle. Quand elle nous vit, elle demanda tout simplement :

— Bonjour les enfants, monsieur Paradis est bien là ?

— À la maison, lui apprit Jeff.

Elle se dirigea en se dandinant comme une poule vers l'entrée principale. Monsieur Paradis l'avait entendue arriver. Il vint lui ouvrir avant qu'elle ait frappé à la porte.

— Qui est-ce ? s'enquit Firmin.

— Une dame dont mon père peint le portrait.

— Est-ce qu'il est bien avancé ?

Jeff nous fit signe de le suivre. Nous contournâmes la maison. Nous atteignîmes à l'arrière l'appentis tout vitré dont son père se servait comme atelier. Jeff s'empara d'une courte échelle de bois qui traînait tout près. Il l'appuya au mur. Il y monta, jeta un coup d'œil dans l'atelier puis redescendit aussi vite.

— Regardez à droite, sur le chevalet.

Firmin grimpa, mit un peu de temps à trouver ce qu'il voulait voir, et redescendit sans rien dire. Clémence ne voulut pas y aller. Je m'exécutai. En étirant le cou, je vis sur la toile une esquisse fort avancée de cette femme. Elle tenait à la main droite son fume-cigarette dont la fumée cachait en partie ses seins dénudés. Je me retrouvai à terre sans m'en rendre compte. Jeff s'empara de l'échelle. Clémence et Firmin tournaient déjà le coin de la maison. On entendit la porte de l'atelier s'ouvrir. Si monsieur Paradis nous vit, il n'en fit pas de cas. Je questionnai Jeff :

— Ton père peint des femmes nues ?

— Ça dépend du genre de portrait qu'elles veulent. Il peint des mariés, des familles entières avec leurs chiens… des enfants. Il est capable de faire le portrait de qui il veut.

— Est-ce qu'il en a plusieurs dans son atelier?

— Quelques-uns.

— J'aimerais ça les voir.

— Quand il n'y aura personne avec lui, je lui demanderai de te les montrer.

Vraiment, j'allais de découverte en découverte. Les hommes et les femmes faisaient l'amour et certaines femmes n'hésitaient pas à se dévêtir pour faire réaliser leur portrait. Voilà des choses qui me laissaient passablement troublé. J'aurais voulu en parler à quelqu'un, mais à qui? Certainement pas à p'pa ou m'man et encore moins à Rosario. Peut-être à Léonard. Qu'est-ce qu'il penserait de moi si je lui révélais tout ça? Je préférai garder le tout pour moi. Il y a des choses comme ça qu'il vaut mieux taire et enfouir dans notre jardin secret.

Pendant que Jeff et Clémence disséquaient une souris, je suivis Firmin jusqu'au fleuve. Nous avions vu, non loin de New Liverpool, des clôtures munies de filets servant pour la pêche. Nous étions curieux de savoir comment on y attrapait le poisson. Sur la berge, un homme était assis devant une cabane. Il s'affairait à réparer un filet. C'était un vieillard aux traits burinés par le vent et le soleil. Il avait de tous petits yeux fouineurs, une longue et belle chevelure blanche qui bougeait avec le vent et une barbe de patriarche. Si Rosario avait été avec nous, il l'aurait certainement comparé à Dieu le père. Mais un Dieu le père passablement magané. Il avait le dos courbé et les mains déformées.

Firmin s'approcha. L'homme leva la tête. Il bougonna:

— Sans doute que tu veux du poisson ! Eh ben, t'en auras pas. Y en a plus !

Il éclata de rire comme s'il venait de raconter la blague du siècle. On aurait vainement cherché une dent dans sa bouche. Firmin ne se laissa pas impressionner.

— J'en veux pas. Nous voulons juste savoir comment vous appelez cette pêche et comment vous faites pour attraper les poissons.

Pour lors, la marée étant basse, les trois quarts des filets se trouvaient hors de l'eau. Le bonhomme nous regarda d'un drôle d'air, cracha par terre avant de nous apprendre :

— C't'une pêche à fascines.

Firmin, qui a l'esprit vif, s'exclama :

— Une pêche à fascines ? Ça me fascine.

Le bonhomme le regarda de ses petits yeux étonnés, comme s'il cherchait à comprendre, puis s'esclaffa :

— Eh ben, l'jeune, tu me sembles futé !

En se tapant sur les cuisses il répéta :

— Une pêche à fascines, ça m'fascine. Est bonne celle-là. J'vas m'en rappeler.

— Comment attrapez-vous du poisson avec ?

— Cimetière ! C'est pas compliqué en toute. Tu voués la clôture avec les filets d'ssus ? A rentre dans le fleuve dré-là devant nous autres. R'garde comment a s'finit. Voué-tu ?

— Comme un t, dit Firmin.

— Tu l'as, c't'un t. Astheure r'garde ben comment est faite…

— Les branches du t font un rond vers la rive, déclara Firmin.

— En plein ça ! Ben, à marée haute, l'eau monte aussi haut qu'à ras nos pieds. Les anguilles pis les autres poissons itou avancent au ras la berge. Quand y arrivent dans clôture, y s'poussent vers le large, mais la clôture au boutte les fait se dévirer et y r'viennent su'l'bord. Y s'essayent encore vers le large, mais ça marche pas plus. Y finissent par tourner en rond. La marée baisse, y sont pris au piège. Y reste plus qu'à les ramasser avant qu'les goélands en fassent leur dîner ou ben donc leur souper ou leur déjeuner. Voilà ! Es-tu content ?

— Merci, dit Firmin. Vous en attrapez beaucoup ?

— Des centaines.

— Qu'est-ce que vous en faites ?

— J'les mets en barrique, j'les sale pis j'les vends aux marchands de poissons icite, juste dré-là.

De son index il désignait les entrepôts du port. Il ajouta en ricanant dans sa barbe :

— Ça vous va, m'sieur "ça m'fascine" ?

Firmin acquiesça en souriant.

L'homme mit un terme à la conversation en allumant sa pipe. Il laissa filer un nuage de fumée et se remit à sa tâche. En partant, nous lui souhaitâmes bonne pêche. Nous nous promettions de revenir à marée basse le regarder ramasser ses anguilles. Ce devait être un beau spectacle, tous ces poissons pris au piège, le vieillard occupé à les cueillir et à chasser les goélands désireux de s'en emparer. Mais bientôt, d'autres activités nous accaparèrent. Nos vacances étaient trop courtes pour tout ce que nous voulions découvrir.

En retournant à la maison, nous croisâmes Léonard et Edward. Ils s'en allaient vers le manoir en se tenant par la main. Firmin commenta : « Eh ben, ces deux-là sont vraiment devenus de grands amis. » Quant à moi, je restai étonné que deux garçons de cet âge se tiennent par la main. Il me semblait que les filles pouvaient le faire, mais les garçons ?

*Aux framboises*

Le mois de juillet tirait à sa fin. Déjà, les jours se faisaient plus courts. J'aimais me lever tôt le matin, pour voir
le ciel s'enflammer à l'est sous les rayons du soleil. Il me
semblait qu'il ne pouvait y avoir sur terre rien de plus beau.
À l'horizon, le firmament passait du rose à l'orangé puis au
rouge vif. Les nuages qui flottaient s'habillaient de feu et
changeaient bientôt de couleur au fur et à mesure que le
soleil, d'abord un point lumineux, devenait un phare géant
illuminant tous les alentours. Je savais que des peintres parvenaient à reproduire des ciels aussi beaux. Je me souvenais
en particulier d'une toile entrevue au manoir de Longwood.
Il semblait bien que Léonard y avait maintenant ses entrées.
J'aurais bien voulu y retourner afin d'admirer à l'aise
toutes les richesses que contenait cet endroit. Je demandai
à Léonard si je pouvais l'y accompagner.

— Edward ne veut pas, sous aucun prétexte, que je vous
y amène.

— Pourquoi?

— Parce que son père le lui a défendu.

— Toi, comment ça se fait que tu peux y aller?

— C'est pas pareil, je suis l'ami d'Edward.

Il n'y avait rien à ajouter. Je me contentai d'attendre
Firmin pour décider de ce que serait notre journée. Je vis
les filles se préparer à se rendre cueillir des framboises.

— Où allez-vous?

— C'est loin. De l'autre côté du village. Avec ta jambe…

— Plus loin que l'église? Je peux y aller?

— Si tu veux, mais ne traîne pas de la patte. Surtout, ne
viens pas te plaindre si tu es fatigué.

Elles avaient préparé le repas de midi que Marjolaine
transportait dans un panier. Elles avaient également confec-

tionné des casseaux d'écorce de bouleau et portaient des seaux qu'elles comptaient remplir. Il nous fallut d'abord monter la côte menant à l'église où nous allions à la messe tous les dimanches. C'était une belle église, fort bien décorée avec une chaire remarquable couverte de sculptures et affichant sur les murs de grands tableaux illustrant des scènes de la vie de Jésus. Nous les avions admirés avec p'pa et m'man après la grand-messe le premier dimanche. Aux dires de p'pa, ils avaient été réalisés par de très grands artistes de la place, entre autres un nommé Vallières et aussi un Allemand nommé Lampretch – dont p'pa nous fit admirer en particulier un tableau représentant la fuite en Égypte. P'pa chuchota :

— Qui me dira ce qu'il y a d'anormal dans ce tableau ?

J'eus beau chercher, je le considérais parfait. Firmin trouva l'anomalie. Il murmura :

— Le chapeau de saint Joseph.

C'était bien vrai, saint Joseph portait un chapeau melon ! Au sortir de l'église, p'pa nous apprit qu'après un malentendu passablement virulent avec le curé, pour se venger, le peintre, sur sa toile, en fit... porter le chapeau à saint Joseph !

Nos pas nous menèrent ensuite par-delà l'église vers un champ terminé par un boisé. À l'orée du bois poussaient une multitude de framboisiers sauvages chargés de fruits qui n'attendaient qu'à être cueillis. À notre arrivée, une bande d'étourneaux s'envolèrent. Les filles se mirent tout de suite à la cueillette. Au bout d'une demi-heure, à notre grand étonnement, Clémence et Jeff nous rejoignirent. Ils étaient à peine à portée de voix que Jeff cria :

— Faites attention, c'est dangereux !

Marjolaine demanda :

— Quel danger y a-t-il à cueillir des framboises ? Il n'y a certainement pas d'ours si près du village.

— Ce ne sont pas les ours, mais les guêpes.

— Les guêpes ?

— L'été passé, une des filles à Guillaume Demers a pilé sur un nid de guêpes ici même. Elle a été tellement piquée qu'elle en est morte.

— Pas vrai !

— Oui, que je vous dis. Si vous ne me croyez pas, je vous montrerai sa tombe au cimetière en passant. Elle s'appelait Pauline Demers et n'avait que seize ans.

L'intervention de Jeff eut l'effet d'une douche froide. Nous ne bougions plus sans regarder où nous mettions les pieds. Le soleil commençait à taper fort quand Marjolaine nous invita à la rejoindre à l'ombre du boisé où elle avait étendu une nappe et déposé le panier de provisions. Les sandwichs au jambon et au saucisson furent vites engloutis. Jeff s'empara d'un des seaux vides et s'enfonça dans le boisé, Clémence sur les talons.

— Où vont-ils ? s'enquit Gertrude.

— Sans doute attraper des grenouilles, supposa Firmin.

Gertrude, dont la patience n'était pas la plus grande vertu, grogna :

— Je vais leur faire avaler, moi, leurs maudites grenouilles.

— Allons, intervint Marjolaine. Si p'pa t'entendait…

— Justement, il ne m'entend pas.

Gertrude était montée sur ses grands chevaux pour rien, car Jeff et Clémence revinrent en rapportant le seau rempli d'eau de source. La seule tasse en étain que nous avions fit le tour de toutes les lèvres. Pour dessert, il y avait de la tarte aux fraises. Ce fut un régal. Firmin était d'avis d'y ajouter une partie des framboises déjà cueillies. Gertrude s'y opposa vivement :

— Tu en mangeras tout ton saoul quand nos chaudières seront pleines.

Conciliante, Marjolaine suggéra :

— Il n'y a rien qui t'empêche d'y goûter en les cueillant.

Gertrude, qui semblait de mauvais poil, reprit :

— C'est certainement pas d'même que nous remplirons nos chaudières…

La cueillette des framboises n'était pas sans nous rappeler que nous étions en août et que nos vacances fuyaient comme les oiseaux se regroupant pour se préparer à leur grand voyage migratoire. En chemin vers la maison, Marjolaine dit :

— Si je savais où il y a des bleuets, j'irais certainement en cueillir.

Jeff nous apprit qu'il y avait non loin de Saint-Romuald un genre de savane où les bleuets poussaient à profusion.

— Si vous voulez y aller, promit-il, je demanderai à mon père de nous y conduire.

Marjolaine le pria de le faire.

Deux jours plus tard, Jeff et son père vinrent chercher Marjolaine, Gertrude et Clémence. Firmin et moi, nous restâmes sur le carreau. Il n'y avait plus de place dans la voiture de monsieur Paradis. Nous nous contentâmes de nous rendre à notre cabane dans les arbres.

— Faute d'aller avec monsieur Paradis, grommela Firmin, nous voilà dans notre petit coin de paradis…

La cueillette des bleuets eut une tournure inattendue. Monsieur Paradis ne manqua pas de remarquer à quel point Marjolaine était belle. Il offrit de peindre son portrait gratuitement. P'pa mit du temps à lui en accorder la permission. Les artistes peintres étaient des gens mal vus. Toutes sortes de rumeurs couraient à leur sujet. Enfin, p'pa se décida et ce fut l'occasion pour nous d'accompagner Marjolaine jusqu'à l'atelier du peintre où nous pûmes entrer. Je garderai toujours un souvenir émouvant de cette visite. Sur tous les murs étaient suspendues des toiles, la plupart représentant le portrait d'hommes et de femmes inconnus. Mais monsieur Paradis avait également peint un paysage où on reconnaissait New Liverpool et les pêches à fascines en silhouette sur un ciel de feu au coucher de soleil. Je restai longtemps en admiration devant cette toile. En la regardant, j'avais l'impression d'entendre le bruit des vagues venant mourir sur la grève, entremêlé aux cris des goélands perchés sur les piquets soutenant les filets de pêche.

P'pa ne regretta jamais d'avoir accordé sa permission à monsieur Paradis, qui réalisa un magnifique portrait de Marjolaine. Elle y paraît rayonnante et ses beaux yeux étincellent. Ce tableau, nous pûmes ensuite l'admirer dans le salon au-dessus du grand buffet où m'man remise ses plus belles pièces de porcelaine. On avait l'impression, grâce à ce portrait, que le salon entier souriait.

### Histoires de fantômes

Vers le 10 août, nous apprit p'pa, il y aurait la pluie des étoiles filantes. Clémence s'informa :

— Est-ce qu'on pourra en voir ?

— Bien sûr, répondit p'pa. Mais il faudra veiller tard.

Ce jour-là, au cours de l'après-midi, Jeff nous conduisit pas très loin de chez lui, rue du Sault, à une maison réputée hantée. Il nous mit au défi.

— Vous avez la chienne d'y entrer ?

Il ne fallait surtout pas provoquer Firmin de la sorte. Il n'avait pas froid aux yeux. Il lança bravement :

— Qui n'a pas peur de me suivre?

Il s'apprêtait à pousser la clôture de l'entrée quand Jeff nous apprit que cette maison, qui ne semblait avoir rien de particulier, sinon le fait de n'être plus habitée depuis quelques années, était réellement hantée par un fantôme.

— Je ne crois pas à ça, rouspéta Firmin.

Jeff le mit en garde:

— Attention, il y a eu un pendu là-dedans.

Ouf! Ce n'était plus la même chanson. P'pa nous avait conté des histoires de fantômes et de feux follets. J'avais encore en tête celle du fantôme changeant de couleur comme un caméléon suivant son humeur. Il ne fallait surtout pas qu'il devienne rouge, car il mettait le feu partout, ni qu'il passe du blanc au noir, car c'était la mort assurée.

Firmin hésita avant de se diriger vers la maison, mais il ne voulait pas passer pour une poule mouillée. Contrairement à ses habitudes, lui qui marchait toujours d'un pas ferme, il s'avança lentement vers la porte. Elle était verrouillée. Il fit le tour vers l'arrière de la maison. Nous l'attendîmes à bonne distance. Jeff faisait son brave, mais il ne semblait pas en mener plus large que moi. Dix minutes passèrent, Firmin ne revenait pas. Jeff gémit.

— Il a été capturé par le fantôme. Peut-être même qu'il est mort.

J'invitai Jeff:

— On y va?

Il ne bougea pas d'un pouce. Je tremblais de peur. Un bout de bois traînait non loin. Je m'en emparai et, malgré mes craintes, je décidai d'aller chercher Firmin. La porte arrière de la maison était grande ouverte. J'y accédai par un escalier de bois branlant. Le plancher craquait sous mes pas. Je m'avançai dans ce qui semblait avoir été la cuisine et je criai, le plus fort que je pus : « Firmin, où es-tu ? » Mon cri mourut dans le vide. Je me risquai plus loin. La maison était silencieuse comme un tombeau. Arrivé au bas de l'escalier menant à l'étage, j'allais mettre le pied sur la première marche quand je me pétrifiai. J'étais sûr d'avoir entendu une plainte. Je me dis : « Firmin est blessé. » Je n'avais qu'une idée en tête, sortir au plus vite de cette maison pour aller chercher du secours. Mais je ne pouvais pas y laisser mon frère peut-être mourant. Courageusement, malgré mes jambes tremblantes, je me rendis là-haut. Comme je mettais le pied à l'étage, la plainte que j'avais entendue se reproduisit. Je m'arrêtai, le cœur battant et les jambes flageolantes. Fort heureusement, de la lumière entrait par les fenêtres sans rideaux. Prêt à frapper, en tenant mon bâton à deux mains, j'eus le courage de faire le tour de chaque chambre. Je pensai que j'allais défaillir quand j'entendis nettement en bas des bruits de chaînes qui se répétèrent et me laissèrent sidéré. Je n'étais plus capable de bouger. Je n'osais pas redescendre. Je pensai sauter par une fenêtre puis, reprenant courage, je descendis marche par marche, m'attendant à voir fondre le fantôme sur moi d'un instant à l'autre. Comme rien ne se passait, je filai droit vers la porte et je crus mourir de peur quand trois chauve-souris me passèrent au-dessus de la tête. Je déboulai les marches extérieures et hurlai : « Jeff ! Jeff ! Firmin n'est pas là ! » C'est alors que je les vis couchés pas loin dans l'herbe et riant comme des fous. Aux pieds de Jeff traînait un vieux bout de chaîne. J'étais si furieux que je les aurais tués. Je refusai de leur adresser la parole jusqu'au soir. Puis, de guerre lasse, faisant fi de ma rancœur, je m'associai à leur projet de la soirée.

En attendant de pouvoir assister au spectacle des étoiles filantes, ils avaient décidé de se rendre à notre cabane avec l'idée, si possible, de prendre une douche de nuit. Malgré mes angoisses de l'après-midi, je choisis de les accompagner. Je portais un fanal, en cas de besoin. Pour lors, il n'était pas allumé. À peine étions-nous à quelques centaines de pieds de la maison qu'un bruit métallique, comme un grincement, nous cloua sur place.

— Qu'est-ce que c'est ? dit Firmin, pas rassuré du tout.

— Chut ! fit Jeff.

Le bruit ne se reproduisit pas. Après quelques minutes à retenir notre souffle et à trembler, nous décidâmes de repartir. Nous n'avions pas fait dix pas que le grincement se fit de nouveau entendre. Cette fois, je découvris d'où il venait. Je n'en glissai pas un mot aux autres. Nous restâmes sur place sans bouger. Jeff chuchota :

— Peut-être que c'est la Corriveau.

— La Corriveau ?

— Oui, elle a tué son mari et on a suspendu son squelette dans une cage de fer pas loin d'ici à Lévis. Son fantôme s'accroche au dos des passants la nuit et elle les conduit en enfer. On sait qu'elle n'est pas loin quand on entend le bruit que fait sa cage quand elle frotte par terre.

— Ce grincement… C'est sûrement celui de sa cage, assurai-je.

Jeff et Firmin n'osaient plus bouger. Si le ciel était parfait pour admirer les étoiles filantes, il l'était moins pour une balade à la noirceur. Firmin décida d'allumer le fanal. Je le posai par terre. Il fit craquer une allumette et bientôt une lumière tamisée nous entoura. Je fis mon désinvolte.

— Vous avez l'air de deux poules mouillées.

Je levai le fanal à bout de bras et le bruit se fit entendre à nouveau.

— Ça vient de ton fanal! s'écria Jeff.

Pour la forme, je protestai.

— Ça s'peut pas, je m'en serais aperçu.

— Brasse-le donc un peu, pour voir!

Je m'exécutai. Le bruit se produisit aussitôt. Quand il se balançait un peu plus amplement, le fanal émettait un grincement.

— Ouf, lança Jeff. On est sauvé.

— Je comprends, ricanai-je, on n'a jamais été en danger. Je vous ai bien eus! Je savais que ce bruit venait du fanal. J'en aurai long à raconter, moi aussi, quand nous serons revenus à la maison.

Même si nous avions un fanal allumé, notre expédition s'arrêta là. Toutes les ombres que faisait naître le filet de lumière du fanal nous semblaient maintenant meurtrières. Quels fantômes les peuplaient?

Comme p'pa nous l'avait promis, nous pûmes assister à une pluie d'étoiles filantes. Chaque fois que nous en voyions une, avant qu'elle ne disparaisse, nous devions faire un vœu. Pour ma part j'en vis une bonne cinquantaine, à tel point qu'à la fin je n'avais plus rien à souhaiter… Quand nous fûmes revenus à la maison, et bien étendus dans notre lit, Firmin, que l'exercice avait vivement intéressé, me demanda:

— Tu en as vu beaucoup?

— Cinquante-six. Et toi?

— Soixante-huit.

— Quel vœu as-tu fait?

— Plusieurs.

— Mais ton premier?

— Si je te le dis, il ne sera jamais exaucé.

— D'accord, garde-le pour toi. Mais je parie que tu as demandé que ta jambe pousse.

Je ne répondis pas, mais Firmin avait deviné juste.

## Les mystères de la vie

Nous avancions en âge et nos parents désiraient nous révéler les mystères de la vie. Un soir, alors qu'ils nous croyaient endormis, p'pa et m'man eurent une conversation là-dessus.

— Ils sont bien assez vieux pour savoir, avança m'man.

P'pa proposa :

— Veux-tu te charger de leur en parler ?

— Je préférerais que ça soit toi. Moi, je l'ai fait pour les filles.

— Je vais voir. Tu as raison, il faut qu'ils sachent.

— Ils en connaissent tout de même un peu, après ce que leur nouvel ami leur a révélé. Ça sera plus facile.

Je demandai à Firmin :

— Qu'est-ce que t'en penses ? On le laisse parler ou on lui dit qu'on sait comment ça se passe ?

— On le laisse parler d'abord, on verra bien pour la suite.

P'pa mit quelques jours avant de se décider. Il avait dû songer longuement à ce qu'il allait nous dire. Un soir après le souper, contrairement à ses habitudes, il ne s'assit pas pour lire son journal. Il s'adressa à nous :

— J'ai quelque chose d'important à vous révéler.

Si nous n'avions pas surpris leur conversation, nous nous serions retrouvés aussitôt dans nos petits souliers, parce que quand p'pa prenait un ton sérieux, nous savions que c'était grave et habituellement porteur d'une mauvaise nouvelle – ou encore que ça concernait l'un ou l'autre de nos mauvais coups. Mais, ce soir-là, nous savions déjà à quoi nous attendre. Nous prîmes place au salon. M'man,

Maria, Marjolaine, Gertrude et Clémence s'étaient éclipsées. Je m'attendais à ce que p'pa allume sa pipe. Il n'en fit rien. Il commença par nous demander :

— Est-ce que tout va bien pour vous ?

— Bien sûr, répondit spontanément Firmin.

— Et toi, Hubert ?

— Ça va !

Il résolut enfin de se lancer dans de grandes explications avant de s'attaquer directement à ce qu'il croyait nous apprendre.

— Vous êtes-vous déjà demandé pourquoi nous sommes tous des Bédard ?

Firmin répondit pour nous deux :

— Parce que nous faisons partie de la famille des Bédard.

J'intervins :

— Nous sommes des Bédard de père en fils, parce que nous portons le nom de famille de notre grand-père Bédard et de vous.

— Vous avez dû vous demander comment il se fait que vous êtes nés dans la famille Bédard ?

Firmin n'hésita pas :

— Parce que vous et m'man vous nous avez faits.

— Et vous êtes-vous demandé comment vous êtes venus au monde ?

Sans hésiter je répondis :

— Je me le suis demandé bien des fois avant que j'apprenne comment se font les bébés. Ils ne naissent pas dans les choux et ce ne sont pas les Sauvages qui en vendent.

— Comme ça, vous savez comment se font les bébés ?

Firmin fit son désinvolte.

— Ça fait longtemps qu'on sait ça !

Étonné, p'pa voulut savoir comment nous l'avions appris.

Le beau Firmin ne semblait pas vouloir lâcher le morceau. Je racontai l'épisode du jeune homme et de la jeune femme à la chute. P'pa sembla soulagé de constater que nous en savions beaucoup plus long qu'il ne le pensait sur cette question.

— Comme ça, vous avez vu comment on procède pour y arriver ?

— Ça semble pas très compliqué, lançai-je. Viendra bien notre tour d'essayer.

— Voilà, fit p'pa. Je veux justement vous prévenir de ne pas faire de bêtises. Il ne s'agit parfois que d'une tentative pour qu'une jeune fille se mette à attendre du nouveau.

— On sait que c'est péché en dehors du mariage, assura Firmin.

P'pa soupira :

— Je vois que vous êtes bien informés.

Je demandai :

— Pourquoi est-ce péché ?

— Parce que notre religion nous interdit de le faire quand on n'est pas marié.

— Est-ce que c'est Dieu qui l'a défendu ?

— Oui, dans la Bible. Dieu a remis des commandements à Moïse sur les tables de la loi et un de ces commandements dit : "L'œuvre de chair ne désireras qu'en mariage seulement."

— Si quelqu'un qui n'est pas marié le fait, est-ce qu'il va directement en enfer ?

— Probablement. Mais ça, tu le demanderas à Rosario.

Notre initiation aux mystères de la vie se termina ainsi. Pas besoin de préciser que je n'en parlai jamais à Rosario.

*Maladie*

L'été s'acheva sur cette note et nous retournâmes en ville pour le début de l'année scolaire. Il n'y avait pas deux jours que nous étions de retour que je me mis à me sentir malade. J'avais mal partout. P'pa fit venir un médecin qui ne put se prononcer sur ce dont je souffrais. Tout ce qu'il trouva à dire, c'est qu'il n'était pas normal qu'un enfant de mon âge se plaigne d'avoir mal partout. Je pense, en réalité, qu'il croyait que je m'inventais une maladie afin de ne pas aller à l'école. Sans trop de conviction, il prescrivit quelques pilules que je devais avaler deux fois par jour. Clémence voyait à ce que je les prenne. Malgré les médicaments et les bons soins de Clémence qui ne me quittait plus, le mal ne diminua pas.

Les jours passaient et l'école avait repris, mais je souffrais toujours autant et j'étais contraint de rester au lit. Il me semblait que j'avais le dos en feu. Les médecins se demandaient de quel mal je pouvais bien être atteint et ils me prescrivirent des médicaments qui ne faisaient aucun effet. Clémence veillait sur moi et elle décida de lire tout ce qui lui tombait sous la main au sujet des maux de dos. Informé de ma maladie, Léonard se fit un devoir de retracer dans les livres de la bibliothèque tout ce qui, là-dessus, pourrait être utile à Clémence. Le docteur Saint-Gelais vint m'examiner. Clémence lui fit part de ce qu'elle avait observé dans la progression du mal qui me rongeait.

— Au début, l'informa-t-elle, Hubert se plaignait d'avoir mal partout. Puis, petit à petit son mal s'est précisé.

— Quel genre de mal ? Des courbatures ?

— Des élancements dans le dos, le long de la colonne vertébrale.

— Il a ça depuis quand?

— La fin des vacances.

— Dans ce cas, ne vous demandez pas pourquoi il a mal dans le dos. Est-ce qu'il aime l'école?

C'en était un autre qui croyait que je jouais la comédie. Clémence ne se laissa pas démonter. Elle demanda au médecin:

— Croyez-vous qu'il peut y avoir un rapport entre cette maladie et le fait qu'il ait une jambe plus courte que l'autre?

— Ça m'étonnerait. Tant que nous n'aurons pas mis le doigt sur le vrai bobo, mieux vaut tenter des expériences avec des médicaments. Connaissez-vous les gouttes vénitiennes?

— Je n'en ai jamais entendu parler.

— Il semble que des injections de ce médicament parviennent à neutraliser et à guérir rapidement les échauffements. Votre frère semble précisément souffrir d'échauffements de la colonne vertébrale. Nous pourrions tenter quelque chose avec ce remède. Je crois qu'il y aurait de bonnes chances de voir diminuer son mal.

Les injections ne changèrent strictement rien à ma situation, si ce n'est que mon mal empira de jour en jour. Clémence était d'avis qu'il faudrait avant tout savoir de quoi je souffrais et les médecins l'ignoraient tout autant que nous. Ma maladie continuait à croître et je me mis à avoir des abcès dans le dos. Le docteur Saint-Gelais me fit des ponctions. Durant tout ce temps, Clémence l'assistait exactement comme l'aurait fait une infirmière. Mais rien n'y fit et on dut se résoudre à m'hospitaliser.

Je garde de ces semaines un très mauvais souvenir. On tenta toutes sortes d'expériences pour me délivrer de mon mal. On me suspendit à l'aide d'une espèce de harnachement afin d'exercer sur moi des tractions qui ne me soulagèrent d'aucune manière. On parla de m'opérer, mais les risques de paralysie étaient si grands que p'pa, conseillé en cela par Clémence, s'y opposa. On me fit porter, sans résultats encourageants, différentes sortes de corsets, car on se rendait compte que ma colonne vertébrale s'affaissait. On me fit essayer la ceinture électrique du docteur Sanden. Cette ceinture était censée avoir la propriété de guérir le rhumatisme, le lumbago, la sciatique, et tout ce qui pouvait causer des maux de ce genre. Je ne m'endurais plus. Je dois à Clémence le fait d'avoir survécu à ce mal.

Elle n'avait pas cessé de se documenter sur tout ce qui pouvait être à l'origine d'un mal de dos. Il existait maintes causes possibles. On parlait d'entorses articulaires, de lombalgies, de problèmes de disques intervertébraux, d'inflammations et tant d'autres. Clémence surprit tout le monde en faisant le lien entre mon mal et la tuberculose. Il s'agissait en fait d'une tuberculose osseuse. Pas un seul médecin n'y avait pensé. Dès lors, on m'administra des médicaments appropriés. Comme Clémence me l'expliqua, le microbe de la tuberculose, plutôt que de se jeter dans mes poumons, avait attaqué ma colonne vertébrale. Malheureusement, le mal était fait et quand, au bout de quelques semaines, les médicaments qu'on aurait dû m'administrer dès l'apparition de ma maladie firent effet, je pus enfin me lever. Mais j'avais hérité pour le reste de mes jours d'une bosse dans le dos. Fort heureusement, elle n'était pas trop proéminente, si bien qu'elle ne m'empêcha jamais de travailler.

Quand je me vis dans le miroir, je ne voulus pas croire qu'il pouvait s'agir de moi. Je serais infirme toute ma vie. Mes sœurs comme mes frères me prirent en pitié. Lorsque je repris mes études, je fus la cible d'une foule de railleries et de vexations. J'en entendis de toutes sortes : « Quand tu s'ras mort, tu s'ras d'côté dans ton cercueil. » « T'es comme un écureuil, tu te fais des provisions d'hiver ? » Mais les plus méchantes, je les avalais de travers. « Boiteux et bossu n'ont jamais rien valu » et « Pas de boiteux ni de bossu qui n'ait le diable au cul ». Malgré tout, conseillé en cela par Clémence, je choisis de rire chaque fois que quelqu'un m'apostrophait à propos de ma bosse. De la sorte, il restait déconcerté, ce qui me consolait de ses méchancetés. Encore tout jeune, j'appris ainsi que souvent, comme le disait si bien La Fontaine : « Tel est pris qui croyait prendre. »

Ma sœur Clémence était bien désolée de ce qui m'arrivait. Je crois que c'est à partir de ce moment-là qu'elle se promit de devenir médecin un jour. Pour me consoler, elle me répétait souvent : « Dis-toi que ta bosse est un atout. Elle fait de toi quelqu'un de différent. Au fond, nous ne sommes pas mieux que toi puisqu'on est tous bossus quand on se penche. » C'était une bien mince consolation, mais Clémence n'avait pas entièrement tort. Ma bosse fit de moi quelqu'un d'unique que tout le monde connaissait. Elle me contraignit à prendre mon courage à deux mains et à tout faire pour gagner ma vie.

Plusieurs années filèrent. Nous passions nos vacances à la maison d'été. Mais avec le temps nous y étions de moins en moins nombreux. Seuls avec nos parents, Maria, Clémence, Firmin et moi nous prolongeâmes notre séjour à la « Trousse pierre », comme nous avions fini par baptiser notre maison. Pourquoi ce nom ? Parce qu'en voulant déloger une pierre devant la maison, Gertrude, en tirant dessus, avait lâché prise et s'était retrouvée sur le dos, la jupe par-dessus la tête. Aussitôt, Léonard s'était écrié : « Quel beau Trousse pierre ! »

P'pa, au début, ne voulait pas entendre parler de ce nom, mais il était tellement significatif et chargé de rires, qu'il finit par s'imposer de lui-même. Que de fois n'avons-nous pas eu l'occasion par la suite d'en expliquer la provenance.

FIN

# Chapitre 7

# Des nouvelles de Firmin

*Ovila*

Je suis entré dans la famille Bédard au moment où Firmin, l'avant-dernier des garçons, partait pour le Klondike. Il y avait maintenant plusieurs mois que je fréquentais Marjolaine. Un mercredi que j'allais lui rendre visite, je vis sa sœur Maria marchant à pas rapides en direction de la maison. Je la suivis, me demandant pourquoi elle se pressait tant, elle en avait le souffle court. Je remarquai qu'elle tenait une lettre à la main. J'en déduisis qu'elle revenait du bureau de poste. J'entrai derrière elle pour l'entendre dire à son frère Hubert :

— M'man va être aux anges. Il y a bien deux mois qu'il n'a pas écrit.

Quand Maria lui présenta l'enveloppe en précisant : « C'est de lui ! », sa mère poussa un long soupir. Il était bien évident qu'elle espérait cet instant depuis belle lurette. Elle s'empara de la lettre, mais hésita un moment avant de la décacheter.

— Pourvu que ce ne soit pas des mauvaises nouvelles, murmura-t-elle.

Maria réagit vivement :

— Allons, m'man, c'est bien son écriture sur l'enveloppe, il n'est certainement pas malade.

— Peut-être pas quand il a écrit, mais à présent.

Maria lui fit reproche :

— Ah, vous pis vos idées noires !

D'un index tremblant, sa mère fit sauter le cachet. Elle persistait à redouter de mauvaises nouvelles, car elle pria Maria, en lui tendant la lettre :

— Lis-là toute à voix haute, je ne veux pas que tu en sautes des bouts.

— Allons, m'man ! fit Maria en haussant les épaules, et elle commença sa lecture d'une voix monocorde :

— *Wrangell, 28 février 1898.*

Sa mère l'interrompit aussitôt :

— Il n'est plus à la même place que dans sa dernière lettre, j'en suis certaine. Va la chercher !

Maria, sans maugréer, traversa docilement la cuisine et se dirigea vers le salon. Elle ouvrit le tiroir du buffet de chêne et en revint avec les lettres de Firmin. Elle les examina l'une après l'autre pour s'assurer de bien mettre la main sur la dernière reçue.

— Où est-ce qu'il était ?

Elle lut :

— *Seattle.*

Sa mère s'écria :

— Tu vois ! J'avais raison. Il a encore changé de place. Il doit être estropié ou bien malade.

Maria se contenta de s'écrier d'une voix indignée :

— M'man !

Puis, comme elle s'apprêtait à lire, sa mère l'arrêta de nouveau.

— Lis d'abord la première lettre qu'il nous a envoyée.

Contrariée, Maria protesta :

— Vous la connaissez par cœur comme toutes les suivantes. Ça fait au moins une dizaine de fois que je vous les lis.

— Lis-la quand même !

Je dois préciser que Firmin, dès qu'il entendit parler d'une grande découverte d'or au Klondike, décida sans hésiter de s'y rendre. Son père s'y opposa d'abord, mais Firmin tint son bout, et Philibert qui avait un faible pour lui finit par l'autoriser à partir. Firmin ne mit guère de temps à rassembler ses effets et à empocher tout l'argent qu'il possédait. Il était parvenu à convaincre deux de ses amis du Séminaire de l'accompagner. À la fin de l'été, ils partirent pour Montréal et ensuite à Chicago par le train du Grand Tronc. Ils mirent plus de deux semaines à se rendre jusqu'à Seattle. Voilà en substance ce que Firmin racontait dans sa première lettre que Maria fut contrainte de relire à sa mère.

Il faut savoir qu'il y avait plus d'une façon de se rendre au Klondike. Certains remontaient le Pacifique en bateau à partir de Seattle ou de Vancouver pour atteindre Wrangell, Skagway ou Dyea. Ceux qui passaient par ces deux dernières villes partaient de là, traversaient la Chilkoot Pass et, par la rivière Yukon, parvenaient à Dawson City, la ville de l'or. Mais c'était un chemin très périlleux, en raison précisément du Chilkoot, cette montage difficile à franchir. Comme la police montée ne laissait partir personne qui n'apportait pas pour au moins un an de vivres, ceux qui voulaient s'attaquer au Chilkoot devaient transporter jusqu'au sommet, et en plusieurs voyages, près de mille livres de nourriture et d'équipement. Plusieurs mouraient là et un grand nombre abandonnaient et faisaient demi-tour.

Avant de partir de Seattle où il était arrivé, Firmin, qui était passablement futé, se fit expliquer les chemins possibles pour se rendre à Dawson. Il était bien conscient que des milliers de chercheurs d'or l'avaient précédé jusqu'aux gisements du Klondike et qu'à peu près tous les terrains exploitables à cet endroit étaient déjà vendus. Comme il l'écrivit dans une lettre, justement celle que Maria relisait à sa mère, il se demandait ce qu'il allait faire. En attendant, il décida d'offrir ses services comme barbier et se fit suffisamment d'argent pour espérer se rendre de Seattle à Dawson.

Comme me l'expliqua Hubert, Firmin était très débrouillard ; voilà pourquoi son père ne s'inquiétait pas pour lui, mais sa mère, elle, n'en dormait plus. Dans une autre lettre adressée depuis Seattle, Firmin précisait qu'il avait décidé de se rendre à Dawson en passant par Wrangell. Ses amis étaient du même avis. De là, ils devaient remonter une rivière, la Stikine, jusqu'à Glenora et poursuivre ensuite jusqu'à Dawson. Ils parvinrent effectivement jusqu'à Wrangell et avec ses deux amis ils se fabriquèrent un canot, mais le temps se gâta et ils durent attendre au printemps avant de se rendre à Glenora. À partir de là, les choses ne s'améliorèrent pas. Firmin n'en parlait pas dans ses lettres pour ne pas inquiéter sa mère, mais il suffisait de lire entre les lignes pour constater que son voyage ne s'avérait pas tout à fait une partie de plaisir. Il se gardait bien de faire mention de ce qu'il mangeait et ne révélait pas tous les dangers qu'il courait.

Ça faisait donc deux mois que ses parents n'avaient pas eu de ses nouvelles quand Maria rapporta sa dernière lettre. Comme elle s'apprêtait à la lire, je tendis l'oreille. Voici ce que j'entendis :

*Wrangell, 28 février 1898*

*Chers parents,*

*Je vous espère en aussi bonne santé que moi. Ici nous tuons le temps comme nous le pouvons en attendant que la rivière soit praticable. Dans deux mois les glaces devraient être calées. Il ne nous suffira plus que de quelques semaines pour nous retrouver à Glenora et ensuite de là à Teslin où j'ai bien l'intention de dénicher un ouvrage qui me rapportera de l'argent à plein.*

Sa mère intervint à nouveau en portant sa main à son cœur.

— Cet enfant-là va me faire mourir.

— Allons, m'man! fit Maria d'une voix impatiente, il n'est pas en perdition. Arrêtez donc de vous en faire pour rien!

Elle poursuivit sa lecture:

*Il neige beaucoup sur les montagnes avoisinantes. Il y a d'autres prospecteurs qui passent de temps à autre et s'arrêtent à notre tente. Ils ont bien hâte, comme nous, que la température nous permette de partir. Sans doute, quand vous recevrez cette lettre, serons-nous en route pour Teslin et j'espère près d'y arriver. Je vous écrirai à nouveau dès que j'y serai, mais aussi, avant de partir d'ici dans deux mois environ. Portez-vous bien et ne soyez pas inquiets pour moi.*

*Votre fils affectueux,*
*Firmin*

Maria terminait tout juste sa lecture lorsque Philibert arriva de son travail. Elle s'empressa de lui annoncer:

— Firmin a écrit.

— De bonnes nouvelles, j'espère ?

— Oui pis non, s'empressa de répondre sa mère.

— Rien que du bon, coupa Maria.

Philibert commenta :

— Je commence à trouver que c'était une folle idée de sa part d'aller courir fortune aussi loin !

Ma future belle-mère s'empressa de répondre :

— Je te l'avais dit, Philibert, mais tu ne m'as pas écoutée et tu l'as laissé partir.

Son homme haussa les épaules, suspendit son chapeau au crochet près de la porte et se laissa choir dans sa berçante en soupirant. Comme il le faisait souvent, une fois bien enfoncé dans sa chaise, il rapporta un événement de sa journée :

— Raymond s'est cassé un bras à matin. Un des barreaux de son échelle a lâché. Il est tombé net fret sec sans avoir le temps de s'accrocher. Sa chaudière de peinture s'est renversée sur lui, il était blanc de la tête aux pieds. On se demande encore comment il se fait qu'il ne s'est pas tué. Ce n'était pas son heure, faut croire.

— Tant mieux, déclara Hubert. Un bras ça se ramanche, c'est pas comme ma bosse et ma jambe...

Son père ne releva pas sa remarque et poursuivit sur son idée.

— Oui, mais ça ne me donne pas un autre homme pour finir le contrat.

— Demandez à Antonio.

— Tonio est lent comme un limaçon. Mais on verra. Pis, qu'est-ce qu'il dit de bon le fiston ?

Maria lui résuma le contenu de la lettre tout en la lui tendant.

— Je ne suis pas en peine pour lui, assura-t-il. Il n'a pas les deux pieds dans la même bottine. Ce n'est pas comme Rosario qui, lui, ne les a même pas sur terre! Je ne le verrais pas au Klondike, celui-là. Il ne serait jamais capable d'en revenir, en admettant qu'il aurait été assez fin pour s'y rendre. Firmin est débrouillard, il va nous arriver betôt millionnaire.

La mère défendit le prêtre de la famille. Elle s'empressa de répliquer:

— N'empêche que Rosario nous fait honneur.

Philibert se contenta de hausser les épaules et, radoucie, elle ajouta:

— Tu ne rêves pas un peu trop, mon homme? Firmin millionnaire... En attendant, passe donc à table, le souper est prêt.

Ce n'est qu'à ce moment qu'on sembla s'aviser de ma présence. Je n'avais pas vu l'élue de mon cœur, alors je demandai:

— Marjolaine n'est pas à la maison?

Sa mère répondit:

— Elle va nous arriver d'une minute à l'autre avec sa sœur. Elles sont allées à la boulangerie chercher un gâteau pour notre dessert.

— Figure-toi, m'apprit Philibert, que Gertrude s'est fait un cavalier, et pas n'importe qui: Maurice Mercier, le boulanger, notre voisin de quelques rues. Tu vas souper avec nous?

— Justement, j'étais passé dire à Marjolaine que je ne pourrais pas venir veiller ce soir. J'ai quelqu'un à rencontrer pour un article sur l'île de la quarantaine.

— La Grosse Île?

— Tout juste.

— Mon père a travaillé là au moment de l'épidémie de typhus, m'apprit Philibert. J'en aurais long à te raconter là-dessus…

— Ça m'intéresse, comptez sur moi, je reviendrai vous voir à ce sujet.

# Chapitre 8

# À nouveau Marjolaine

*Hubert*

Il y a quelque temps encore nous étions presque tous à la maison. Puis, dans le temps de le dire, de dix que nous étions autour de la table, nous ne nous retrouvâmes plus que quatre : p'pa, m'man, Maria et moi. Après Rosario, déjà loin depuis longtemps, Léonard fut le premier à partir quand il décida de se loger dans un appartement non loin de son lieu de travail. Puis Firmin partit pour le Klondike et Marjolaine et Gertrude se marièrent. Pour parfaire ses études, Clémence était pensionnaire. Comme j'étais le benjamin de la famille, je ne savais que peu de chose des jeunes années de mes aînés. Aussi, je tendis l'oreille quand, un bon jour, m'man et Maria se mirent à parler de Marjolaine à Ovila, de passage à la maison. Ovila voulait savoir si Marjolaine était bonne à l'école. M'man répondit :

— Elle se classait dans la moyenne. Elle réussissait dans toutes les matières sans pour autant se démarquer dans l'une ou l'autre.

— Elle était trop rêveuse, précisa Maria. Quand elle le voulait, elle arrivait dans les premières.

— Sauf qu'elle ne le voulait pas souvent, enchaîna m'man. Il fallait toujours la surveiller de près.

— N'empêche, s'empressa de reprendre Maria, qu'elle fut l'une des cinquante élèves du couvent de Saint-Roch qui purent assister à la translation des restes de monseigneur de Laval.

M'man confirma :

— Ça faisait des mois que nous en entendions parler. Monseigneur de Laval avait été enterré à la basilique. Ton père nous a appris que ses restes s'y trouvaient depuis cent soixante-dix ans. Ils furent exhumés en quelle année ? T'en souviens-tu, Maria ?

— En septembre 1877. Ils devaient être apportés au Séminaire de Québec au mois de mai 1878.

M'man alla fouiller dans la grande armoire du salon. Elle revint avec une boîte dans laquelle elle conservait différents objets, entre autres des chapelets, des images saintes et des scapulaires. Elle trouva tout au fond ce qu'elle cherchait, un article de journal relatant cet événement. Elle me le tendit.

— Tiens, dit-elle, lis-le à voix haute qu'on se rappelle comment tout ça fut beau.

Je commençai ma lecture sans trop de conviction. Après tout, cette translation me laissait bien indifférent. Mais Ovila y prêta une vive attention.

*La journée du 23 mai 1878, avec les glorieuses solennités qui l'ont accompagnée et les pieux souvenirs qui s'y rattachent, restera à jamais gravée dans tous les cœurs. C'est toujours pour un peuple religieux un devoir bien doux et bien consolant d'honorer la mémoire de ses premiers Pasteurs, au jour où la mort vient couronner leurs travaux et les mettre en possession du céleste héritage que leur ont mérité un dévouement sans bornes et la pratique de toutes les vertus chrétiennes.*

*On évalue à plus de trente mille le nombre de spectateurs qui se pressaient sur tout le parcours du convoi pour contempler une dernière fois Celui qui peut être appelé et avec raison le Père et le Fondateur de notre colonie naissante.*

*Fut-il jamais, en effet, spectacle plus digne d'attirer tous les regards? Qu'il était beau ce cortège d'élite, promenant à travers les rues de notre vieille cité, ces restes vénérés d'où semblait jaillir comme un parfum admirable de sainteté qui embaumait toute l'atmosphère.*

Le texte continuait sur le même ton. Je ne sais trop pourquoi, chaque fois qu'il m'était donné de lire de pareils hommages je me sentais mal à l'aise. On avait tendance à exagérer les vertus de ces hommes qui, les premiers, avaient foulé le sol de la Nouvelle-France. Ainsi, si on en croyait ce texte, ce n'était plus Samuel de Champlain le fondateur de Québec mais bien monseigneur de Laval. J'entendais Léonard nous raconter, à un de nos dîners en famille, qu'une rumeur avait couru un peu avant la dernière translation du corps de monseigneur de Laval, disant qu'il aurait été enterré vivant et qu'avant de mourir pour de bon il avait commencé à se ronger un bras. Il était d'ailleurs tourné sur le côté dans son cercueil de plomb. Heureusement que Rosario n'y était pas, car la guerre aurait éclaté. P'pa était intervenu: « Il pouvait bien être retourné dans son cercueil, ça faisait au moins trois fois qu'on le déménageait. » « Chose certaine, ajouta Léonard, il lui manque des os. Vous savez sans doute qu'avant que son squelette soit exposé en 1877, pour le protéger de l'action de l'air, ses os furent enduits de cire par les sœurs de la Charité à qui on confia cette tâche. »

Dans le texte que j'avais sous les yeux et que je lisais pour faire plaisir à m'man, il était justement question des ossements de monseigneur de Laval lors de cette translation. L'auteur de ces lignes, sans doute dans un moment d'exaltation comme il s'en produisait parfois à l'église, supposait que :

*Ses ossements ont tressailli d'allégresse en contemplant ces monastères des ursulines et de l'Hôtel-Dieu, qui lui étaient si chers et qui se sont conservés dans toute leur ferveur primitive – ils ont tressailli encore en pénétrant dans cette modeste chapelle où il a retrouvé les fils de saint Ignace et de nos martyrs... ils ont tressailli enfin en saluant avec bonheur ce nouvel essaim d'apôtres, qui se vouent dans nos murs au service des enfants de l'Irlande, et qui eux aussi ont reçu en cette circonstance une large part de ses bénédictions.*

C'est à cette cérémonie qu'avait participé Marjolaine, choisie avec quarante-neuf autres parmi toutes les filles du couvent de Saint-Roch. Elle n'était âgée alors que de dix ans. J'aurais été curieux de savoir si cet événement l'avait autant marquée que m'man le laissait entendre, mais Marjolaine parlait rarement de ce qu'elle vivait et avait vécu. Qui eût dit à ce moment-là qu'elle deviendrait la beauté qu'elle est devenue ?

À quinze ans, elle faisait tourner toutes les têtes des garçons qui la voyaient, mais elle resta toujours modeste, bien consciente qu'elle devait sa beauté à la nature et à la chance.

J'ose croire aussi, tant elle sut m'entourer de tendresse, que mon infirmité la touchait et qu'elle l'aida à se faire une meilleure idée des différences extrêmes qui existent entre les humains. Elle était consciente d'être du côté des êtres choyés par la nature. Aussi, je me louai d'avoir été, bien malgré moi, à l'origine de ses fréquentations avec Ovila.

Un an plus tard, ils se mariaient. J'avoue que je ne garde qu'un souvenir embrumé de ces noces, d'une part parce que j'étais passablement malade, et, d'autre part, parce qu'il est vrai que toutes les noces se ressemblent... Chose certaine, j'étais heureux de les voir mariés. J'aimais déjà beaucoup Ovila qui avait toujours quelque chose de passionnant à nous apprendre.

# Chapitre 9

# La Grosse Île

*Ovila*

Je n'avais pas oublié ce que mon beau-père avait laissé entendre à propos de l'île de la quarantaine. Je ne manquai pas de le lui rappeler. Lui qui ne demandait pas mieux que de parler du passé, il se lança dans un récit qui m'apporta une foule d'informations très utiles à mon article. Ce qu'il raconta lui avait été rapporté par son propre père, Napoléon.

« Le navire était prêt à partir. Mon père avait à peine mis le pied sur le pont que quelqu'un l'interpella : "Poléon ! Viens par ici !" C'était le docteur Jacques, un de ceux qui avaient accepté de travailler à l'île. Il connaissait bien mon père et l'avait fait engager comme fossoyeur en chef à la Grosse Île qui, comme vous le savez, servait de quarantaine. Sans doute que mon père se rendait là à contrecœur, en pleine épidémie de typhus, car le docteur lui reprocha : "Ne fais pas cette tête-là ! Tu ne t'en vas pas à un enterrement." Mon père lui répondit du tac au tac : "Je ne m'en vais pas à un, mais à des centaines pour ne pas dire des milliers d'enterrements. Vous le savez fort bien, docteur. Ça paraît que ce n'est pas vous qui êtes chargé de creuser les fosses." "Ça nous prenait un bon fossoyeur et tu en es un. Ceux qui ont creusé les précédentes ne se sont pas donné la peine de les faire assez profondes, avec comme résultat que les rats ont pu se rendre jusqu'aux cadavres de ces malheureux. Tu vas montrer aux fossoyeurs qui sont là jusqu'à quelle profondeur ils doivent excaver pour éviter pareille catastrophe. Tu sais qu'on a été obligé de transporter des tonnes de sable pour rendre ces fosses sécuritaires." "J'ai entendu dire, répliqua mon père, qu'il y a des hommes préposés au creusage qui ont attrapé le typhus."

« "En effet, mais c'est parce qu'ils ne prenaient pas les précautions nécessaires. Ils ne se servaient pas de crochets pour traîner les cadavres, comme nous l'avions recommandé. De toute façon, si tu suis bien les instructions, je serais étonné que le typhus t'atteigne rien qu'à enterrer ceux qui en sont morts." "D'accord, je creuserai les fosses, mais ne comptez pas sur moi pour mettre les cadavres dedans." "Tu t'en fais pour rien, assura le docteur. C'est quand ils sont encore vivants que ces malheureux sont le plus contagieux et tu n'auras affaire qu'aux morts."

« Le docteur Jacques était accompagné d'un beau jeune homme à l'allure fière. Il se permit d'intervenir dans la conversation et se présenta comme étant le docteur Alfred Mailhot, originaire de Verchères. Non seulement approuvat-il ce que venait de dire son patron, mais il renchérit : "Le typhus ne nous tombe pas dessus comme ça. Si nous mangeons bien et menons une vie saine, nous avons très peu de chances de l'attraper."

« Le navire, mu par le vent, commençait à bouger. Les amarres venaient d'être larguées. Le vaisseau prit lentement le large, balloté par les vagues. Peu à peu, la ville s'éloigna comme si quelqu'un lui avait donné une poussée. Ils longèrent les berges de la Canardière puis filèrent vers le milieu du fleuve pour contourner l'île d'Orléans dont la pointe ouest regardait Québec. Mon père bougonna : "Ces Irlandais auraient bien pu rester chez eux plutôt que de venir crever chez nous." "Pauvre toi, reprit le docteur, ils n'avaient guère le choix. Ils seraient morts quand même de faim et encore plus vite s'ils étaient demeurés chez eux. Ce n'est pas drôle ce qu'ils ont vécu, une famine sans fin."

« L'*Amarante* longeait maintenant à vive allure l'île d'Orléans. Un bon vent d'ouest gonflait ses voiles. Le navire allait bientôt se trouver devant le quai de Saint-Jean. "À cette vitesse-là, on va y être betôt", fit remarquer mon père. Le docteur, qui était plongé dans la lecture d'un dossier quelconque, leva la tête et s'enquit : "Qu'est-ce que tu disais ?" "Ça sera pas long qu'on va être à la Grosse Île." "En effet, quand le vent est bon comme ce matin, le trajet se fait en une heure." Mon père était curieux d'en connaître davantage sur leur destination, car il questionna : "Elle a l'air de quoi, la Grosse Île ?" Sans se départir de sa bonne humeur, le médecin, qui venait de se replonger dans sa lecture, répondit : "Pourquoi je te l'expliquerais ?… Sois patient. Nous y serons bientôt, tu verras par toi-même." "Je vous assure que ma femme n'était pas contente de me voir partir." "Tu ne seras pas absent longtemps. Le temps de creuser tes fosses et d'en préparer d'avance au cas où… Mais il semble bien que ceux qui avaient à mourir l'ont fait. Nous croyons, le docteur Douglas et moi, que l'épidémie est maintenant terminée. Ceux qui n'en sont pas morts vont bientôt être rapatriés à Québec." "Il y en a beaucoup ?"

« Le médecin réfléchit un moment avant de répondre, mais il n'eut pas à le faire, car le jeune médecin qui l'accompagnait assura qu'il y en avait encore plus de trois mille. Mon père s'étonna : "Plusieurs milliers ! Ma foi du bon

Dieu, où est-ce qu'ils vont rester?" "Un peu partout où on pourra les mettre en attendant qu'ils se trouvent du travail."

« Le navire avait maintenant laissé derrière lui l'île d'Orléans. Au loin luisait au soleil le clocher de l'église Saint-François. Des goélands et quelques mouettes en quête de nourriture suivaient le vaisseau qui laissait derrière lui un sillage argenté. Devant eux s'étendait l'archipel des îles de Montmagny. Ils pouvaient voir à gauche l'île Madame et tout de suite après l'île aux Ruaux, puis la Grosse Île qui se montrait déjà, droit devant eux. Mon père s'appuya au bastingage, les yeux rivés sur ce point de terre qu'il craignait tant d'aborder. Il vit grandir l'île, comme si elle voguait vers eux, et peu à peu se dessinèrent devant lui les bâtiments de la quarantaine. C'était en réalité une petite île d'à peine deux milles de longueur sur moins d'un mille dans sa plus grande largeur. On en avait fait l'île de la quarantaine en 1832 afin d'éviter une épidémie de choléra. Plus de cinquante mille immigrants, des Irlandais en majorité, y avaient été examinés. Malgré ces précautions, l'épidémie s'était répandue l'année suivante à Québec, y faisant plus de trois mille huit cent victimes. Mon père s'en souvenait fort bien, car la maladie avait emporté son père et tous les membres de sa famille à part lui et sa mère. "Oui, assura-t-il, votre grand-mère, que Dieu ait son âme, n'est pas morte à ce moment-là. Elle avait une santé de fer. On ne pensait jamais avoir d'autres épidémies comme celle-là. Mais c'est quand il en est arrivé une autre en 47 que j'ai été appelé à me rendre à la Grosse Île pour y creuser des fosses et ce fut pire encore."

« Mon père m'en a beaucoup parlé. Il y avait trop de malades pour les bâtiments qui pouvaient les recevoir. Le gouvernement fit fabriquer des baraquements de deux cents

pieds de long sur vingt-cinq pieds de large. Ils furent transportés par bateau à la Grosse Île et montés sur place pour
remplacer les tentes qui servaient pour les malades. Avec
cinq autres hommes, mon père creusait de longs fossés de
six pieds de profondeur sur six pieds de largeur et ils empi-
laient les cercueils là-dedans les uns sur les autres. Ils enter-
raient ensuite le tout en y mettant au moins trois pieds de
terre. Il y avait toujours trente à quarante vaisseaux venus
d'Irlande à l'ancre sur toute la longueur de l'île en attendant
qu'on puisse recevoir leurs passagers, bien-portants ou
malades. Le matin, les chaloupes faisaient la queue devant
le quai pour y apporter les morts de la veille et de la nuit.
Sans tarder, ils étaient déposés dans des cercueils et transportés en charrette jusqu'au cimetière. Ils s'ajoutaient à ceux
qui étaient morts durant la nuit dans les baraquements de
l'île. Il y avait, à ce que mon père a dit, des montagnes de
cercueils empilés derrière l'hôpital en attendant de servir.
Des menuisiers en fabriquaient toute la journée. Pendant
plusieurs semaines, il mourait de soixante à quatre-vingts
personnes par jour, dans les bateaux et sur l'île.

«Mon père resta à la Grosse Île près de deux mois.
Quand il revint chez lui, ce fut pour apprendre qu'il y avait
le typhus dans la maison et on l'empêcha d'y entrer. On
avait engagé un dénommé Dasilva avec ses ouvriers pour
couvrir de bardeaux les toits des baraquements construits à
la Grosse Île. Une des sœurs de mon père était fiancée à
l'un d'eux. Il semble que c'est lui qui, à son retour, apporta
et transmit le typhus.

«Cette maladie était terrible. Elle tua plusieurs milliers
d'Irlandais et se répandit dans la population de Montréal et
de Québec, faisant près de quatre mille morts. Mon père y
échappa mais il fut grandement affecté d'apprendre la mort

du jeune docteur Mailhot avec lequel il était arrivé à la Grosse Île et qui avait voulu le rassurer en lui disant qu'il y avait très peu de possibilités d'attraper le typhus. »

Philibert se tut. En une heure, il m'avait fait vivre un bien triste épisode de la vie de son père. Il me semblait que l'existence était beaucoup plus rude à cette époque-là. J'étais encore jeune ! La vie se chargerait bien de m'apprendre qu'en réalité, sous des dehors parfois affable, elle n'en continue pas moins de nous démolir de jour en jour, et qu'il n'y a pas moyen d'échapper à ses coups, jusqu'au jour où elle gagne la bataille.

Voilà comment cet homme volubile m'apprit un peu tout ce que je désirais savoir de cet épisode de notre histoire, et grâce à lui je pus faire paraître dans le journal un article fort apprécié.

# Chapitre 10

# Une lettre du Klondike

*Hubert*

Depuis que Firmin nous avait quittés pour se rendre au Klondike, la maison semblait vide. Aussi, quand nous recevions une lettre de lui, nous sentions l'atmosphère changer. M'man devenait nerveuse. Maria et moi, nous avions hâte d'apprendre au plus vite ce qui lui arrivait. Quant à p'pa, il restait bien calme, car il avait aveuglément confiance en Firmin, comme s'il ne courait pas de graves dangers et que les accidents ne pouvaient pas être pour lui. Cette fois, comme il nous l'apprenait dans sa lettre, Firmin était réellement en route pour chercher de l'or.

*Cottonwood Island, 26 mars 1898*

*Chers parents,*

*Nous partons demain pour nous rendre à Glenora puis Teslin où, paraît-il, il y a beaucoup d'or. La rivière est encore haute, mais elle ne charrie plus de glaçons. J'avais bien hâte de décoller d'ici. J'y ai souffert de tout un mal de dent, à tel point que j'ai dû retourner à pied jusqu'à Wrangell avant de trouver quelqu'un capable de me l'arracher. J'ai été tellement soulagé une fois ma dent partie. Celui qui me l'a extraite est un Canadien français de Saint-Hyacinthe. Il m'a appris qu'il s'y connaît pas mal dans ce domaine parce qu'il est habitué de traiter les animaux, ce qui m'a fait bien rire. Il m'a dit: «Astheure tu vas pouvoir raconter que tu as hâte d'avoir mal aux dents.» Je lui ai demandé pourquoi, et il m'a répondu, un sourire aux lèvres: «Parce qu'on est tellement bien quand c'est passé!»*

*Je suis revenu rejoindre Eugène à notre tente. Wilbrod s'est découragé et il est reparti chez lui. Nous ne sommes plus que deux et je pense que c'est mieux ainsi, en tous les cas pour la place dans le canot. Nous attendions que le beau temps prenne pour nous mettre en route. La Stikine n'est pas une rivière facile et nous devons en remonter le courant avec tout plein de bagages. Mais voilà, nous partons enfin. Il y a beaucoup de monde sur la rivière dans toutes sortes d'embarcations, surtout des radeaux avec des tonnes de nourriture et de matériaux à charroyer. Quand nous aurons quitté le territoire américain pour entrer en Colombie-Britannique, nous prendrons probablement un bateau pour continuer notre route. Je vous raconterai dans une prochaine lettre comment tout cela se sera passé.*

*Je m'arrête, si je veux avoir le temps d'aller poster ma lettre à quelques milles d'ici avant de partir. J'ai hâte d'avoir de vos nouvelles. Dès que j'aurai une adresse fixe pour un bon bout de temps, je vous le ferai savoir et vous pourrez m'écrire.*

*Je pense à vous.*

*Votre fils affectueux, Firmin*

Comme il le faisait chaque fois que nous recevions des nouvelles de Firmin, p'pa sortit la carte qu'il s'était procurée de la région où il se trouvait et tenta de suivre le chemin qu'il avait parcouru jusque-là et, surtout, celui qu'il lui restait à faire. Il découpait tous les articles qu'il trouvait dans les journaux. Nous y apprenions toutes sortes de choses concernant le Klondike. C'était un sujet qui revenait souvent dans nos conversations d'après le souper.

P'pa disait que le gouvernement canadien faisait bien les choses pour permettre aux chercheurs d'or d'entrer et sortir du pays. On disait que de cinquante mille à deux cent cinquante mille personnes passeraient par le territoire du Klondike cette année. Le volume d'activités qui serait engendré surpasserait tout ce que le Canada avait connu jusqu'à présent. Mais, de ces milliers de personnes, combien trouveraient vraiment de l'or ? Des dizaines de milliers de chercheurs étaient déjà revenus fort déçus.

P'pa était persuadé que si Firmin voyait qu'il n'avait aucune chance de s'enrichir là-bas, il allait revenir rapidement. Certains chercheurs d'or faisaient parvenir des lettres à leurs parents et ces lettres étaient souvent publiées dans les journaux. Heureusement que m'man ne savait pas lire parce qu'elle serait morte d'inquiétude. P'pa se gardait bien de lui en parler, mais ces chercheurs racontaient dans leurs lettres toutes leurs misères. Firmin devait lui aussi passer par là. Il y a un de ces chercheurs dont la lettre m'étonna. Il écrivait :

> *Tout se déroule ici à une lenteur de colimaçon. On doit compter au moins une journée pour faire quatre milles aller-retour, et un dollar pour ce qu'on obtiendait chez nous pour dix cents. Nous sommes pris derrière une marée humaine de plus de mille personnes affairées à transporter des milliers de livres de nourriture et d'équipement en haut du Chilcoot.*

*Nous montons à la queue leu leu à un rythme des plus lents et il n'y a pas moyen d'aller plus vite.*

*Une fois là-haut, nos misères sont loin d'être terminées, parce qu'il nous faut nous débrouiller pour descendre le Yukon jusqu'à Dawson. Ce fleuve est sournois, il peut être aussi dangereux qu'il est calme par bout. On tente d'arriver à Dawson par toutes sortes d'embarcations. Il paraît que les rapides du canyon Miles et ceux de Thirty Mile sont extrêmement traîtres. Ce tronçon compris entre le lac Laberge et la rivière Teslin est particulièrement dangereux. Selon le journal* Klondike Nugget, *le Thirty Mile est un véritable cimetière où ont fini leur parcours des dizaines et des dizaines d'embarcations avec leurs occupants. De nombreux bateaux à aube y ont sombré. Une fois passé ce secteur, si on a la chance d'arriver à Dawson, et si on ne veut pas crever de faim, il nous faut trouver du travail dans une des concessions en exploitation. Le Klondike est loin d'être le paradis auquel on s'attendait.*

Nous terminions la lecture d'une lettre comme celle-là en nous disant que ça ne devait pas être si pire que ça et nous tentions d'en trouver une où les nouvelles étaient meilleures. Tout cela pour tomber sur une autre comme celle-ci :

*Quarante-cinq mineurs sont arrivés du Klondike samedi à bord du* City of Seattle. *Partis de Dawson à la fin de novembre, ils ont eu à supporter toutes sortes de souffrances et de privations. Ils sont enfin arrivés à Seattle et sont désormais à l'abri des misères qu'ils ont eu à souffrir.*

*William Byrne de Chicago, âgé de dix-huit ans, qui s'est gelé les deux pieds en se rendant à Dawson, a subi l'amputation des deux jambes.*

*Les chercheurs d'or arrivent chaque jour en grand nombre à Dawson. Tout ce qu'ils peuvent espérer est de trouver du travail dans un lot déjà en exploitation. En réalité ceux qui font le plus d'argent dans la cité de l'or sont les propriétaires des hôtels, des restaurants et des buvettes. Leurs établissements sont constamment encombrés de buveurs et de joueurs sur le dos desquels les propriétaires font des récoltes magnifiques.*

Firmin se trouvait dans cette région. Nous n'osions pas penser qu'il se pourrait bien qu'il finisse ses jours comme des centaines d'autres, noyé dans les eaux traîtresses de ce fleuve. Je savais que p'pa s'inquiétait tout autant que moi de son sort, mais il se gardait bien de le laisser paraître. Chaque fois qu'une lettre nous parvenait du Klondike, nous étions envahis par l'inquiétude. Pourquoi Firmin avait-il choisi d'aller risquer sa vie pour un peu d'or chimérique?

# Chapitre 11

# Hubert

*Ovila*

Mon beau-frère Hubert avait été pour moi jusque-là une énigme. Il ne se plaignait jamais de son infirmité et se contentait du peu qu'il avait sans rechigner. Il ne se passait pas grand-chose dans sa vie réglée au rythme des angélus et des diverses sonneries des cloches. Il passait de temps à autre à l'appartement où nous vivions, Marjolaine et moi, et dès lors nous savions qu'il y avait quelque chose de nouveau dans sa vie. C'est ainsi qu'un beau jour nous le vîmes arriver en fin d'après-midi. Il ne fit pas grands détours pour nous faire part de ce qui l'amenait.

— Figurez-vous que ces jours derniers, monsieur le curé m'a confié une tâche particulière.

— Quoi donc?

— Vous savez sans doute que depuis de nombreuses années, les cimetières de la paroisse ont été fermés et les ossements des morts transportés au nouveau cimetière Saint-Charles en haut du boulevard Langelier. Voilà pourquoi, même si je suis l'assistant du bedeau, je n'ai pas, comme le faisaient mes prédécesseurs, à creuser les fosses des paroissiens qui meurent, comme dans toute paroisse qui se respecte. Pourtant, l'autre matin au sortir de la messe de six heures, monsieur le curé m'a retenu : "Hubert, tu vas devoir reprendre la pelle du fossoyeur."

— En quel honneur ?

— Il m'a rapporté que des chiens creusent des trous dans le terrain vague où se trouvait l'ancien cimetière et qu'ils y découvrent des os.

— Je présume que le travail a été bâclé et qu'on a oublié là quelques squelettes ?

— Peut-être bien. Voilà pourquoi monsieur le curé m'a dit : "Tu devras retourner d'un bon pied la terre à cet endroit et à l'aide d'un tamis ramasser tout ce qui ressemble à un os." Quand je suis arrivé à la maison et que j'ai rapporté ce qui m'attendait le lendemain, p'pa m'a appris qu'il avait aidé autrefois à vider ce cimetière de ses morts. Savais-tu ça, Marjolaine ?

— Il me semble bien que p'pa en a parlé il y a bien longtemps, mais c'est très flou dans mon esprit.

— Tu sais comment est p'pa… Il m'a raconté en long et en large qu'à cette époque les gens se plaignaient que dès qu'on s'approchait du cimetière, ça sentait le mort. Ceux qui habitaient tout près n'en pouvaient plus. Il y eut des pétitions pour que soient fermés les trois enclos qui servaient de cimetière dans le quartier. Quand il fut décidé d'ouvrir le nouveau cimetière hors de la ville, on engagea des jeunes hommes pour déterrer les morts et les transférer dans une fosse commune prévue à cet effet au cimetière Saint-Charles. P'pa fut du nombre.

Je fis remarquer à Hubert :

— Ça ne devait pas être facile de démêler tous ces morts ?

— D'autant plus, comme a dit p'pa, que dans certains lots de famille, les cercueils pourris étaient empilés les uns sur les autres. Imagine-toi donc que le curé du temps les exhortait à prendre toutes les précautions possibles pour ne pas mêler les os des macchabées enterrés là.

— Pourquoi donc?

— Afin qu'il n'y ait pas de confusion au jugement dernier! P'pa m'a raconté ça avec le petit sourire et la lueur dans l'œil que je lui connais bien quand il trouve une situation comique.

Je m'esclaffai.

— Il paraît que p'pa et ses compagnons creusaient trois, quatre pieds dans la terre et que leur pelle frappait un coin de cercueil qui sur le coup s'effondrait comme un château de cartes. Il en sortait souvent une eau jaunâtre. Il leur suffisait de coincer leur pelle dans l'ouverture béante et de la tirer vers eux pour que tout le côté du cercueil s'affaisse. Ils se mettaient à quatre pour enlever la terre tout autour. Ils soulevaient le couvercle et leur apparaissait un beau squelette mangé par les vers. En moins de deux, il se retrouvait dans un sac de jute et transporté en brouette jusqu'à la charrette où l'attendaient ses semblables tassés là comme des cierges dans leur boîte. "Penses-tu, précisa p'pa, que nous prenions le temps de compter voir s'il avait bien encore ses deux cent six os réglementaires? Surtout que plus nous creusions, plus les squelettes se faisaient minces. Ils retournaient en poussière comme il se devait."

Je demandai à Hubert, pour l'encourager à continuer:

— J'imagine que ce fut un travail de longue haleine…

— Un été entier. Il m'apprit qu'ils portaient des masques pour ne pas étouffer et surtout attraper quelque maladie. Ils avaient ordre de remettre au curé tout ce qui pouvait se trouver dans un de ces cercueils et qui n'aurait pas dû y être.

— Comme quoi?

— Une bague, des pièces de monnaie, un sabre, un pistolet, des bijoux, n'importe quoi. Imagine-toi qu'un jour, il y en a un qui a trouvé rien de moins qu'une pipe en or.

— Par exemple!

— Aussi vrai que tu es là, une pipe en or. Il ne voulait pas la remettre comme ça au curé. Il l'a apportée chez lui, l'a nettoyée et est arrivé le lendemain au cimetière la pipe en or au bec. Elle a, paraît-il, fait le tour de toutes les mains pour ne pas dire de toutes les lèvres, et a fini, bien entendu, par aboutir dans celles du curé qui en a fait Dieu sait quoi. P'pa m'a assuré qu'il y avait une petite fortune à faire rien qu'à ramasser tout ce qui traînait dans ce cimetière. Je lui ai demandé: "Vous n'avez pas essayé de trouver par les registres à qui cette pipe pouvait appartenir?" Il a répondu: "Penses-tu! S'il avait fallu tenter de savoir qui avait été le propriétaire de ce que nous trouvions, nous serions encore en train de creuser."

Hubert marqua une petite pause et conclut:

— Il a continué ainsi à me raconter ce qu'avait été son expérience de fossoyeur, avec, comme il le disait, des os de toutes sortes qui roulent à vos pieds, des bouts de doigts et d'orteils, des côtes comme des cages d'oiseaux, des mâchoires édentées et des têtes de mort qui vous fixent sous leurs arcades sourcilières à vous faire faire des cauchemars des nuits entières. Il n'était pas étonné qu'il puisse rester encore des os dans le terrain vague où se trouvait le cimetière près de l'église. Les derniers temps, ils avaient dû faire vite avant l'hiver et les hommes ne se donnaient plus la peine de tout tamiser. Ce qui l'amusait le plus, c'était d'imaginer tous ces morts au jugement dernier occupés à retrouver leurs os, ceux des femmes mélangés à ceux des hommes.

— Eh bien, voilà toute une histoire! s'écria Marjolaine. Et toi, qu'est-ce que tu as à faire là-dedans?

— Comme je l'ai dit, le curé m'a demandé de prendre une pelle, une brouette et une grande grille comme tamis, et je me suis mis sans plus tarder à l'ouvrage. J'ai trouvé beaucoup plus d'os que je ne l'avais imaginé. Pas de tête de mort, mais des doigts de pieds surtout, et même un bout de tibia, mais la découverte sensationnelle que j'ai faite, je l'ai gardée.

— Tu l'as gardée?

— Je devais, comme p'pa autrefois, remettre au curé tout ce que je trouvais pouvant représenter une valeur monétaire quelconque. J'ai mis la main sur quelques pièces de monnaie, sur un vieux peigne de corne serti, malheureusement, de fausses pierres précieuses, mais surtout sur rien de moins qu'un diadème que j'ai fait aussitôt disparaître dans ma poche.

— Un diadème!

— Oui. Les pièces de monnaie et le peigne, je les ai refilés au curé, mais pas le diadème.

— Qu'en as-tu fait? Ce n'est pas très honnête de ta part.

— Qu'importe! Je l'ai ici.

Et il le sortit de sa poche pour nous le montrer en ajoutant, un peu naïvement:

— Je suis certain, à voir les diamants qui l'ornent, qu'il me rapportera gros. L'occasion, paraît-il, fait le larron. Ça ne peut pas s'avérer plus vrai. Je me suis juré de connaître la valeur de ce bijou magnifique et, surtout, de tenter de savoir à qui il a appartenu. Je suis persuadé, compte tenu de l'endroit où je l'ai trouvé dans le cimetière, qu'en étudiant les plans anciens, je pourrai d'abord déterminer d'après le lot à quelle famille il appartenait et ensuite, par une bonne étude des décès survenus dans cette famille, je pourrai repérer celle, car il ne peut s'agir que d'une femme, qui a jadis porté ce diadème comme une reine.

Je ne voulus pas lui enlever ses illusions. Si cela l'amusait, autant le laisser faire. Mais je voyais bien, en examinant le diadème de plus près, que ce qu'il croyait être des diamants n'était que du toc. Mais je ne le lui dis pas. Il nous fit jurer, à Marjolaine et moi, de n'en parler à personne, et il promit de nous tenir informés de ses démarches.

# Chapitre 12

# Gertrude

*Hubert*

Presque en même temps que Marjolaine, Gertrude nous a quittés, elle aussi pour se marier. Gertrude était plutôt soupe au lait. Il ne fallait surtout pas lui marcher sur les pieds. Elle fronçait les sourcils, plissait le front et fonçait, tête baissée. Il faut dire qu'elle était née sous le signe du bélier ! Elle mit du temps à se trouver un cavalier. Mais, un bon jour, elle revint à la maison en compagnie d'un jeune homme dont l'avenir était assuré, ce qui enchanta p'pa. Maurice Mercier était boulanger. Aux yeux de p'pa, il ne pouvait pas y avoir meilleur métier. Les gens ont toujours besoin de pain. Ainsi, Gertrude ne mourrait certainement pas de faim.

Je la revois encore quand son cavalier vint un jour à la maison. Elle avait toutes les misères du monde à accepter d'être chaperonnée. Chaque fois qu'elle voulait s'approcher trop près de son Maurice, Maria, chargée de surveiller les deux tourtereaux, se raclait la gorge, ce qui enrageait Gertrude. Elle se leva d'un bond du divan, tourna en rond dans la pièce, fit un saut dans la cuisine et demanda :

— Maurice, voudrais-tu quelque chose ?

Son Maurice répondit :

— J'ai tout ce qu'il me faut, sauf toi.

Gertrude revint au salon, un verre d'eau à la main. Elle prit une gorgée et refila le verre à son Maurice qui y posa les lèvres exactement au même endroit qu'elle avait bu. Ils se regardèrent dans les yeux, puis pour dire quelque chose, Maurice parla de sa boulangerie.

— Si je ne m'étais pas grouillé dans la vie, je ne serais pas boulanger, mais cocher, ce qui n'est pas un mauvais métier, mais un travail que je n'aimais pas.

— Pourquoi ?

— Parce que je n'aurais jamais réussi à gagner ma vie avec un tel métier.

— Ce n'était pas payant ?

— Je conduisais la calèche que louait monsieur Bibault pour les baptêmes, mariages et funérailles. Mais ce n'était pas un travail régulier. Il y avait bien des mariages et des naissances, mais seulement les gens en moyens pouvaient se permettre de louer la voiture, et ils n'étaient pas nombreux…

Sans doute que Gertrude connaissait tout cela depuis belle lurette. Maurice parlait pour Maria qui continua à le questionner sans se gêner. Il était certain qu'elle rapporterait tout à m'man.

— Comment êtes-vous devenu boulanger ?

— On dit : "C'est en forgeant qu'on devient forgeron." Moi je dis : "C'est en cuisant du pain qu'on devient boulanger."

Je vis Gertrude dans son coin ronger son frein, pendant que son beau Maurice expliquait à Maria que sa mère, une cuisinière hors pair, lui avait montré d'abord comment faire lever la pâte, la pétrir et la faire cuire. Puis Maurice précisa :

— Mon père était marchand de chaussures. Il ne mangeait pas d'autre pain que celui que faisait ma mère. Il s'agissait de grosses miches d'une livre. Ma mère en cuisait toujours plus que moins et vendait le surplus aux voisins à vingt-cinq sous la miche. C'est moi qui étais chargé de les livrer chez les voisins. La plupart du temps, ces miches sortaient à peine du four et étaient encore chaudes. Je trouvais que ça sentait si bon que j'ai demandé à ma mère de me montrer comment faire. Au début elle ne voulait pas, mais je l'ai tellement achalée avec ça qu'elle a fini par me l'apprendre.

—Vous avez dû mettre du temps à avoir votre propre boulangerie?

Voyant que Gertrude commençait à montrer des signes d'impatience, Maurice répondit:

— J'ai déjà tout dit ça à Gertrude. Vous le lui demanderez, elle vous le racontera.

Mais Maria était tenace, et elle insista:

— J'aimerais mieux l'entendre raconter par vous.

— Il n'y a rien de plus simple. Ça faisait plusieurs mois que je cuisais mon pain et que j'allais le vendre autour de chez moi à qui voulait en acheter. Je me suis fait de la sorte une bonne clientèle, à tel point que j'ai décidé d'ouvrir un petit comptoir de boulangerie à même la maison chez nous, où il y avait une pièce au rez-de-chaussée qui servait à entreposer tout et rien. Ma boulangerie a commencé comme ça. Les gens venaient directement y acheter leur pain.

Se rendant compte que Gertude s'ennuyait à mourir et s'impatientait de plus en plus, Maurice répéta:

— Gertrude vous racontera tout ça.

Celle-ci en profita pour grogner:

— Quand je vous vois tous les deux vous dire "vous" comme si vous étiez des étrangers alors que vous avez à peu près le même âge !

— Tu as raison, approuva Maurice. Ta sœur et moi, on pourrait bien se tutoyer.

Comme si elle le faisait exprès, car elle le savait bien, Maria demanda :

— Vous avez votre boulangerie sur quelle rue, déjà ?

— La rue Saint-Joseph, au coin de la rue de la Couronne. Vous devez l'avoir déjà vue ?

Voyant que ces deux-là continuaient à se vouvoyer et qu'elle était exclue de la conversation, Gertrude se leva et gagna sa chambre en rouspétant :

— Maurice Mercier, quand tu auras fini tu me le feras savoir.

Pris de court, Maurice se leva à son tour et lança :

— À un autre tantôt. Je reviendrai après-demain.

Les choses n'en restèrent pas là. Gertrude se plaignit si bien à p'pa et m'man qu'elle finit par être autorisée à se rendre veiller chez Maurice.

— À condition, lui dirent-ils, que vous ayez un chaperon.

— Vous n'avez pas à vous inquiéter, assura Gertrude, sa mère est toujours là.

J'appris de la sorte que devenue veuve, madame Mercier vivait avec son fils. Je me dis qu'il y aurait sans doute du grabuge si jamais ces deux-là se mariaient et que Gertrude élisait domicile chez Maurice. Voilà du moins ce que pressentait aussi m'man. L'avenir, hélas, allait nous donner raison. À quelque temps de là, le mariage eut lieu. Inutile de dire que le gâteau de noces était sublime.

# Chapitre 13

# Léonard

*Ovila*

Depuis que je faisais partie de cette famille, tout ce qui arrivait à l'un ou l'autre de mes beaux-frères et de mes belles-sœurs m'intéressait vivement. Je tentais même parfois d'imaginer ce qu'ils pouvaient être en train de faire quand je n'étais pas là. En toute franchise, il m'arrivait rarement de penser à Rosario, que je connaissais peu et pour qui je n'avais guère de sympathie. La jeune Clémence, cependant, ne manquait pas de m'intéresser et je l'admirais beaucoup pour sa détermination. Quant à Firmin, toujours au loin, j'avais peine à me figurer ce qu'il pouvait faire. Je savais parfaitement ce qui occupait Gertrude et Hubert dont toutes les journées se ressemblaient, mais de tous, Léonard était celui qui m'intriguait le plus. Je le connaissais mal, mais je m'amusais beaucoup de ses prises de bec avec son frère curé. Hubert me laissa entendre que Léonard prenait ses distances avec la famille. Il avait d'ailleurs toujours été passablement indépendant. Je lui demandai s'il avait continué à fréquenter Edward Wade et à lui faire parvenir des messages avec ses pigeons. Hubert m'apprit que ça n'avait pas duré très longtemps et que Léonard lui avait retourné ses volatiles.

Je savais qu'il avait fait de brillantes études au Séminaire de Québec où il était reconnu pour la qualité de sa plume. Léonard était devenu l'intellectuel de la famille, ce qui n'était pas forcément bien vu par tous. Marjolaine me dit d'ailleurs, un jour :

— P'pa le trouve trop dans les nuages pour croire qu'il parviendra à se débrouiller dans la vie. En un sens, il le compare un peu à Rosario qui baigne dans les affaires de Dieu et n'a pas les deux pieds sur terre. J'ai entendu p'pa dire que Léonard, lui, patauge dans les mots.

— Pourtant, fis-je remarquer, il me semble s'en tirer assez bien dans son travail et il ne me donne pas l'impression de quelqu'un de misérable. Quand ton père dit qu'il patauge ou se noie dans les mots, il a en partie raison, parce que ton frère est réellement un poète. J'ai eu l'occasion de me rendre compte qu'il connaît bien nos auteurs et semble même en fréquenter quelques-uns. Il m'a parlé entre autres d'Émile Nelligan et aussi de Charles Gill et d'Albert Lozeau, auxquels il m'a dit qu'il écrit. Il veut devenir aussi connu et aussi bon qu'eux. Ton frère est un original, je l'ai entendu à quelques reprises, depuis que je suis dans votre famille, réciter des bouts de poème comme celui-ci de Lozeau :

*Dans le vent qui les tord les érables se plaignent,*
*Et j'en sais un, là-bas, dont tous les rameaux saignent !*
*Il est dans la montagne, auprès d'un chêne vieux,*
*Sur le bord d'un chemin sombre et silencieux.*

« Ou encore, cet autre de Nelligan :

*Ah ! comme la neige a neigé !*
*Ma vitre est un jardin de givre*

*Ah ! comme la neige a neigé !*
*Qu'est-ce que le spasme de vivre*
*À la douleur que j'ai, que j'ai.*

«Je sais qu'il a une grande affection en particulier pour le poète Lozeau qu'il prend en pitié en raison de la maladie qui le cloue à un fauteuil roulant, et il correspond aussi avec le poète Charles Gill.

— Tu as raison, aprouva Marjolaine, Léonard est un drôle de moineau. Je me souviens quand il a annoncé à p'pa qu'il quittait la maison pour vivre à la Haute-Ville dans un petit appartement non loin de la bibliothèque de la législature, p'pa en est resté bouche bée.

J'avouai à Marjolaine que j'aimais le voir arriver à la maison lors des dîners du dimanche.

— Il n'a pas son pareil pour les animer. Il est très volubile et fantaisiste.

Marjolaine approuva en souriant :

— En effet, un jour, avant que je te connaisse, p'pa fit sursauter m'man quand il demanda à Léonard : "Pourquoi ne te fais-tu pas acteur ?"

— Qu'a-t-il répondu ?

— "Je n'ai pas suivi de cours en de domaine." Tu aurais dû voir m'man intervenir.

— Raconte !

— Elle a pratiquement crié : "C'est défendu par l'Église !" Sans doute pour ne pas la vexer, Léonard ne releva pas sa remarque. Il n'a que faire de l'Église et des curés. Il s'empressa de dire : "Je gagne très bien ma vie par le travail que je fais et que j'adore. Faire ce qu'on aime n'a pas de prix." Et comme pour détourner l'attention, il demanda à Hubert : "Puis, Hubert, tu n'aurais pas quelque chose d'intéressant à nous raconter à propos de ce qui s'est passé à l'église Saint-Roch ?"

— Je suppose qu'il était effectivement survenu quelque chose dont Léonard avait entendu parler ? Les églises sont des lieux où tout peut arriver…

— En effet, la maison de Dieu est aussi le refuge des pécheurs. Les journaux avaient parlé d'un incident récent. Un vagabond s'était réfugié dans le jubé de l'église et y avait passé la nuit. Sans doute sous l'emprise de la boisson, il tomba du jubé dans l'allée centrale où le sacristain le trouva mort en ouvrant l'église le matin. Hubert arrivait pour sonner l'angélus quand le sacristain l'interpella pour qu'il l'aide à déplacer le corps afin de le soustraire à la vue des fidèles venus assister à la messe de six heures. Léonard s'informa ensuite : "Il s'agissait bien d'un clochard ?" Pour ma part, c'était la première fois que j'entendais ce mot.

— Qu'est-ce qu'Hubert a répondu ?

— "Oui, si tu veux l'appeler comme ça", mais sais-tu ce qui m'étonna le plus ?

— Quoi donc ?

— Léonard expliqua : "Nos amis les Français aiment bien le mot clochard. Vous savez qu'il vient de cloche. Savais-tu, Hubert, et ça va t'intéresser, qu'autrefois le sonneur de cloches vivait dans le clocher ? Il y habitait avec ses cloches. À Notre-Dame de Paris, celui qui actionnait la pédale permettant de faire sonner les cloches se nommait le clochard."

— J'imagine qu'Hubert avait entendu parler de ça ?

— Absolument pas. Il admit qu'il l'ignorait, et Léonard poursuivit : "Eh bien, figure-toi que les cloches là-bas sont si grosses qu'elles pèsent entre quatre mille et six mille livres. Seulement le battant du bourdon pèse à lui seul onze cents livres. Il est impossible de les mettre en branle avec des câbles. Les constructeurs de l'église ont donc conçu un mécanisme qui permet de les faire sonner. De gros fils de fer partent de chacune des cloches et sont reliés à un genre de clavier à pédale. Le sonneur actionne les pédales avec ses pieds. Il paraît que c'est un art de faire chanter ces cloches." Savais-tu ça, Ovila ?

— Non, tu me l'apprends.

— Ça n'est pas resté là. Hubert s'est mis dans la tête de tenter de faire installer un pareil système pour les cloches de Saint-Roch.

— Y est-il parvenu ?

— Le curé lui a dit que ça coûterait trop cher et Hubert a laissé tomber. Mais rien n'empêche, mine de rien, qu'une fois de plus, Léonard, par son érudition, était parvenu à ses fins. Il avait fait glisser la conversation sur un autre sujet que lui-même. Il n'aime vraiment pas qu'on le questionne sur ce qu'il fait précisément. Il a d'ailleurs développé toutes sortes de façons de ne pas répondre directement aux questions qu'on lui pose. Ainsi, après son aparté sur les cloches, quand p'pa lui a demandé ce qu'il faisait au juste, il a répondu vaguement : "Tout et rien ou, si vous voulez mieux, tout ce qui se fait dans une bibliothèque et rien de ce que font ordinairement les bibliothécaires."

Je m'esclaffai :

— C'était une réponse de politicien !

Marjolaine continua :

— Insatisfait de cette réponse, p'pa proposa : "Tu classes des livres ?" Léonard répondit : "Ce n'est pas exactement mon travail." "Que fais-tu, alors ?" "Je conseille le direc-teur de la bibliothèque à propos des livres qu'il devrait acheter."

Je mesurai alors l'importance du travail que Léonard devait réaliser. Pour y parvenir, il devait lire un tas de volumes et se tenir informé sur un peu tous les bouquins qui paraissaient en s'intéressant davantage à tous ceux nécessaires à nos parlementaires. Il vivait dans son petit appartement où il ne nous avait jamais invités. Ma belle-mère, tout comme Marjolaine, supposait que tout était à l'envers là-dedans et qu'il devait y avoir des piles de livres et de journaux jusqu'au plafond. Elle n'avait pas tort, comme il me fut donné de le constater plus tard.

Tel était donc notre Léonard, poète, écrivain toujours un peu dans les nuages, mais toujours de bonne humeur et manifestement heureux de vivre.

# Chapitre 14

# Prise de bec

*Hubert*

Nos dîners du premier dimanche du mois ont toujours été les moments forts de notre vie familiale. Depuis qu'un train reliait Portneuf à Québec, notre frère Rosario était plus fidèle à nos agapes. Il nous fallait patienter jusque vers une heure avant de nous mettre à table. M'man n'aurait jamais commencé le repas sans la présence de son cher prêtre! Il célébrait la grand-messe dans sa paroisse à dix heures et la cérémonie se terminait vers onze heures. Il répondait à ses paroissiens qui avaient besoin d'un conseil ou d'une oreille attentive, puis sautait dans le train pour Québec. Avant qu'il soit à la maison, compte tenu des fréquents retards du train, il était au moins une heure, sinon une heure et quart et même et demie. Pendant tout ce temps nous rongions notre frein à l'attendre l'estomac vide depuis la veille au soir, car, bien entendu, il avait fallu être à jeun depuis ce temps pour pouvoir communier.

M'man tenait mordicus à ce que nous assistions à la grand-messe. Dépendant de la longueur du sermon, nous en sortions vers onze heures et quart, sinon plus tard, affamés comme des ogres, et il nous fallait encore attendre avant de manger. Vint un temps où nous décidâmes d'aller à la messe de sept heures, après quoi nous pouvions tout simplement déjeuner. M'man n'approuvait pas notre conduite, mais p'pa, plus compréhensif, lui fit remarquer que nous n'étions pas tenus de jeûner jusqu'à une heure de l'après-midi seulement pour attendre Rosario.

On ne peut pas mettre deux coqs dans le même poulailler. De même, il ne fallait pas que Rosario et Léonard se retrouvent en même temps à table à la maison. Dès que je vis arriver Rosario, je pressentis, puisque Léonard s'y trouvait déjà, que le dîner ne serait pas de tout repos. Léonard, comme il le faisait chaque fois que Rosario était là, se dépêcha de le provoquer. Je m'étonnais toujours que p'pa n'intervienne pas lors de ces prises de bec. Il faut croire qu'il considérait que Rosario était assez grand pour se défendre.

Léonard demanda :

— Trouves-tu ça normal, mon bien cher frère, que les curés se mêlent même de ce qui se passe dans les chambres à coucher ?

Rosario réagit vivement :

— Les prêtres sont les gardiens des âmes. Ils ont le devoir de donner les conseils qu'il faut pour que personne ne s'égare dans le péché.

— Ah oui ! fit Léonard. Eh bien, écoute attentivement celle-là. Un curé, afin d'éviter que le mari d'une nouvelle mariée la voie nue, lui a conseillé de toujours garder sur elle sa robe de nuit même au lit et, pour faciliter la venue de son mari en elle, de pratiquer une ouverture dans sa jaquette exactement là où ça compte. Viens pas me dire que ce curé ne se mêlait pas de ce qui se passait dans leur chambre à coucher.

Rosario réagit en laissant entendre que tout cela n'était que des racontars. Léonard n'allait pas laisser tomber pour autant, car il attira notre attention sur un livre qu'il avait eu en main à la bibliothèque. Il nous mit au défi :

— Qui devinera de quel livre il s'agit ?

Chacun y alla de sa suggestion : *L'Almanach du peuple... L'Indicateur de Québec et Lévis... Québec, ses monuments anciens et modernes...*

— Vous ne chauffez même pas ! assura-t-il.

Gertrude, qui n'appréciait guère les devinettes, demanda d'une voix impatiente :

— De quel genre de livre s'agit-il ?

— Un livre très édifiant, qui m'a vivement intéressé.

Je proposai la Bible. Je faisais fausse route. Comme quelqu'un qui a très hâte de livrer son secret, Léonard s'exclama d'une voix suave :

— Je ne vous ferai pas languir plus longtemps, il s'agit du *Catéchisme de monseigneur de Saint-Vallier.*

Puis, d'un ton moqueur, il s'écria :

— Il n'y a pas un livre que je connaisse, à part bien sûr le *Rituel* écrit par ce même évêque, qui soit plus bienfaisant pour nos âmes.

S'adressant à Rosario, il ajouta avec un sourire narquois :

— N'es-tu pas de cet avis, mon bien cher frère ?

Comme toujours, Rosario se raidit dans le fauteuil de p'pa et répondit vivement :

— À quoi veux-tu en venir ?

Léonard avoua candidement :

— À faire découvrir à chacun de nous les conseils si édifiants de ce deuxième évêque de Québec.

Il tira un calepin de sa poche, le feuilleta rapidement et dit :

— Voici par exemple ce qu'il écrit à propos des femmes, et je cite : "Il y a des femmes qui vont à l'église et laissent paraître leurs cheveux frisés d'une manière indigne d'une personne chrétienne. Ce qui me perce l'âme de douleur, c'est de voir dans notre église des nudités scandaleuses de bras, d'épaules et de gorges, se contentant de les couvrir de toile transparente, ce qui ne sert bien souvent qu'à donner plus de lustre à ces nudités honteuses, dont la vue fait périr une infinité de personnes, qui trouvent malheureusement dans ces objets scandaleux la cause de leurs péchés et leur damnation éternelle."

Il ajouta, d'un ton malicieux :

— Serais-tu de cet avis, mon bien cher frère ?

À mon grand étonnement, Rosario répondit paisiblement :

— Absolument ! Je trouve qu'il décrit la situation d'une façon admirable.

— Comme ça, poursuivit Léonard, tu seras certainement d'accord avec lui en tout ce qui concerne la conduite des jeunes filles. Si elles craignent Dieu, elles ne doivent jamais jouer avec des garçons à quelque jeu que ce soit. Plusieurs brûlent en enfer parce qu'elles ont osé danser. Dans leurs fréquentations, elles doivent toujours être accompagnées. En se couchant, elles doivent, comme nous tous, regarder le lit comme leur tombeau, les draps comme leur suaire, et le sommeil comme l'image même de la mort.

Rosario se redressa dans son fauteuil.

— Monseigneur de Saint-Vallier a absolument raison en tout.

— Vraiment ? fit Léonard. Même quand il prétend qu'on ne peut assister à des comédies sans pécher gravement ? Ne dit-il pas que toutes les comédies sont des occasions prochaines de péché et que le théâtre est condamnable ? N'est-ce pas pourtant à ce genre de spectacles que vous nous conviez tous les dimanches dans vos églises ?

Léonard était allé trop loin. Rosario se leva, le feu dans les yeux, et cracha :

— Tu parles comme le pire des pécheurs, tu devrais être excommunié.

— Vraiment ? s'écria Léonard d'un ton moqueur.

J'intervins en rapportant que j'avais justement assisté cette semaine-là à une excommunication.

— Pour notre édification, m'invita Léonard, raconte-nous ça vite.

— Durant la messe de dimanche dernier, le curé a procédé à l'excommunication d'un des paroissiens de Saint-Roch qu'il a nommé en chaire. Il a déclaré qu'il était livré à la puissance du démon et pour signifier son rejet de l'Église, il a allumé un cierge, puis l'a éteint et jeté par terre comme un objet maudit. Le curé a rappelé que désormais l'homme en question ne pourrait plus mettre les pieds à l'église, qu'il était privé des sacrements et ne serait pas inhumé chrétiennement et qu'à part les membres de sa famille quiconque lui adresserait la parole serait excommunié sur-le-champ. Ça, c'est de la charité chrétienne !

Rosario était furieux. Il allait éclater quand p'pa, qui ne se mêlait pratiquement jamais de nos prises de bec, intervint.

— Tout cela va mal finir. Je vous prierais de changer de sujet.

J'en profitai pour raconter que deux événements importants m'avaient frappé cette semaine. D'abord, j'avais trouvé un nouveau-né dans une boîte de carton déposée dans un des portiques de l'église. Une note spécifiait qu'il n'avait pas été baptisé. Je le ramenai au presbytère où la ménagère s'en chargea avant que l'abbé Robitaille aille le confier à l'Hôpital du Sacré-Cœur.

Rosario s'exclama d'une voix triomphale :

— Vous voyez bien comme l'Église est importante dans nos vies !

— Personne n'a jamais affirmé le contraire, fit remarquer Léonard. L'Église a aussi ses bons côtés, dommage qu'ils ne soient pas aussi nombreux que ses mauvais.

Avant que les choses ne s'enveniment à nouveau, je poursuivis :

— L'autre chose qui m'a marqué, c'est le désir d'un homme trépassé cette semaine. Selon ses dernières volontés, il a exigé que sa dépouille soit tournée sur le ventre dans son cercueil. Il paraît qu'il voulait de la sorte expier tous ses péchés jusqu'au jugement dernier.

Léonard la trouva bien bonne et il se permit de blaguer là-dessus :

— De cette façon, il voulait sans doute surveiller tous ceux qui allaient passer pour se rendre en enfer. C'est bien connu : le ciel est en haut et l'enfer est en bas, n'est-ce pas, mon bien cher frère ?

— Je ne te le fais pas dire.

Léonard lui fit un grand sourire.

— J'aimerais bien savoir qui, dans sa grande sagesse, a décidé ça... Peux-tu éclairer ma lanterne ?

Rosario l'ignora et se leva parce que Maria nous invitait à passer à table.

# Chapitre 15

# Clémence

*Ovila*

De toutes mes belles-sœurs, Clémence, la plus jeune, était celle que je connaissais le moins. Elle ne menait pas grand bruit chez elle quand elle y était, car elle était toujours aux études et avait toujours le nez plongé dans un livre chaque fois que je l'ai vue. Elle n'avait qu'un but dans la vie : devenir médecin. Elle voulait suivre les traces d'Irma Levasseur, la première Canadienne française à exercer la médecine. Elle avait tout tenté pour se faire admettre en médecine à l'Université Laval, mais sans succès. Il paraissait que ce n'était pas la place des femmes… Comment imaginer qu'une femme puisse soigner adéquatement un homme en le voyant complètement nu ?

Pourtant, il y avait des femmes qui étudiaient la médecine. Clémence entendit parler d'une importante rencontre de médecins à Québec où il y aurait au moins deux, sinon trois femmes. Elle fit tout ce qu'elle put pour assister à ce colloque, mais en vain. Comme elle était têtue – elle avait du sang de Bédard dans les veines, car tous les autres agissaient de la même manière –, elle passa la journée à la porte de la salle où se tenait cette rencontre. Sa patience fut bien récompensée, car au milieu de l'après-midi, une jeune femme sortit de la salle pour aller aux toilettes. Elle l'intercepta, se présenta, lui demanda si elle était médecin et expliqua les raisons de son intervention. Clémence insista pour que cette femme vienne examiner son frère Hubert. Cette dernière promit de le faire, une fois le colloque terminé.

Comme Hubert lui-même me le raconta, Clémence revint à la maison le prévenir de ce qui l'attendait. «Hubert, dit-elle, sois gentil. Je voulais m'informer auprès de cette femme afin d'en connaître plus long sur la façon dont je devrais procéder pour suivre des cours de médecine. Pour l'attirer ici, je lui ai parlé de toi, de ta bosse et de ton infirmité et lui ai demandai de venir t'examiner. Elle est si aimable qu'elle a accepté.»

Je revois mon pauvre bossu de beau-frère commenter en soupirant: «J'aime bien ma sœur Clémence, alors je n'ai pas protesté. En vérité, j'étais même flatté d'être examiné par une femme médecin. J'avais bien hâte de voir ce jeune phénomène.»

Clémence retourna au colloque et attendit patiemment la fin de la rencontre et, comme promis, revint chez elle accompagnée de cette jolie jeune femme de Montréal appelée Mélanie Ducharme – et croyez-moi, d'après ce que m'en a dit Marjolaine, du charme, elle en avait! On remarquait son sourire, ses yeux d'une grande douceur, son port de tête et sa démarche élégante.

Clémence la présenta à ses parents. Sa mère ne voulait pas croire que cette jeune personne puisse être docteur. «C'est un honneur, dit-elle finalement, de vous avoir sous notre toit.» «Tout le plaisir est pour moi, assura la jeune femme, un sourire aux lèvres. Votre fille m'a parlé de son frère bossu et, comme je suis curieuse, et appelée par ma profession à tenter de guérir toutes les maladies, j'ai tenu à examiner votre Hubert afin de voir s'il n'y aurait pas quelque chose à faire pour lui. Chaque patient que nous voyons nous en apprend un peu plus sur la maladie dont il souffre. Dans son cas, il s'agit d'une malheureuse infirmité dont il faudrait connaître l'origine afin d'éviter qu'elle ne se reproduise chez d'autres. J'aimerais savoir si cela a été causé par une naissance compliquée. Votre grossesse, quand vous portiez Hubert, et surtout votre accouchement ont-ils été difficiles ? »

Hubert, que tout cela intéressait de près, ne manqua pas de retenir les réponses de sa mère. Il paraît qu'elle précisa que sa grossesse n'avait pas été différente des autres et qu'elle s'était rendu compte de l'apparition de sa bosse quand il avait sept ans.

Pour montrer comment cette jeune femme médecin était compétente, elle posa aussitôt la question suivante : « Je présume qu'il a souffert de la tuberculose ? » « Oui, quand il était tout jeune. » « Savez-vous que sa bosse a probablement été causée par cette maladie ? »

Ma belle-mère ne l'ignorait pas, mais de l'entendre à nouveau la soulagea grandement, elle qui se faisait des reproches d'avoir donné naissance à un bossu. Philibert, qui assistait à la scène et qui, contre son habitude, n'avait pas dit un mot, posa la question que tous se posaient : « Quel rapport y a-t-il entre la tuberculose et sa bosse ? » Il obtint une réponse précise : « Il y a deux formes de tuberculose, celle qui s'attaque aux poumons mais aussi celle qui s'en prend aux os. Dans son cas, sa tuberculose en a été une des os. »

Hubert intervint : « Y a-t-il quelque chose à faire pour moi ? » La jeune femme ne tourna pas autour du pot : « Je crains bien que non. Mais on ne sait jamais. »

Hubert me confia : «Je suivais la conversation avec inté-rêt. Après tout, j'étais directement concerné – j'allais dire consterné – par ce que j'entendais. Elle s'en rendit compte et, comme pour me rassurer, elle m'apprit qu'on était par-venu dans certains cas à améliorer de beaucoup la situation de personnes souffrant d'une bosse. Avec de la chance, il pourrait peut-être en être de même pour moi. "Tant que je ne l'aurai pas examiné, ajouta-t-elle, je ne peux rien promettre."»

Ma belle-mère et Clémence voulurent en savoir plus long sur le cheminement de cette Mélanie Ducharme. Clémence ne fit pas de détour pour demander : «Comment êtes-vous parvenue à devenir médecin?» «J'ai dû m'expatrier. J'ai suivi mes cours à l'Université Saint Paul au Minnesota. Les femmes n'y sont pas admises en grand nombre, mais j'ai eu la chance d'avoir des parents qui ne se laissaient pas marcher sur les pieds. Ils m'ont obtenu une bourse d'étude qui m'a permis d'étudier et de terminer ma médecine.»

La suite, Clémence elle-même me l'a racontée.

— J'ai poussé un long soupir, ce qui étonna Mélanie. Alors je lui ai dit que je rêvais d'être médecin, moi aussi. Elle m'a répondu : "Est-ce que tu parles anglais?" J'ai répondu : "Non, mais ça s'apprend!" Mélanie, me voyant si déterminée, m'encouragea : "Si dans un an tu viens me voir et que tu peux soutenir une conversation en anglais avec moi, je te promets, si tu as les aptitudes nécessaires et les notes appropriées pour entrer à l'université, de t'obtenir une bourse pour te permettre d'étudier la médecine."

— Comment était-ce possible?

— Grâce à ses parents, une somme considérable d'argent avait été mise de côté uniquement pour permettre chaque année à cinq jeunes femmes désireuses de devenir médecin de pouvoir s'inscrire à l'université. Quand j'ai entendu ça, je n'en croyais pas mes oreilles. J'étais aux oiseaux ! Je ne portais plus à terre ! Mais avant que je m'envole, Mélanie m'a ramenée sur terre. "Je dois examiner ton frère." Hubert s'approcha. Elle l'invita à passer dans la chambre. Elle lui fit enlever sa chemise et le pria de s'étendre à plat ventre sur le lit, puis elle commença son examen.

Hubert lui-même m'a parlé de cette expérience. Comme il me l'a raconté, il eut droit aux plus douces caresses dont puisse rêver un bossu. Avec sa franchise habituelle, il avoua : « Je n'ai certainement pas à te décrire, malgré ma position à plat ventre, ce qui se passa dans mon pantalon… Bien entendu, il était trop tard pour faire quoi que ce soit dans mon cas. J'étais bossu et je le resterais à vie. Mais jamais je n'oublierai le passage chez nous de cette Mélanie Ducharme. »

J'eus l'occasion, peu de temps après avoir épousé Marjolaine, de faire la connaissance de cette jeune femme. Elle nous honora de sa présence lors d'un dîner du dimanche. Elle nous apprit qu'elle venait tout juste de perdre sa mère, emportée par une pneumonie au cours de l'hiver. Son père était mort deux ans plus tôt des suites d'une crise cardiaque. « Nous avons beau être médecin, assura-t-elle, nous ne pouvons rien contre la mort. Nous servons à soulager les malades et à leur apporter la guérison, mais nous sommes bien conscients que tout cela n'est que temporaire. La mort fait aussi partie de la vie. »

Je l'écoutai attentivement, mais je remarquai que j'étais loin d'être le seul à le faire. Hubert ne l'a guère quittée des yeux de tout le repas. Après le départ de Mélanie, je crois qu'il n'y avait pas sur terre d'homme plus mélancolique que lui. Je lui en fis la remarque. Il me dit :

— Explique-moi donc, Ovila, pourquoi ma maudite bosse m'empêche d'espérer vivre un jour comme tout le monde et avoir le droit de partager mon lit et ma vie avec une compagne ?

Je tentai de l'encourager de mon mieux.

— Un jour, une femme saura découvrir l'homme au grand cœur qui se cache derrière cette bosse et elle l'épousera.

Ma réponse sembla l'apaiser quelque peu. Quant à ma belle-sœur Clémence, elle se lança à corps perdu dans l'étude de la langue anglaise. Elle fit tout ce qu'il fallait pour pouvoir s'exprimer avec aisance dans la langue de Shakespeare. Elle en fut récompensée, car un an plus tard elle obtint la bourse promise et nous quitta pour suivre ses études à l'Université Saint Paul du Minnesota.

# Chapitre 16

# La généalogie

*Hubert*

Il y a parfois un ou des événements qui changent profondément nos vies. Un phénomène semblable se passa dans la mienne. Je ne saurais trop expliquer comment ça m'est arrivé. Peut-être parce que j'avais travaillé dans un ancien cimetière, je commençai à m'intéresser à ceux qui nous avaient précédés. Comme par hasard, à peu près à cette époque lors d'un de nos dîners du dimanche, une discussion entre p'pa et m'man éveilla ma curiosité. P'pa est un Bédard et m'man une Parent. P'pa n'avait pas prisé une réflexion de m'man et il s'écria :

— On sait bien, toi, Laetitia, le frère de ton grand-père était un homme célèbre...

Je demandai :

— De qui s'agit-il ?

— D'Étienne Parent.

M'man, que tout cela semblait laisser froide, déclara tout simplement :

— Ce n'est après tout qu'un p'tit cousin d'la fesse gauche.

C'était la première fois que j'entendais cette expression et ça me fit bien rire. Je m'empressai de demander :

— Et p'pa, il n'y a pas de Bédard célèbre ?

— Il y en a.

— Qui sont-ils ?

— À toi de le découvrir ! Si je te le dis, tu ne le retiendras pas. Si tu le trouves toi-même, tu ne l'oublieras jamais. La meilleure façon de savoir quels liens nous avons avec ceux qui nous ont précédés est de faire notre généalogie.

— Notre généalogie ?

— Oui, remonter le temps jusqu'à nos ancêtres et découvrir de quels Bédard et de quels Parent nous descendons vraiment. Il y en a dans nos deux familles qui ont fait leur marque dans la société.

Je me montrai aussitôt intéressé.

— C'est possible de découvrir ça ?

Léonard, qui suivait attentivement notre conversation, intervint.

— On a tout ce qu'il faut pour découvrir qui sont nos ancêtres.

— Comment on procède ?

— Nous avons des généalogistes célèbres qui pourraient te l'apprendre, entre autres monseigneur Tanguay.

— Monseigneur Tanguay ?

— Il a écrit le *Dictionnaire généalogique des familles canadiennes-françaises*. Il était tanné de marier des gens de la même famille entre eux, comme un oncle et une nièce, un cousin et une cousine. Il voulait éviter qu'on devienne un peuple taré. Il vient de temps à autre au Séminaire de Québec. Tu pourrais peut-être le rencontrer.

Léonard m'assura que la bibliothèque de la législature possédait les sept tomes de son dictionnaire.

— Il y a des Bédard et des Parent dedans ?

— Bien sûr! Mais je ne crois pas que les informations se rendent jusqu'à nous.

Quand j'avais une idée en tête, je ne la lâchais pas facilement. À la première occasion je me rendis à la bibliothèque où travaillait Léonard afin de consulter le fameux dictionnaire. Je voulais savoir de qui nous descendions. P'pa avait allumé la flamme en affirmant que nous avions des ancêtres célèbres. Je désirais savoir qui ils étaient et quels liens ils avaient avec nous. Quand je consultai enfin le dictionnaire, je fus déçu, car, comme Léonard l'avait prévu, les informations concernant les Bédard et les Parent s'arrêtaient vers 1780. Léonard ne me laissa cependant pas en plan. Il m'apporta un autre dictionnaire écrit par un abbé Lejeune. J'y retraçai des Bédard célèbres: Pierre-Stanislas et Elzéar et également, du côté maternel, Étienne Parent. Tous trois avaient joué un grand rôle dans la société. Mais j'avais encore à découvrir quels liens de parenté existaient entre eux et nous. Sans m'en rendre compte, je venais de mettre le nez dans un domaine qui allait me passionner toute ma vie.

Quelques jours plus tard, je profitai d'une commission à faire du côté de la basilique pour aller m'informer au Séminaire, à deux pas de là, comment je pourrais rencontrer monseigneur Tanguay. Le prêtre qui vint me répondre m'apprit que monseigneur Cyprien Tanguay était à l'emploi du gouvernement fédéral et qu'il vivait à Ottawa. Voyant la déception sur mon visage, il s'enquit du motif qui me poussait à rencontrer ce monseigneur. Je répondis:

— C'est pour une question de généalogie.

— Si ce n'est que pour ça, vous pourriez vous informer à l'abbé Casgrain. Il n'est pas au séminaire aujourd'hui, mais si vous revenez demain, il saura certainement répondre à vos questions.

Le lendemain, après la dernière messe du matin, dès que j'eus fini de tout ranger et après m'être assuré que le sacristain n'avait pas besoin de moi, je montai jusqu'au Séminaire de Québec. Même si les passants se retournaient pour m'examiner plus ou moins discrètement en raison de ma bosse et de mon infirmité, j'aimais marcher dans les rues de Québec. Je passai par la rue des Fossés et ne fus pas long à emprunter la Côte du Palais. On m'avait raconté que cette côte portait ce nom en référence à Jean Talon, le premier intendant de la Nouvelle-France. Il avait, paraît-il, construit son palais à cet endroit, et tout près, il avait fait ériger la première brasserie du pays. Il ne restait plus grand-chose de ces édifices. Ils avaient été remplacés par d'autres, mais peu importait, l'endroit était agréable à parcourir. En boitillant, je montai la Côte du Palais pour me retrouver face à l'Hôtel-Dieu qui dominait tous les alentours. Je gagnai la rue Saint-Jean et m'arrêtai un moment pour reprendre mon souffle devant le studio de photographie des frères Livernois. Empruntant ensuite la rue de la Fabrique, j'entrai au Séminaire par la rue Sainte-Famille. Je demandai au portier à voir l'abbé Casgrain. Il me pria de l'attendre au parloir. J'appréciai de pouvoir enfin m'asseoir. Au bout d'une dizaine de minutes, je vis paraître, sans l'avoir entendu venir, un vieux prêtre au regard encore vif qui me dit d'emblée :

— Que puis-je faire pour vous ?

Je me redressai et l'informai du but de ma visite.

— Ainsi, vous désirez connaître qui sont vos ancêtres Bédard et Parent ?

— Absolument, mais je ne sais trop comment procéder dans mes recherches.

— Rien de plus simple, répondit-il. Suivez-moi.

Il me conduisit à la bibliothèque du Séminaire et m'indi-qua quelques volumes pouvant m'être utiles, mais surtout ce qu'il appelait une « lignée ancestrale » dont il se servit pour m'expliquer comment m'y prendre afin de réaliser celle de ma famille. Avant de commencer ses explications il tira un mouchoir de sa manche et se moucha longuement en faisant un bruit de trompette qui me laissa vivement étonné.

— Réaliser son ascendance, commença-t-il, c'est comme monter dans une échelle. Vous partez de vos parents, vous remontez à vos grands-parents, à vos arrière-grands-parents et ainsi de suite, génération par génération.

— Mais de quelle façon ?

— D'un mariage à l'autre. Sur un acte de mariage, on trouve le nom des mariés et ceux de leurs parents. Ainsi, l'acte de mariage de vos parents vous révèle les noms de vos grands-parents paternels et maternels. Il suffit ensuite de retracer l'acte de mariage de vos grands-parents pour apprendre celui de leurs parents et ainsi de suite. D'un mariage à l'autre, vous parvenez jusqu'à votre premier ancêtre arrivé au pays. Dans le cas des Bédard, ainsi que dans celui des Parent, comme il n'y a qu'un seul immi-grant de ce nom à être venu ici, vous ne pouvez pas vous tromper. Pour les Bédard, votre premier ancêtre au pays est Isaac Bédard. Remarquez son prénom protestant. Il était huguenot et venait de la ville de La Rochelle. Il a abjuré sa foi pour se faire catholique. Vous apprendrez tout cela dans le dictionnaire Tanguay. Quant aux Parent, ils descendent du boucher Pierre Parent, venu de Mortagne-sur-Gironde, lequel a eu dix-huit enfants, dont des triplets qui se sont mariés tous les trois le même jour.

— Pas vrai !

— Soit dit en passant, avant que j'oublie de vous en informer, savez-vous d'où vient le nom Bédard ?

— Je l'ignore.

— De bedeau. Les premiers Bédard de France ont dû exercer ce métier, d'où leur est venu leur nom.

— Vous m'étonnez, monsieur l'abbé ! m'écriai-je. Je suis moi-même l'assistant du bedeau de Saint-Roch.

— À la bonne heure ! Vous perpétuez la tradition de vos ancêtres.

Il avait piqué ma curiosité et j'étais de plus en plus curieux d'en connaître davantage sur ceux dont je descendais. Je désirais savoir de façon plus précise comment procéder pour réaliser mon ascendance. Je demandai :

— Je présume qu'il faut rechercher les mariages dans les registres paroissiaux ?

— C'est la façon de procéder. Ces registres se retrouvent ordinairement au presbytère de chaque paroisse. Ainsi, votre père, comment s'appelle-t-il ?

— Philibert Bédard.

— Et votre mère ?

— Laetitia Bédard… non, Parent.

— Laetitia Parent, donc. Où se sont-ils mariés ?

— À Saint-Roch.

— Vous qui êtes l'assistant du bedeau à cet endroit, il n'y a rien de plus simple pour vous que de retracer leur mariage dans les registres. Vous y découvrirez les noms de vos grands-parents si vous ne les connaissez pas déjà.

— Je les connais. Mon grand-père paternel se nomme Napoléon Bédard.

— Et votre grand-mère ?

— Philomène.

— Philomène qui ?

— Ma foi du bon Dieu, je l'ignore.

— Le registre de mariage vous l'apprendra. Et dès lors, vous n'aurez plus qu'à vous mettre à la recherche de leur mariage à eux, vingt ou trente ans plus tôt, et ainsi de suite. Vous ferez la même chose du côté des Parent.

Fort de ces renseignements, et après avoir chaleureusement remercié l'abbé, je pressai le pas vers le presbytère de Saint-Roch. Je demandai à l'abbé Robitaille l'autorisation de consulter les registres. Il se montra étonné de mon intérêt et je lui expliquai :

— Je veux relever les mariages des anciens membres de notre famille.

— Pourquoi donc ?

— Je tiens à connaître mes ancêtres. Je veux établir ma généalogie.

Il me conduisit sans autre forme de procès dans un petit bureau attenant au salon où, avec le curé et les autres vicaires, ils devaient refaire tous les soirs le sort du monde. Il sortit une pile de registres que je me mis à éplucher avec le plus vif intérêt. J'y retraçai rapidement l'acte de mariage de mes grands-parents qui me dévoila les noms de leurs parents. Ainsi, mon grand-père Napoléon Bédard avait épousé ma grand-mère Philomène Saint-Arnaud dans la paroisse Saint-Roch en 1838. Ses parents s'appelaient François Bédard et Marie Côté.

Quand je voulus retracer leur mariage, je frappai un nœud, car les registres de Saint-Roch ne débutaient qu'avec la fondation de la paroisse en 1829. Mes arrière-grands-parents s'étaient donc mariés ailleurs. Je demandai à l'abbé Robitaille où, selon lui, ils pouvaient s'être épousés. Probablement à Notre-Dame de Québec, me répondit-il. À la première occasion, j'allai consulter les registres de

Notre-Dame. Mes recherches n'aboutirent à rien. Où pouvaient-ils donc s'être mariés ?

Comme il m'arrive souvent de le faire, puisque je m'intéresse à une foule de sujets en même temps, je mis cette recherche de côté pour y revenir plus tard. J'aurais sans doute oublié de le faire si mon père ne s'était pas chargé de me le rappeler.

# Chapitre 17

# Ma belle-famille

*Ovila*

Quand nous entrons dans une nouvelle famille, nous avons beaucoup de monde à connaître d'un seul coup. La famille de mon épouse comptait dix personnes. Si ma belle-mère et Maria, la fille aînée, ne faisaient pas beaucoup de bruit, les autres déplaçaient passablement d'air et mon beau-père le premier. Il menait sa famille avec autorité et ses enfants ne lui en tenaient pas rigueur. Ils l'aimaient bien et ne lui manquaient jamais de respect. C'était un homme juste et bon, et son premier souci consistait à voir au bien-être des siens. Même s'il exerçait un métier des plus manuels et bien qu'il n'ait guère d'instruction, il m'étonna toujours par ses connaissances et sa culture. Je ne tardai pas à découvrir à quel point l'avenir de notre peuple lui tenait à cœur. Je ne peux pas me souvenir de lui sans voir la flamme qui s'allumait dans ses yeux quand il était question des luttes des Canadiens français pour conserver leurs droits et leur langue. C'était un patriote. Il se montrait extrêmement fier de ce que ses aïeux Bédard avaient réalisé dans la société. Je ne me souviens pas trop comment le sujet vint sur le tapis, mais à un des repas du dimanche il rappela :

— Saviez-vous que Québec fut pendant un certain temps la capitale du Canada-Uni ?

Hubert s'étonna :

— Le Canada-Uni ?

— Oui, bien sûr, le Canada-Uni. Le Canada n'a pas toujours existé comme aujourd'hui. Il y a eu la période où il y avait le Haut et le Bas-Canada. Nous faisions partie du Bas-Canada. Il fut décidé d'unir les deux Canada. Dans cette union nous fûmes les grands perdants. On nous contraignit à aider le Haut-Canada à payer sa dette. La nôtre, qui n'était que de cinq cent mille dollars, augmenta d'un coup à près de trois millions, soit la moitié de la dette du Haut-Canada. En plus, la langue française fut proscrite et seul l'anglais devint la langue officielle de la législation et des documents publics. Enfin, même si nous comptions deux cent mille personnes de plus que le Haut-Canada, ils eurent droit au même nombre de députés et Québec perdit son titre de capitale nationale. En effet, dorénavant la capitale devint mobile. Ce fut d'abord Kingston, puis Montréal, ensuite Toronto et à nouveau Québec.

— Incroyable ! Et les gens ont accepté sans protester ?

— Écoutez bien ce que je vais dire et ne l'oubliez jamais. Les Canadiens français sont pacifistes, bonasses et ignorants. Je crois bien qu'il s'agit du seul peuple au monde qui applaudit quand on lui chie sur la tête.

Ses paroles me firent sursauter. Lui qui était habituellement si pausé venait de montrer une autre face de sa personnalité. Il avait d'ordinaire son franc parler, mais je ne l'avais jamais entendu dire des grossièretés. Il fallait qu'il ait beaucoup de ressentiment pour s'exprimer de la sorte. Il enchaîna sans attendre :

— Oui, Québec a été pendant quelques années la capitale du Canada-Uni. Je peux même dire la date exacte où cette décision a été prise. Le 22 septembre 1852, il fut décidé par le gouvernement du Canada-Uni de s'installer à Québec. On s'empressa de remettre en ordre l'édifice du parlement en haut de la Côte de la Montagne. Que croyez-vous qu'il se passa?

— Sans doute que l'édifice n'était pas au goût des parlementaires? supposa Hubert.

— Comme par hasard, exactement comme c'est arrivé à Montréal en 1849, le parlement passa au feu en 1854. J'ai toujours cru, et je n'en démords pas, que le feu y a été mis volontairement. Comme de raison, un an plus tard Québec perdit de nouveau son titre de capitale en faveur de Toronto qui fut ensuite encore remplacé par Québec. Notre ville perdit pour de bon ce titre en 1865 en faveur d'Ottawa, deux ans avant la Confédération.

— Est-ce que les gens étaient en faveur de la Confédération?

— Pas tous, loin de là. En plus, ils ont appelé ça une confédération, alors que c'est en réalité une fédération, ce qui n'est pas la même chose du tout.

— Quelle différence y a-t-il entre une confédération et une fédération?

— Une confédération est en fait une union de peuples indépendants qui gardent chacun leur indépendance, tandis qu'une fédération comme celle qui réunit les provinces du Canada est un système qui permet au gouvernement fédéral d'élaborer des lois et de s'attribuer certains domaines dans lesquels il a toute la compétence, ce qui l'autorise à imposer ses lois à ses membres, comme chez nous aux provinces.

Il termina son discours avec un sourire au coin des lèvres en conseillant :

— Vous devriez lire ce que dit de tout ça Étienne Parent, le p'tit cousin de la fesse gauche de votre mère, et nos Bédard, Pierre-Stanislas et Elzéar.

N'étant pas historien mais journaliste, je ne m'étais jamais vraiment arrêté à réfléchir à ce sujet. Mais, voyant que mon beau-père semblait en connaître long là-dessus, je décidai, pour ne pas perdre la face lors de futures discussions, de m'informer mieux. À la première occasion, j'allai trouver Léonard à sa bibliothèque, sachant bien qu'avec lui je ne perdrais pas de temps à apprendre ce que ces hommes pensaient de l'union du Haut et du Bas-Canada et de la Confédération. Léonard m'assura qu'Étienne Parent réfléchissait sérieusement à notre destin de Canadiens français et qu'il était vivement opposé au Canada-Uni. Il m'apprit qu'il avait fait renaître le journal *Le Canadien* fondé par Pierre-Stanislas Bédard – tiens, tiens, l'autre cousin, sans doute celui de la fesse droite – à qui il donna comme devise : « Notre langue, nos institutions, nos lois. » Léonard renchérit :

— Cet homme n'avait pas peur de ce qu'il avançait. Il se tenait debout. Nous aurions beaucoup à apprendre de lui comme peuple.

Je lui dis :

— Je présume que vous avez ici la collection du journal *Le Canadien*.

Léonard, qui semblait tout aussi fier que son père d'être Canadien français, m'amena dans son bureau et me fit lire, bien affiché sur le mur, ce passage extrait des propos d'Étienne Parent.

*C'est le sort du peuple canadien d'avoir non seulement à conserver la liberté civile, mais aussi à lutter pour son existence comme peuple. Point de milieu, si nous ne nous gouvernons pas, nous serons gouvernés. Notre politique, notre but, nos sentiments, nos vœux et nos désirs, c'est de maintenir tout ce qui parmi nous constitue notre existence comme peuple, et comme moyen d'obtenir cette fin de maintenir tous les droits civils et politiques qui sont l'apanage d'un pays anglais.*

Puis il commenta :

— Cet homme était très lucide. Lui qui voulait que les Canadiens français obtiennent tous les droits civils et politiques d'une nation, durant les troubles de 1838, ça peut paraître étonnant de sa part, il s'opposa à ce qu'on prenne les armes contre l'autorité. Il disait que nous n'étions pas prêts à faire l'indépendance, qu'il fallait être patient, faire nos preuves en travaillant aux améliorations publiques suspendues depuis des années, en éduquant le peuple et en ouvrant les écoles fermées par suite de la tourmente politique. Qu'est-ce que tu crois qui arriva ?

— Il y en a qui ne devaient pas être d'accord avec lui.

— Tu peux en être sûr. Il fut injurié et qualifié de "traître à la nation".

Léonard, qui était rempli d'admiration pour cet homme avec lequel sa famille était apparentée, m'assura ensuite :

— Il avait raison de ne pas appuyer la rébellion. Une fois que tout fut passé, il eut le courage de blâmer le gouvernement anglais d'avoir pendu des patriotes et d'avoir si sévèrement puni ceux qui avaient fait partie des troubles. Comprends-tu ça ? Après avoir été blâmé par les Canadiens français, son franc-parler n'a pas plu aux autorités anglaises qui l'ont fait mettre en prison sous prétexte de "menées séditieuses". Il n'obtint jamais qu'on le juge en procès et resta plus d'un an en prison. Voilà pourquoi j'ai tant d'admiration pour ce petit cousin. Malgré le fait qu'il était emprisonné, il a continué de diriger son journal *Le Canadien* et d'y publier des articles.

Je m'empressai de dire :

— Je crois savoir comment il s'y prenait. Un jeune homme, Stanislas Drapeau, lui apportait régulièrement à la prison une tarte truquée qui contenait des copies de journaux, des nouvelles et diverses communications. Par le même moyen, il retournait des canevas d'articles et des épreuves révisées prêtes à être imprimées.

J'avais retenu l'anecdote rappelant sa façon de continuer ses écrits mais j'avoue que je fus étonné de ce que m'avait appris Léonard à propos de cet homme. Je me demandais vraiment comment je ne m'étais jamais arrêté à étudier ses propos. Ça me fit prendre conscience à quel point notre travail de journaliste qui nous accapare au jour le jour nous empêche de nous intéresser à notre passé. Mais Léonard n'en avait pas fini avec ceux de sa parenté qui défendirent les Canadiens français. Il m'apprit qu'Elzéar Bédard, un parent, cette fois du côté paternel, fut le chef politique des modérés lors de la rébellion de 1838-1839. Il ajouta fièrement :

— Tu sauras qu'un autre Bédard, Pierre-Stanislas celui-là, le fondateur du journal *Le Canadien*, a été chef d'un parti politique et qu'il avait son franc-parler, ne se gênant pas pour dire que les gouverneurs anglais favorisaient leurs compatriotes au détriment des Canadiens français, pourtant majoritaires, qu'ils considéraient comme inférieurs et déloyaux. Il refusait d'être asservi et il écrivit dans le journal *Le Canadien* que "le Parti anglais est opposé au Parti canadien, justement sur le point qui touche à sa vie et à son existence comme peuple". Et cela, il ne l'accepterait jamais.

— Je suppose, dis-je, qu'il se fit lui aussi des ennemis?

— Et comment donc! Le gouverneur anglais James Craig le fit arrêter en même temps que ses collaborateurs du journal François Blanchet et Jean-Thomas Taschereau, et il fit saisir les presses du journal. Ils furent accusés de «pratiques traîtresses». Alors que ses amis furent rapidement relâchés, Pierre-Stanislas demeura en prison, ne voulant pas démordre de ses idées. Chose étonnante, pendant qu'il était toujours au cachot, il fut mis en nomination comme candidat aux élections générales le 27 mars 1810, et il fut élu dans le comté de Surrey! Le gouverneur voulut le faire rayer de la liste des députés, mais la Chambre d'assemblée décida qu'il pouvait siéger. Il ne fut relâché de prison qu'en mars 1811, plus d'un an après son incarcération.

En apprenant comment ces Bédard et cet Étienne Parent étaient tenaces, je n'eus jamais à me demander pourquoi les membres de ma belle-famille avaient autant de caractère! J'attendais une occasion pour leur faire part de mes nouvelles connaissances. Mais comme j'aime aussi taquiner, je m'efforçai de trouver parmi les Bédard et les Parent un ou des individus qui n'avaient pas fait honneur à la famille.

Lors d'un dîner du dimanche, mon beau-père, une fois de plus, vanta les qualités des Bédard. J'intervins:

— Vous avez parfaitement raison, les Bédard méritent beaucoup de la patrie, grâce à Elzéard et Pierre-Stanislas, tout comme les Parent avec Étienne. Vous avez bien raison d'être fier d'eux. Mais on ne peut pas en dire autant de tous les Bédard et de tous les Parent.

Mon beau-père réagit vivement:

— Qu'est-ce que tu racontes-là?

— Dans toutes les familles il y a de bons et de mauvais sujets. Les Bédard et les Parent ne font pas exception.

Je voyais se dessiner sur les lèvres de Léonard un léger sourire. Il demanda :

— Tu as découvert quelque chose à propos d'un Bédard ou d'un Parent ?

— En effet.

Comme un enfant, il insista :

— Je veux savoir ! Je veux savoir !

Puisque les autres semblaient tout aussi intéressés que lui, je laissai entendre :

— Je ne sais pas si je dois le raconter.

Philibert intervint et lança à la blague :

— Nous ne sommes pas naïfs au point de croire que tous les Bédard sont aussi parfaits que nous !

— Eh bien, dis-je, commençons par les Parent. Que diriez-vous si en passant dans la rue vous entendiez hurler : "Au meurtre, on me tue, on m'assassine, mon Dieu, venez à mon secours !" C'est ce qu'entendirent plusieurs personnes qui habitaient rue Champlain, à la Basse-Ville, en 1729. Un nommé René Loyseau qui sciait du bois non loin de là entendit crier, mais ne broncha pas, se disant que la veuve Blanchon devait corriger un de ses neveux. Par contre, Henri Louineau alla voir et se rendit compte que Louis Parent était en train de battre Jean Louineau à coups de bâton, et il s'interposa en attrapant mon Parent par la cravate et lui promit que les choses n'en resteraient pas là. Un procès eut lieu, mais Louis Parent avait disparu. Arrêté un mois plus tard il fut condamné à 800 livres de dommages et intérêts, une fortune à cette époque, et 200 livres de pension alimentaire au jeune Louineau qui demeura infirme toute sa vie à la suite de ces mauvais traitements.

— J'aime mieux ne pas savoir, s'écria Léonard, si on compte ce Parent parmi nos ancêtres.

— Et les Bédard? s'enquit Philibert.

— J'y arrive. Figurez-vous qu'un certain Rémi Bédard était devenu amoureux d'une femme mariée. Il la suivait partout et la sollicita à maintes reprises. Elle ne voulait rien savoir. Il changea de tactique et commença à la menacer. Sans doute un peu fou, il entra dans l'église en pleine messe du dimanche un fusil à la main et s'approcha d'elle en criant: "Je vais te tuer et te couper le nez, espèce de putain!" Maîtrisé, il fut contraint de lui demander pardon à l'église, le dimanche suivant, devant tous les fidèles rassemblés.

— Ouais, grommela Philibert, ce Bédard-là ne devait pas être de notre race.

Et pour me narguer il lança:

— Maintenant, mon Oliva, parle-nous donc d'un mauvais Joyal.

— C'est impossible, fis-je en souriant, on est beaucoup trop joyal, pardon, jovial, pour ça!

# DEUXIÈME PARTIE

# DES MOMENTS INOUBLIABLES

## 1900-1904

# Chapitre 18

# La fin du monde

*Hubert*

Nous ne pouvions pas nous acheminer vers un nouveau siècle sans qu'on nous prédise des malheurs, et pourquoi pas la fin du monde? Un astronome de Vienne, monsieur Falb, annonça l'anéantissement de la Terre. N'était-il pas écrit dans l'Apocalypse: «Et les hommes furent brûlés par une chaleur excessive»? C'est ce qui surviendrait selon cet astronome le 13 novembre. La Terre allait croiser une comète et les flammes que cet astre traînait derrière lui allaient brûler notre planète comme un immense fleuve de braises.

Rosario nous prévint de nous préparer à mourir. Un de ses confrères, prêtre au Séminaire de Québec, l'abbé Anselme Rhéaume, un savant astronome, était convaincu que ce monsieur Falb avait raison. La Terre serait, ce jour-là, dans le trajet de la comète et nous n'y échapperions pas.

P'pa, pas plus que Léonard et Ovila, ne croyait pas à cette histoire d'horreur. M'man, pour sa part, parce que Rosario et un prêtre du Séminaire appuyaient la prédiction de l'astronome, était persuadée que la Terre allait disparaître ce jour-là. P'pa avait beau tenter de la raisonner, elle ne voulait rien savoir. Depuis ce temps-là, pour se préparer à mourir, elle récitait chapelet sur chapelet.

Léonard nous apprit qu'il y avait soixante-quatorze millions de milliards de corps célestes dans l'immensité de l'Univers et qu'ils se déplaçaient mille cinq cents fois plus vite que les locomotives les plus rapides. Imaginez s'il fallait qu'un de ces bolides s'écrase sur la Terre ! Mais Léonard, qui était bien informé sur ce sujet, nous assurait que nous pouvions dormir sur nos deux oreilles.

Léonard nous expliqua que la fin du monde avait été annoncée également pour le 13 janvier 1819. Le chansonnier Béranger avait écrit à cette occasion une de ses chansons les plus célèbres. Léonard nous en récita un couplet :

*Le monde est assez vieux.*
*Oui, pauvre globe, égaré dans l'espace,*
*Embrouille enfin tes nuits avec tes jours :*
*Et cerf-volant, dont la ficelle casse,*
*Tourne en tombant, tourne et tombe toujours,*
*Va, franchissant des routes qu'on ignore,*
*Contre un soleil te briser dans les cieux.*
*Tu l'éteindrais, que de soleils encore !*
*Finissons-en, le monde est assez vieux.*

Évidemment, la fin du monde qui avait été prédite en 1819 n'eut pas lieu, puisque nous étions toujours là quatre-vingts ans plus tard. Léonard ajouta que le 29 octobre 1832, on s'attendait à la même chose parce que la Terre allait croiser la comète de Biela. Il paraît que la comète ne fut pas fidèle au rendez-vous et passa un mois plus tôt que prévu. Ce fut la même chose le 13 juin 1857 : c'était le retour de la comète de Charles-Quint et elle devait pulvériser la Terre.

Il ne s'était rien passé encore une fois, sinon que les gens avaient pu voir dans la nuit un immense feu d'artifice.

Léonard était formel, ce serait la même chose le 13 novembre. C'est ce que soutenait monsieur Guillaume Foerster, le directeur de l'Observatoire de Berlin. Il était d'avis que monsieur Falb était dans les patates quand il prétendait que la Terre allait être brûlée par la queue d'une comète. En réalité, il semblait qu'elle allait traverser un essaim de petits astéroïdes comme c'était arrivé en 1799, 1833 et 1866. Ce phénomène ne s'avérait pas du tout inquiétant. Quand la Terre frappait ces astéroïdes, elle les faisait éclater. De la sorte nous aurions droit au plus grandiose feu d'artifice que nous pourrions voir durant notre vie et le ciel serait éclairé par un gigantesque incendie mais tout à fait inoffensif.

Nous attendions le 13 novembre avec tout de même un peu d'anxiété. La Terre devait exploser entre deux heures et cinq heures et nous devions périr par le feu du ciel. M'man avait beaucoup prié. Il faut croire que ses prières furent exaucées, parce qu'il ne se passa rien. Les astronomes attribuèrent cela à de mauvais calculs de la part de monsieur Falb, alors le tout fut remis au lendemain. Ceux qui croyaient à l'arrivée de la fin du monde eurent un répit d'une journée, puis de deux, parce que la prédiction ne s'accomplissait toujours pas... Il y en a qui veillèrent toute la nuit du 13 au 14, le chapelet à la main, afin d'entrer au ciel dans de bonnes dispositions. Les plus tenaces demeurèrent debout jusqu'aux petites heures du matin, mais pour rien : la fin du monde serait pour une autre fois.

Quand Rosario vint dîner le mois suivant, Léonard fit exprès pour être à la maison. Il ne manqua pas de le taquiner sur cette histoire de fin du monde.

— Mon bien cher frère, lui dit-il, tu as dû confesser beaucoup de pécheurs avant le 13 novembre ?

Rosario souleva les épaules en grognant, bien décidé à ne pas entrer dans son jeu. Léonard en profita pour ajouter :

— Cette prédiction de la fin du monde, je la compare aux prophéties de la Bible. Il faut être drôlement naïf pour croire à des histoires semblables.

Cette fois, Rosario réagit vivement :

— Les prophètes étaient inspirés par Dieu, ce n'est pas du tout la même chose.

Léonard, qui a toujours réponse à tout, demanda :

— Qui a décidé que les prophètes étaient inspirés par Dieu ?

Rosario ne savait pas trop quoi répondre, il se contenta de grommeler :

— Quand on a la foi, on ne se pose pas de questions comme celle-là.

Léonard reprit :

— Dis plutôt que la foi exempte de réfléchir.

Rosario tonna :

— Tu es un homme de peu de foi, il est inutile de discuter avec toi !

Léonard sourit et ne put s'empêcher de s'exclamer :

— Vive les prophètes et leurs prophéties, ils mettent du piquant dans la vie. Et bonne fin du monde à venir !

# Chapitre 19

# Le dix-neuvième siècle

*Ovila*

Ainsi, tellement le temps passe vite, sans nous en rendre compte, nous étions entrés allègrement dans le vingtième siècle. Je demandai à mon beau-père ce qu'il considérait être les événements les plus marquants auxquels il avait assisté au cours du siècle précédent. Il réfléchit un moment, puis mentionna l'arrivée de l'eau courante dans la maison, les grands incendies de Saint-Roch et de Saint-Sauveur, l'avènement de l'électricité, du téléphone et de l'automobile.

Il se souvenait précisément de l'époque où, en 1852, il fut question d'acheminer l'eau du lac Saint-Charles jusqu'à Québec en passant par la Jeune-Lorette. Le projet prit effectivement forme : une importante canalisation fut mise en place et l'aqueduc commença d'approvisionner Québec en eau deux ans plus tard.

— De l'eau, dit-il, nous en aurions eu bien besoin pour éteindre les incendies qui rasèrent pratiquement tout Saint-Roch ou Saint-Sauveur à trois reprises.

— Autant que ça ?

— Absolument. Le premier eut lieu le 28 mai 1845, vers 11 heures du matin. Je n'avais que cinq ans, mais je m'en souviens très bien. Nous habitions exactement là où nous sommes présentement et je ne sais par quelle volonté de la Providence notre maison fut épargnée, même si tout autour la plupart des bâtiments brûlèrent.

— Est-ce qu'il y a eu des morts ?

— Une cinquantaine, et quelque chose comme seize cents maisons brûlées sans compter trois cents boutiques et des centaines de hangars. Tout le monde disait que Saint-Roch ne s'en remettrait pas. Quelques années plus tard, il ne restait pratiquement plus de traces du grand feu.

— Est-ce qu'on sait comment l'incendie a commencé ?

— Le feu avait pris à la tannerie d'Osborne Richardson sur la rue Arago, près de l'intersection de la rue Saint-Vallier. Il y avait un fort vent, les flammes n'épargnèrent rien sur leur passage, détruisant tout ce qu'il y avait de maisons au nord et au sud des rues Saint-François, de la Couronne et de la Côte de la Canoterie et au nord de la rue Dupont. Mes parents s'enfuirent à l'approche des flammes. Ils n'en croyaient pas leurs yeux, quand ils sont revenus sur les lieux, de constater que leur maison était encore debout. Les gens commencèrent rapidement à reconstruire.

— Il devait y avoir de nouveaux règlements pour l'érection des maisons ?

— Il y en avait, mais ils ne furent guère utiles, parce que le 10 juin 1862, le faubourg Saint-Sauveur fut à son tour la proie des flammes. Le feu débuta dans une maison de la rue Bédard, aux environs de l'Hôpital général. Une centaine de maisons y passèrent. On pensait bien en avoir fini après ça, mais voilà que le 14 octobre 1866, alors que nous dormions, le tocsin se fit encore entendre. Saint-Roch brûlait de nouveau ! Cette fois, ce furent plus de douze cents maisons qui y passèrent à l'ouest de la rue de la Couronne et neuf cents dans le faubourg Saint-Sauveur. Une fois de plus, notre maison échappa aux flammes. On avait une vraie chance de…

Philibert, je le devinai, allait dire : « de bossu », mais se ravisant en pensant à Hubert, il préféra changer de sujet :

— En tout cas… Si ces événements peuvent être classés dans la colonne des catastrophes, il y en a eu d'autres dont nous profitons toujours amplement.

— Comme ?

— L'avènement de l'électricité. Toute notre vie en a été changée. Même si ça ne fait que deux ans qu'ils sont en marche, aujourd'hui on ne pourrait plus se passer des tramways électriques. C'est la même chose pour l'éclairage électrique des rues et des maisons, voilà pourquoi j'ai été si marqué par l'arrivée de l'électricité. On nous avait dit qu'on éclairerait la terrasse Dufferin grâce au pouvoir électrique fourni par l'énergie de la chute Montmorency.

— Vous êtes-vous rendu sur la terrasse ?

— Je n'aurais pas manqué ça pour tout l'or du monde ! Ça ne date pas d'aujourd'hui, mais je me souviens très bien que c'était le 29 septembre 1885. Le lieutenant-gouverneur Louis François Rodrigue Masson en fit lui-même la démonstration devant quelque chose comme vingt mille personnes. À son arrivée, une fanfare a joué l'hymne national anglais. La compagnie de gaz n'avait pas allumé les réverbères de la terrasse et il faisait noir comme chez le loup. Monsieur le lieutenant-gouverneur a signalé par une sonnerie aux chutes Montmorency qu'on était prêt, et aussitôt trente-quatre ampoules électriques se sont allumées, éclairant une grande partie de la terrasse. Une forte acclamation s'est élevée de la foule. Moi le premier, j'ai crié mon émerveillement de voir ce miracle. Il y a eu ensuite un concert par le 9e bataillon des Voltigeurs de Québec et l'expérience a été reprise tous les soirs de la semaine suivante. Pensez-y! Que ferions-nous sans électricité?

— Nos grands-parents n'en avaient pas et ils vivaient bien quand même.

— C'est vrai, mais ça ne justifie pas pour autant que nous levions le nez sur ce qui est nouveau et rend notre vie plus facile. Nous nous éclairions avec des lampes à l'huile et voilà qu'à présent nous le faisons avec des ampoules électriques qui surpassent bien des fois nos lampes d'autrefois. Le dix-neuvième siècle nous a apporté ce bienfait et beaucoup d'autres comme, en particulier, le téléphone. Y a-t-il quelque chose de plus pratique que de pouvoir parler directement à quelqu'un qui se trouve parfois à des milles de nous?

— Il y a, dis-je, une invention récente qui va révolutionner le transport. Si nous voulions nous déplacer, nous avions le bateau, le train, la voiture à cheval, le vélocipède ou nos deux jambes. Voilà maintenant que nous pourrons le faire en automobile.

— Je pense que dans un avenir pas très lointain, bien des gens se serviront de l'automobile, dit Philibert.

Il avait déclamé ça d'un air songeur. Pensait-il déjà à la voiture qu'il se procurerait un jour? Pour lors, lui comme moi avions en tête l'arrivée de la première automobile à Québec le 2 juin 1897, celle du docteur Henri-Edmond Casgrain, dentiste de la rue Saint-Jean. Il l'avait fait venir de France. C'était une Léon Bollée, un tandem à deux places muni de trois roues et qui fonctionnait à l'essence, qu'il se procurait chez les vendeurs d'huile à lampe. Le docteur fit tourner bien des têtes quand il se promena dans les rues de Québec avec cette voiture qui pouvait rouler à cinq, à neuf ou à dix-huit milles à l'heure. Depuis, on a vu bien d'autres autos dans les rues de Québec et celles-là ont quatre roues.

— Je suis certain qu'une autre invention qui est sur le point de se répandre va révolutionner le transport, fit remarquer mon beau-père.

— Je crois savoir à quoi vous pensez et ça, c'est une invention tout à fait hors de l'ordinaire. Il s'agit de l'aéroplane, n'est-ce pas?

— En effet. Il y avait bien les dirigeables, mais après les accidents qu'ils ont causés, l'aéroplane devrait les supplanter bien vite. Dans quelques années, les gens vont pouvoir voyager dans les airs, vous allez voir...

Sa prophétie me laissa pensif. Nous avions toutes les raisons du monde de nous réjouir d'être nés au cours de ce dix-neuvième siècle qui avait bouleversé le monde entier sur bien des points. Que nous réservait le vingtième?

# Chapitre 20

# Que devient Firmin ?

*Hubert*

Cette question, combien de fois nous l'entendîmes de la bouche de l'un ou de l'autre ! Firmin était tout de même fidèle à nous écrire. Quand tout allait normalement, ses lettres nous arrivaient à peu près tous les deux mois. Parfois, pour des raisons que j'ignore, elles ne nous parvenaient que des mois plus tard, ainsi la dernière que Maria venait de lire à m'man. Elles nous permettaient de mesurer à quel point le temps passe vite et confirmaient ce que p'pa et moi pensions sans en parler : il n'y avait pas plus d'or à Teslin que dans la cour chez nous. Sans trop le laisser voir, p'pa était quelque peu inquiet au sujet de Firmin, surtout après avoir lu dans les journaux la lettre suivante d'une jeune chercheur d'or.

*Chers parents,*

*Vous me reverrez bientôt parmi vous. Ma folle idée de me rendre au Klondike pour faire fortune m'est passée au pied du mont Chilkoot où tellement d'hommes et de bêtes ont péri. Quand j'ai vu que je devrais transporter jusqu'à mille livres de nourriture, d'équipement et d'outils au sommet de cette montagne pour pouvoir enfin espérer me rendre à Dawson, les deux bras me sont tombés et tout mon courage avec. Quand on pense qu'on doit monter là-haut au moins une quinzaine de fois, avec des charges de quatre-vingt livres sur le dos, il faut vraiment être fou pour risquer ainsi sa vie sans savoir si ensuite on trouvera une seule once d'or. Vous n'avez pas idée de tous les dangers et de toutes les souffrances qui nous guettent dans cette mauvaise aventure. J'ai tendu l'oreille aux propos de ceux qui ont fait un premier voyage en haut de cette montagne maudite et j'ai décidé de vendre ma tente, mes outils et ma nourriture afin de payer mon voyage de retour. Vous n'aurez plus à vous faire de soucis pour moi. Comme on dit si bien : « Le jeu n'en vaut pas la chandelle. » J'ai un bon métier, il me suffira amplement pour gagner ma vie. C'est fini pour moi le Klondike et les tristes histoires de ceux qui y ont laissé la vie.*

Des lettres comme celle-là n'avaient rien de bien rassurant. Dans quelle aventure ce pauvre Firmin s'était-il embarqué ? Nous attendions de sa part avec impatience une lettre comme la précédente nous annonçant son retour. Quand allait-il se rendre compte que tout cela ne le menait à rien ? Comme j'héritai de sa correspondance, je puis heureusement en résumer la teneur. Voici donc ce qu'il racontait dans les dernières lettres reçues.

D'abord, dans une missive venant de Teslin en date du 14 juin 1899, il nous apprenait qu'avec son compagnon, ils avaient décidé de se rendre de Telegraph Creek jusqu'à Teslin à pied, une distance de 153 milles. Ils auraient pu s'y rendre par bateau, mais ils n'avaient plus d'argent pour payer leur passage. Ils ont réparti leurs bagages en paquets de 80 livres et ont procédé de la façon suivante. Ils ont transporté sur leur dos un premier paquet sur sept milles environ. Ils l'ont laissé à cet endroit pour aller chercher le reste des bagages, ce qui les a obligés à doubler leur trajet. Il leur a fallu plus d'un mois pour effectuer leur parcours. Quand ils sont arrivés à Teslin, ils ont été déçus de n'y trouver qu'une dizaine de maisons. Les gens vivaient sous la tente.

La suite nous démontre à quel point Firmin est débrouillard. Il paraît qu'à cet endroit ceux qui descendaient le Yukon en radeau, en barque ou en canot devaient dévaler un rapide extrêmement dangereux. Pour cinq dollars, Firmin leur offrit de le sauter avec leur embarcation et leurs bagages. Il dit que de cette façon, il se fit de 15 à 20 dollars par jour. Son nom était fait et on venait le chercher pour ce travail. Il était assuré que de cette façon il allait se faire suffisamment d'argent pour construire l'hôtel dont il rêvait.

Il faut dire que plus le temps passait, plus m'man était inquiète et que même s'il ne le laissait pas voir, p'pa était loin d'approuver la conduite de Firmin qui risquait sa vie chaque fois qu'il descendait le rapide en question. Tout cela pour dire que Firmin ne changerait pas. Rien à faire, il n'avait peur de rien et serait toujours un casse-cou.

À part ça, il disait qu'avec sa barbe, ses cheveux longs et ses habits sales m'man ne le reconnaîtrait pas. Il parlait aussi des prix exagérés de la nourriture, la farine coûtait 60 cents la livre, le bacon et le sel 75 cents, le poisson 25 cents pièce, le bœuf comme l'orignal 25 cents la livre. Ceux qui voulaient se bâtir dépensaient une fortune. Les clous se vendaient 60 cents la livre.

Les lettres de Firmin nous permettaient ainsi de le suivre dans son aventure. Il parlait de se fixer à Teslin et d'y construitre un hôtel. Nous attendîmes avec impatience une prochaine lettre pour savoir s'il y était parvenu. Rien n'empêchait que p'pa paraissait de plus en plus déçu de la façon dont son aventure tournait. Quant à m'man, elle s'était fait une raison. Bien entendu, dès que Rosario, Gertrude ou Marjolaine et Ovila mettaient les pieds à la maison, Firmin devenait le premier sujet de conversation. M'man leur faisait lire sa ou ses dernières lettres et, après bien des soupirs, elle avouait qu'elle avait très hâte de le revoir sain et sauf. P'pa était certain que ça ne saurait tarder. Quant à moi, connaissant bien mon frère, j'étais sûr qu'il ne nous reviendrait pas tant qu'il n'aurait pas fait assez de sous. En partant, il se promettait de rapporter suffisamment d'argent pour ouvrir un commerce quelconque. D'après ce qu'il écrivait dans ses lettres, il était encore loin d'avoir atteint son but. Ses toutes dernières lettres confirmèrent ce que je pensais.

Dans une lettre du 5 janvier 1900, il laissait entendre que son idée de construire un hôtel à Teslin n'était pas bonne, tout simplement parce qu'il ne passait pas assez de monde par là. Il était donc parti avec son ami Eugène pour Atlin d'où il nous écrivait. Arrivé là, ce fut pour se rendre compte qu'il n'y avait pas d'or et pas d'argent à faire là non plus. Ils auraient pu continuer tout de suite pour se rendre à Dawson, mais en fin de compte ils avaient trop tardé. L'automne est arrivé et ils ont dû rester sur place. Ils n'avaient plus d'argent. Ils ont trouvé un moyen d'en faire en offrant leurs services comme porteurs aux chercheurs d'or qui voulaient se rapprocher de Dawson malgré des froids de cinquante degrés sous zéro. Dawson est situé à quatre cent quarante-six milles d'Atlin. Ils aidaient aussi à la construction de chalands sur l'un desquels, en paiement de leur travail, ils pourraient gagner Dawson au printemps.

Voilà où nous en étions au sujet de Firmin en ce début de 1900. Nous savions par les journaux qu'il n'y avait plus rien à espérer du Klondike. Ceux qui avaient eu à faire fortune à cet endroit l'avaient certainement fait. Je finis par être du même avis que p'pa. Dès qu'il aurait les sous nécessaires, Firmin reviendrait. «Il s'est contenté, disait p'pa, il va nous revenir et probablement plus tôt qu'on ne le pense. Tu verras, dans sa prochaine lettre il va nous prévenir qu'il est en route pour revenir.»

# Chapitre 21

# Le paradis terrestre

*Ovila*

Après avoir tant attendu ce siècle et nous être préparés aux grandes catastrophes qu'on nous prédisait, une année s'écoula et le jour de l'An 1901 arriva sans que ces malheurs ne se produisent. Nous avancions déjà dans ce nouveau siècle et nous nous demandions bien ce qu'il nous réserverait.

Mon beau-père était d'avis que nous assisterions à des découvertes extraordinaires parce que le progrès était partout. L'électricité et l'essence avaient remplacé la vapeur et la voile. Philibert était certain que bientôt nous pourrions nous promener aussi bien dans les airs que sur terre et sur mer. Il n'y avait pas de limites à tout ce que les hommes pouvaient créer.

Au jour de l'An, alors que toute la famille était réunie, à l'exception de Firmin et Clémence, au loin, et de Léonard, en retard, Rosario, contrairement à ses habitudes, arriva sans bougonner. Il dit en entrant qu'il avait une nouvelle extraordinaire à nous apprendre et que ça constituait le plus beau cadeau que nous pouvions souhaiter pour commencer une nouvelle année. Nous étions curieux de connaître sa nouvelle. Il prit tout son temps avant de lâcher :

— On a découvert exactement où se situait le paradis terrestre.

J'avais entendu parler de cela et je n'y croyais guère, cependant mes beaux-parents tout comme le reste de la famille furent tout de suite à l'écoute. Mon beau-père demanda :

— Où as-tu appris ça ?

— Un confrère m'en a prévenu.

Il nous fit un peu languir avant de commencer ses explications.

— Vous savez, dit-il, que selon les Saintes Écritures, le paradis terrestre était un jardin délicieux d'où sortait un fleuve qui se partageait en quatre branches que l'on croit être l'Euphrate, le Tigre, le Phase et l'Araxe. Or on avait bien raison de supposer que le paradis terrestre se trouvait en Arménie, vers les sources de ces quatre fleuves. Moïse assure qu'il était plein de beaux arbres dont les fruits étaient d'une délicieuse fraîcheur et que parmi eux Dieu avait planté l'arbre de vie qui rendait immortels ceux qui mangeaient de son fruit, et l'arbre de la connaissance du bien et du mal, qui donnait la mort.

Léonard choisit ce moment pour arriver et, comme il a l'oreille fine, il entendit les derniers mots de Rosario. Il lança :

— Tu m'étonnes, mon bien cher frère. Comment l'arbre de la connaissance peut-il donner la mort ? Il me semble que plus nous connaissons de choses plus nous avons de chances de savoir comment nous soigner et vivre longtemps.

Philibert le fit taire :

— Silence ! Écoute ton frère qui nous apprend qu'on a découvert l'endroit exact où se trouvait le paradis terrestre.

Léonard lança d'un ton moqueur :

— Vraiment ? J'ai hâte d'y aller.

Rosario, imperturbable, continua son récit :

— En poursuivant un lion, sur la côte de Somalie, en Afrique, l'explorateur anglais Henry Seton-Karr a pénétré dans un lieu qui correspond entièrement à la description de l'Éden donnée dans la Genèse. Monsieur Karr est convaincu qu'il a trouvé le berceau de la race humaine. Le climat y est d'une douceur que n'altèrent pas les saisons, ainsi que devait être celui du paradis terrestre, où Adam et Ève étaient destinés à vivre. Malheureusement, Ève a goûté au fruit défendu avec les tristes résultats que nous connaissons.

— Oui, pauvres de nous ! s'exclama Léonard.

— Chut ! firent les filles.

Rosario ajouta :

— L'explorateur a trouvé au même endroit des milliers d'instruments en pierre qu'il ne doute pas avoir été fabriqués par Adam lui-même et qui sont d'ailleurs les outils les plus anciens que l'on connaisse créés de la main de l'homme.

Léonard s'esclaffa :

— Tu crois vraiment à ça ? Des outils fabriqués par Adam en personne ?

Un peu décontenancé, Rosario répondit :

— Pourquoi pas ?

— Parce que ça n'a aucun sens. Voyons donc, des instruments de pierre réalisés par la main d'Adam ! Avait-il inscrit son nom dessus ? Il ne savait même pas écrire.

Rosario répliqua d'un ton glacial :

— Je t'ai toujours dit que tu es un homme de peu de foi.

— Peut-être bien, mais pas naïf au point de me laisser raconter des histoires qui n'ont ni queue ni tête.

Comme toujours, quand ces deux-là étaient réunis, ça dégénérait en guerre de mots. Cette fois, comme c'était le jour de l'An, Philibert intervint et demanda qu'on change de sujet.

Hubert s'empressa de nous apprendre qu'à la basilique, une attraction avait attiré bien des gens. Dans la crèche, ils avaient remplacé l'Enfant Jésus de cire par un Enfant Jésus mécanique qui bougeait les bras.

Léonard commenta :

— L'année prochaine, vous verrez, ils vont le ressusciter et dans la crèche on aura droit à un vrai petit Christ avec une couche et un hochet.

Sa réflexion ne plut pas à Rosario qui ne put se retenir de lâcher :

— Imbécile !

Il se fit un silence. Heureusement, je fis dévier la conversation en leur apprenant que selon la Bible, l'âge de la Terre était évalué à quatre mille ans environ, mais que les savants actuels commençaient à dire qu'elle était âgée d'au moins quatre milliards d'années.

— Ouf ! fit Léonard, une jolie petite différence !

Rosario mit son grain de sel.

— Ils n'en savent pas plus que nous là-dessus. Il n'y a que la Bible qui a raison parce qu'elle est inspirée par Dieu.

Léonard n'allait pas laisser passer pareille occasion.

— Une fois de plus, j'aurais bien aimé connaître celui qui a inventé que la Bible était inspirée par Dieu. Je présume que ce sont ses urines du matin qui l'ont inspiré de la sorte.

La conversation allait dégénérer une fois de plus, mais, tout en parlant, nous nous étions rapprochés de la table. Ma belle-mère et Maria s'étaient surpassées et tous s'exclamèrent en voyant de quoi serait composé notre repas. La table débordait de tout ce qu'on peut souhaiter de bon dans le temps des fêtes et en particulier au premier de l'an. Au milieu trônait une grosse dinde les cuisses en l'air et pleine de farce, entourée de tourtières, de ragoût, de carottes et de patates en purée. Il y avait de la sauce brune, du ketchup maison, des atocas, du pain, du beurre, du lait, et même du vin, et les desserts attendaient : gâteau blanc et sirop d'érable, beignes dans le sucre en poudre, bûche de Noël, tartes au sucre et au citron, sucre à la crème et j'en passe.

Devant tant d'abondance, Léonard ne put se retenir de crier à l'intention de Rosario :

— Mon bien cher frère, c'est ici le paradis terrestre, nulle part ailleurs !

Maria, qui se mêlait rarement à la conversation, fit remarquer que les jours commençaient à allonger. Léonard lança :

— C'est bien connu, à Noël les jours allongent d'un poil ; au jour de l'An, d'un cran ; aux Rois, d'un pas d'oie ; et à la Chandeleur, d'une heure.

La conversation dériva ensuite sur toutes sortes de sujets allant des catastrophes survenues récemment jusqu'aux nouveautés de la mode. Nous étions bien partis pour vivre des années remplies de tout ce qui fait que la vie vaut la peine d'être vécue.

# Chapitre 22

# Le diadème

*Hubert*

Il ne faut pas croire que j'avais mis de côté l'idée de trouver à qui avait appartenu le diadème découvert dans l'ancien cimetière et que j'avais pris bien soin de cacher derrière la commode de ma chambre. Qui en était la propriétaire ? Sans doute parce que je les avais utilisés pour ma généalogie, je pensai naïvement que les vieux registres de Saint-Roch, conservés au presbytère, allaient me mettre sur sa piste. Quand il fut question que je les consulte à nouveau, l'abbé Robitaille ne fit aucune objection.

Je mis la main rapidement sur le registre qui m'intéressait le plus. On y relevait les lots du cimetière qui se trouvaient autrefois le plus près de l'église. J'imaginais bien que les familles les plus aisées y avaient leur sépulture. Fort heureusement, au début du registre était dessiné un plan du cimetière. Je notai vivement les numéros des lots qui devaient logiquement se trouver dans le secteur où j'avais mis la main sur le diadème.

Je feuilletai ensuite le registre pour y relever les noms des femmes de ces familles enterrées au cimetière. Ce ne fut pas long que je détenais une vingtaine de noms. Laquelle d'entre elles avait porté ce diadème? Je commençai par éliminer celles qui étaient mortes passé cinquante ans. Je me disais que celle qui avait porté ce diadème avait dû mourir jeune. Je m'expliquais mal comment ce bijou de valeur avait été glissé dans son cercueil. J'avais beau avoir relevé une série de noms, je n'étais pas plus avancé.

Je me creusais les méninges pour savoir comment je pourrais en découvrir davantage là-dessus, quand me vint une idée que je trouvai pas mal du tout. Ce diadème était certainement l'œuvre d'un joaillier et sans doute que l'un ou l'autre des joailliers de Québec pourrait éclairer ma lanterne. Ces artistes avaient leur touche personnelle et connaissaient habituellement les œuvres ou la manière de faire de leurs confrères.

Après avoir consulté l'*Indicateur de Québec et Lévis*, je constatai qu'il n'y avait pas à Québec de nombreux fabricants de bijoux. Je ne recueillis que trois noms. Le premier à qui je rendis visite croyait que je voulais lui vendre le diadème et s'apprêtait à m'envoyer paître quand je pus enfin lui expliquer les raisons de ma démarche. Il ne me fut d'aucun secours, pas plus que le second, un homme mal engueulé et de si mauvaise humeur que je n'osai pas l'importuner avec mes questions. Ce fut au troisième qu'un début de lumière se fit. Il ne pouvait pas me le certifier, mais il était d'avis que le diadème devait venir des États-Unis ou encore d'Europe. Il conservait un vague souvenir de diadèmes semblables fabriqués par un joaillier allemand du nom de Stein, lequel avait tenu boutique à New York avant d'être assassiné un jour par des cambrioleurs qui avaient vidé son commerce. Par la suite, on avait longtemps pu voir, reproduites dans les journaux, des répliques des bijoux volés. Tout cela, m'apprit-il, s'était passé il y avait une bonne vingtaine d'années.

Les journaux anciens, voilà où je décidai de poursuivre mes investigations et c'est là que l'aide de mon beau-frère Ovila et de mon frère Léonard me fut précieuse. Ovila m'apprit que la bibliothèque de la législature possédait une section où étaient conservés les périodiques. Léonard m'accueillit en m'indiquant où et comment les consulter. Je feuilletai ces vieux journaux avec un vif intérêt, mais sans rien trouver de bon pour ma recherche. Alors que j'allais abandonner et que j'en étais à la consultation du journal *Le Canadien*, le dernier que possédait la bibliothèque, je tombai enfin sur les reproductions tant recherchées et qui étaient bien dans le style du diadème que j'avais en ma possession. Sauf que tout cela ne m'avançait guère : ça ne m'apprenait absolument rien de plus au sujet de la famille de Québec qui avait pu posséder ce bijou. Je finis par cesser de m'en préoccuper, accaparé que j'étais par mon travail et mille autres choses.

Il est curieux parfois de constater comment, de fil en aiguille, notre esprit nous conduit subrepticement et inconsciemment là où nous aurions dû aller d'abord. Voilà ce qui se passa en ce qui a trait au fameux diadème. Même si, seulement en parcourant la rue Saint-Joseph, nous pouvions nous procurer à peu près tout dans Saint-Roch, il arrivait parfois que je sois obligé d'aller à la Haute-Ville, à la suite d'une demande d'un des vicaires ou de monsieur le curé.

Ce jour-là, je devais me rendre à l'archevêché afin de mettre la main sur une lettre pastorale de l'archevêque concernant la fréquentation des théâtres. Une troupe française jouait une pièce à la salle Jacques-Cartier et monseigneur défendait à tous les catholiques, sous peine de péché mortel, d'y assister. Il semblait qu'un passage de cette pièce n'était pas moral et notre archevêque avait écrit une lettre que tous les curés devaient lire en chaire le dimanche suivant.

Arrivé en haut de la Côte du Palais, comme je m'acheminais vers la rue Saint-Jean, je vis, droit devant moi, à l'angle des rues Garneau et Couillard, le studio de photographie de monsieur Livernois. Voilà qu'une idée nouvelle germa dans mon esprit : quand quelqu'un fait prendre son portrait, il met ses plus beaux atours. Les femmes se font photographier avec leurs plus belles parures et leurs bijoux les plus précieux. Celle qui avait porté le diadème avait sans doute été si fière de le montrer qu'elle avait certainement fait tirer son portrait pour en garder un souvenir. Je me demandai qui avait bien pu exercer le métier de photographe dans ce temps-là à Saint-Roch. Les photographes, c'est bien connu, conservent des doubles des portraits qu'ils réalisent et inscrivent les noms des gens qu'ils photographient au cas où ces derniers désireraient d'autres copies de leur portrait. J'avais donc des chances de découvrir à qui avait appartenu ce bijou.

Je me demandai quelle histoire je devrais inventer pour inciter un photographe à me laisser feuilleter ses albums de portraits. Je finis par opter pour l'argument suivant : je possédais l'album de ma famille, mais il y manquait plusieurs portraits que je tentais d'obtenir. Sans doute pourrais-je en repérer quelques-uns parmi ceux qu'il avait réalisés.

Après avoir épluché l'*Indicateur de Québec et Lévis* et le *Quebec Directory*, je découvris que de nombreux photographes avaient exercé leur métier à Saint-Roch. J'en dressai la liste et, par ordre alphabétique, je relevai les noms suivants : Nazaire Belleau, Joseph Bidégaré, Louis Bienvenu, madame Damase Couillard de Beaumont, Jacques Drolet, une demoiselle Henriette Fortin, Théodore Gastonguay, Marc-Alfred Montminy, Joseph et Louis-Michel Picard, Alfred Plante et Honoré Roy.

Il y avait de quoi se décourager. Mais comme je suis têtu, je décidai d'y consacrer le temps qu'il faudrait et de poursuivre ma recherche. Je commençai par me rendre chez Nazaire Belleau. J'épluchai ses albums mais sans résultat. Aucune femme qu'il avait photographiée ne portait ce diadème. Je continuai mes investigations chez les autres photographes au petit bonheur la chance, et je finis par me dire que je perdais royalement mon temps. Mais, pour une raison que je ne m'explique pas, j'avais négligé de me rendre chez les deux femmes photographes qui n'exerçaient d'ailleurs plus leur métier depuis un certain temps. Je finis par découvrir où demeurait madame Couillard de Beaumont et je décidai d'aller la voir.

Elle habitait au 256 de la rue Saint-François, une petite maison dont la façade avait besoin d'être rafraîchie – comme d'ailleurs tout le reste de l'immeuble. À mes coups répétés au chambranle de la porte, une vieille dame courbée par l'âge, mais fort aimable, vint me répondre. Je ne fus pas long à constater qu'elle avait conservé une bonne mémoire. C'est chez elle que le miracle se produisit. Je feuilletais un de ses albums, quand je m'écriai : « Eurêka ! » Une certaine Françoise de Bellefeuille s'était fait photographier avec ce diadème. Madame Couillard se souvenait fort bien d'elle puisqu'il s'agissait d'un des derniers portraits qu'elle avait réalisés une dizaine d'années plus tôt.

Dès lors, le scénario que je m'étais créé ne tenait plus. Le diadème ne venait pas d'une tombe ancienne. Toutefois, comment avait-il abouti dans l'ancien enclos du cimetière ? Je résolus de le savoir. Sans doute que cette jeune demoiselle, qui avait à peu près mon âge, vivait toujours. Je voulus en avoir le cœur net et me mis en tête de découvrir où elle habitait. Fort heureusement, les photos prises par madame Couillard étaient toutes numérotées. Je pus me référer dans le registre au numéro mentionné derrière la photo de cette Françoise de Bellefeuille et j'appris qu'elle habitait au 23 de la rue Saint-Vallier. La photographe me fit une copie de son portrait.

Quand je me rendis à cette adresse, ce fut pour me faire dire par la femme qui y vivait que cette demoiselle ne demeurait plus là depuis cinq ou six ans et qu'elle ignorait où elle avait déménagé. Elle m'apprit toutefois qu'elle était infirme. J'allai voir les voisins et leur montrai la photo en leur demandant s'ils connaissaient cette demoiselle et s'ils savaient où elle habitait. Toutes mes démarches s'avérèrent vaines. Je n'étais pas plus avancé qu'au début de ma recherche et je laissai tomber – momentanément...

# Chapitre 23

# Champlain, son tombeau et son monument

*Ovila*

Dans une ville comme la nôtre, il se passe toutes sortes d'événements que le temps se charge de nous faire oublier. Cependant, certains faits marquants, s'ils passent au second plan un certain temps, refont parfois surface. Ce fut le cas pour un sujet qui passionnait beaucoup les Québécois. En effet, je fus, bien malgré moi, mêlé à la controverse suscitée par la recherche du tombeau et l'érection du monument à Samuel de Champlain. Mes patrons me demandèrent de réaliser une enquête sur le sujet afin de publier un article dans *Le Soleil*. Il ne se passait pas une année, d'ailleurs, sans que nous n'entendions parler du tombeau de Champlain. Tout le monde déplorait le fait qu'au cours des ans on en ait perdu la trace. Imaginez : on ignorait où était inhumé le fondateur de Québec ! À tout bout de champ, quelqu'un prétendait l'avoir trouvé. Léonard suivait cela de près et il nous apprit un beau jour qu'il croyait savoir où se trouvait le tombeau.

— Vraiment ? lui dis-je.

Pince-sans-rire, il répondit :

— Absolument. Il se trouve… là où il est.

Mais, plus sérieusement, il raconta que lors de la démolition récente de la vieille maison Clapham, rue du Fort, on avait trouvé d'anciennes caves voûtées et qu'une fois de plus, certains prétendaient que s'y trouvait le tombeau de Champlain.

Léonard nous rappela qu'il y avait au moins cent cinquante ans qu'on cherchait ce tombeau et qu'il y avait eu de nombreuses prises de bec à ce sujet. Encore récemment, ajouta-t-il, certains ont prétendu l'avoir découvert. Je lui demandai ce qu'il savait à ce sujet.

— Il y a eu, m'informa-t-il, la polémique causée par les abbés Casgrain et Laverdière, quand ils assurèrent avoir trouvé le tombeau sous une voûte au pied de l'escalier Casse-Cou à la Basse-Ville. Ces abbés soutinrent avoir découvert le tombeau de Champlain après que monsieur Stanislas Drapeau leur eut dit que des ossements avaient été trouvés à la Basse-Ville. Nos deux abbés cherchaient alors le tombeau sous la cathédrale. Ils publièrent une brochure dans laquelle ils affirmaient être certains que les ossements trouvés en bas de l'escalier Casse-Cou étaient ceux du fondateur. Stanislas Drapeau, qui leur avait parlé de ces ossements, intervint et réussit à démontrer qu'il n'en était rien. Mais leur querelle se poursuivit pendant une dizaine d'années. L'abbé Laverdière mourut et l'abbé Casgrain admit que tous deux s'étaient trompés.

Léonard précisa ensuite que bien d'autres avaient tenté de retrouver le tombeau et qu'il y eut de nombreuses polémiques, en particulier quand la Société Saint-Jean-Baptiste décida de s'en mêler. Il y eut même un concours pour déterminer où se trouvait la chapelle dans laquelle Champlain avait été enterré. Sauf que, bien sûr, personne ne pouvait prétendre le savoir, car si tel avait été le cas, il y aurait eu longtemps qu'on aurait trouvé le tombeau! C'est ainsi qu'arrivèrent les célébrations et l'inauguration du monument à Champlain.

— Sais-tu pourquoi, me demanda Léonard, ce monument a été placé près du château Frontenac sur la terrasse Dufferin?

J'en avais une petite idée, mais je le laissai expliquer le tout à sa façon, tout en prenant des notes.

— Tout simplement parce que c'est l'emplacement de l'ancien château Saint-Louis et, surtout, pour empêcher qu'un monument soit érigé là afin d'honorer la mémoire des deux soldats anglais morts durant l'incendie de Saint-Sauveur. Quand ils ont su que des Anglais voulaient s'accaparer de cet emplacement pour élever un monument à ces deux soldats pratiquement inconnus, les membres de la Société Saint-Jean-Baptiste protestèrent vivement et s'assurèrent que cet espace soit réservé au fondateur de Québec. Et c'est ainsi que fut formé un comité chargé de rassembler les sommes nécessaires à l'érection du monument. Puis un concours fut organisé auprès des artistes qui désiraient produire une maquette. Comme si nous n'avions pas suffisamment de bons artistes ici, le gagnant fut un Français, un certain monsieur Chevré, et c'est ainsi que la statue du fondateur de Québec fut réalisée en France et transportée en bateau jusqu'à Québec.

<hr />

La cérémonie d'érection du monument eut lieu le 21 septembre et je m'y rendis en compagnie d'Hubert et de Léonard. Les célébrations commencèrent le matin par

une messe solennelle suivie par une procession religieuse.
Quand je montai à la Haute-Ville en compagnie d'Hubert
pour rejoindre Léonard, je fus émerveillé par le nombre
et la qualité des décorations dans les rues et devant les
maisons. La ville entière était en liesse et scintillait de tous
ses feux. Nous eûmes de la difficulté à trouver de la place
dans cette foule innombrable et enthousiaste afin d'être en
mesure de voir un peu ce qui se passait.

Il y avait sur la terrasse des centaines de soldats, des
représentants des tribus indiennes en costumes de fête, et de
nombreux dignitaires du pays et de la province de Québec,
à commencer par le premier ministre du Canada, monsieur
Wilfrid Laurier, celui de la province de Québec, monsieur Marchand, le gouverneur général du Canada, monsieur
Aberdeen, ainsi que le lieutenant-gouverneur de notre province, monsieur Jetté, et le consul de France, sans compter
un tas de ministres et de membres du clergé. Comme on dit,
tout le gratin était présent.

Il y eut une suite de discours. Je n'ai pas pu les écouter
sans ressentir une grande fierté de faire partie du peuple
canadien-français et d'avoir la chance d'assister à cette cérémonie en l'honneur du fondateur de Québec. À certains
moments, j'eus des frissons en écoutant l'éloge qu'on fit de
ce grand homme que fut Samuel de Champlain. Le consul
de France me toucha beaucoup par son discours en rappelant
à quel point notre langue française est le rempart nécessaire
à la survie de notre peuple. Le lieutenant-gouverneur rappela que nous devions être reconnaissants à tous ces hommes
et toutes ces femmes qui donnèrent naissance à notre
peuple sur les rives du grand fleuve Saint-Laurent.

Léonard me dit, et j'étais bien d'accord avec lui, que
l'endroit où s'élevait le monument était le meilleur qu'on

aurait pu choisir. Nous sommes revenus enchantés de cette cérémonie et fiers d'y avoir participé. J'appris ensuite que nous étions au moins quarante mille personnes à assister à ce dévoilement. Quand on pense que Québec compte environ soixante-cinq mille habitants, dont un très grand nombre de langue anglaise, il y a lieu de croire que presque toute la population canadienne-française de Québec se trouvait sur place. Nous avions bien raison d'en être fiers. Maintenant que Champlain avait son monument, il restait à trouver son tombeau.

# Chapitre 24

# Les dernières lettres de Firmin

*Hubert*

Nous sommes restés sans nouvelles de Firmin pendant près d'un an et demi. Inutile de dire que notre pauvre mère se faisait du sang d'encre. Il s'avéra que Firmin nous écrivait, mais que ses lettres ne nous parvenaient pas. Puis un beau jour, au début de 1903, nous les reçûmes en paquet, alors que la dernière que nous avions reçue datait de juillet 1900. Il était rendu à Dawson et racontait en détail les péripéties de leur voyage en chaland depuis Atlin. Lui qui est pourtant habitué à affronter les rapides en canot racontait comment il avait les fesses serrées quand ils ont descendu le rapide de Five Fingers, le plus dangereux du Yukon. Pour permettre à p'pa de suivre sa route sur une carte, Firmin énumérait tous les endroits où ils étaient passés. À Tagish, ils avaient été obligés de se présenter à la Police montée canadienne. Pour pouvoir passer, ils devaient avoir au moins deux mois de provisions et cinq cents piastres ou six mois de provisions et deux cent cinquante piastres. Ils n'avaient pas autant d'argent. Mais les policiers, en constatant à quel point leur chaland était bien fait, leur ont donné la permission de continuer en se disant qu'ils sauraient certainement se débrouiller.

J'ai sa lettre devant moi. Il la termine en ces termes :

> *Ce ne fut plus qu'un jeu ensuite pour arriver à Dawson. Maintenant que j'y suis, j'ai tout à faire. Je vais voir comment je pourrai y gagner ma vie et je vous écrirai à nouveau dès que j'en aurai le temps. Ne vous inquiétez pas pour moi. Tout va pour le mieux.*

> *Votre fils affectueux qui pense à vous,*
> *Firmin*

Ne me demandez pas comment cela se fait, mais les autres lettres qu'il nous a fait parvenir ensuite et que nous avons reçues dans un paquet ont toutes disparu sauf une : la dernière écrite de Dawson en janvier 1903 qui nous arriva seulement en juin. Comme il nous avait promis qu'il nous écrirait plus longuement de là-bas, il avait tenu parole et nous avions pu en savoir un peu plus sur sa vie. Tout en gagnant un peu d'argent comme barbier il travaillait avec son ami Eugène à un lot qui appartenait à un Canadien français arrivé là au début de la ruée vers l'or. Toutefois, comme nous l'apprenait sa dernière lettre, il n'avait pas perdu son idée d'ouvrir un hôtel à Dawson. Voici justement le contenu de cette lettre.

*Dawson, 22 janvier 1903*

*Chers parents,*

*Vos lettres me font beaucoup de bien. À ce temps-ci de l'année à Dawson avec des froids de moins cinquante degrés ça ne travaille pas fort. Remarquez que je ne m'en plains pas,* car ça me donne plus de temps d'exercer mon métier de barbier. J'ai même pu louer une pièce où j'offre mes services et je coupe la barbe pour un dollar et les cheveux pour un dollar et cinquante. Je me fais un peu d'argent ainsi tous les jours, ce qui me permet de vivre assez bien. Toutefois, tout coûte tellement cher ici qu'il faut ménager si nous voulons nous rendre au printemps. Juste pour vous donner une idée des prix, sachez que l'huile de charbon se vend vingt-cinq piastres le gallon, une boîte de chandelles coûte cinquante piastres. Pour une piastre et vingt-cinq on peut obtenir une livre de farine et pour le même prix la livre, des viandes en boîte et du blé d'Inde en conserve. Le café se vend deux piastres, comme les tomates en conserve et les fèves. Un morceau de steak coûte trois piastres et cinquante. Les restaurants où nous pouvons prendre les repas les moins chers chargent deux piastres et cinquante.

Les cuisiniers sont bien payés. Ils touchent cent piastres par semaine et leurs assistants une piastre de l'heure. Les commis de bar vont chercher quinze piastres par jour. Il paraît que le propriétaire d'un hôtel dans les trois jours après qu'il a eu ouvert son établissement s'est fait quinze mille piastres. Je me ramasse le plus de sous possible en coupant des cheveux et des barbes et mon travail avec Eugène dans le claim de Rolland Duchemin me rapporte également pas mal, parce que je ne dépense pratiquement rien. On peut faire jusqu'à près de quinze piastres par jour dans un claim. Si j'ai suffisamment d'argent d'ici un an, je vais acheter un terrain et je vais me construire un hôtel dessus. Pas un gros hôtel d'abord, seulement quelques chambres et je vais agrandir au fur et à mesure. Avec un peu de chance, quand je reviendrai chez nous je serai riche.

Pour le moment, j'en suis vraiment à mes premières économies. Il y a de l'or ici, parce que beaucoup de transactions se font avec de la poudre d'or qui se vend 391 piastres la livre.

*Tout le monde se promène avec un peu de poudre d'or et sa petite balance. Dawson grossit à vue d'œil. Il y a tout plein de monde. La plupart vivent sous la tente et il y a un va-et-vient continuel de nouveaux arrivants, mais beaucoup aussi abandonnent.*

*Je vous laisse là-dessus en vous espérant tout comme moi en bonne santé. Mes salutations à toux ceux que je connais.*

*Votre fils affectueux,*
*Firmin*

P'pa et moi, nous doutions un peu que Firmin puisse ouvrir un hôtel là-bas. Nous lisions ce que les journaux disaient du Klondike et c'était loin d'être encourageant. Les premiers qui y avaient découvert de l'or avaient fait fortune, mais c'était en 1897. Il y avait, paraît-il, un type de Chicago, nommé Patrick Galvin, qui était revenu chez lui avec huit millions de dollars ! Monsieur Joseph Desroches de Montréal, lui aussi dans ces années-là, acheta des lots et fit de bonnes affaires. Il revint à Montréal avec quarante mille dollars en poche.

Mais les chercheurs n'étaient pas tous aussi chanceux que ces deux-là. Le vapeur *City of Seattle* qui était parti de Dawson le 28 novembre 1897 avait ramené à son bord à Seattle le 8 janvier 1898 quarante-cinq mineurs épuisés et presque sans le sou. Ils avaient dû supporter toutes sortes de souffrances et de privations et étaient très heureux d'avoir pu échapper à toutes ces misères. Tout ça n'empêchait pas des centaines et des milliers d'autres de partir. Le même vapeur se rendait au Klondike le 13 janvier suivant avec six cents personnes à son bord et douze autres vapeurs en transportèrent près de sept mille dans une seule semaine,

à un point tel qu'il y avait vingt-quatre vapeurs en construction à Seattle.

Il y en a très peu, parmi ces milliers et milliers de chercheurs d'or, qui firent fortune. L'idée de Firmin d'ouvrir un
hôtel n'était pas bête du tout, pourvu qu'il ait l'argent
nécessaire pour le faire. Je le lui souhaitais, en tous les cas.
Il était débrouillard et j'étais persuadé qu'il devrait bien finir
par y arriver. J'avais hâte de voir ce qu'il allait raconter dans
sa prochaine lettre. M'man semblait être apaisée de voir
qu'il était rendu à Dawson et qu'il ne voyageait plus. Il n'en
était pas moins en danger, car pour peu qu'on se renseignait,
on se rendait compte que plusieurs chercheurs d'or avaient
trouvé la mort à Dawson même ou aux alentours.

# Chapitre 25

# Un dîner pas comme les autres

*Ovila*

Les dîners du premier dimanche du mois avaient le mérite de réunir toute la famille. De la sorte, nous ne nous perdions pas de vue bien longtemps. Ils se passaient ordinairement dans la bonne humeur, Léonard se chargeant de nous faire rire avec ses histoires abracadabrantes, inventées de toutes pièces ou librement inspirées de faits vécus. Tout allait bien quand Rosario ne venait pas. Il y avait un certain temps qu'il n'y avait pas eu de flammèches entre lui et Léonard, tout simplement parce que l'un ou l'autre n'était pas présent au dîner. Un dimanche de l'été 1903, le feu prit quand Rosario se mit à raconter que nous étions les enfants de Dieu. Léonard le reprit :

— Dis plutôt les enfants de p'pa et m'man, parce que j'ai bien l'impression que ce n'est pas Dieu qui a mis m'man enceinte.

— C'est lui qui a permis qu'elle le soit.

— Depuis quand faut-il avoir la permission de Dieu pour faire quelque chose ?

— Depuis toujours, car c'est lui qui a créé l'homme.

Léonard éclata de rire, ce qui déconcerta Rosario. Il s'exclama :

— Qu'as-tu à rire comme un imbécile ?

— Justement, explique-moi : si Dieu est le créateur de l'homme, pourquoi, comme tu viens de le dire, a-t-il créé des imbéciles comme moi ?

Rosario ne s'attendait pas à une telle réplique. Il grogna, comme il le faisait toujours quand il était pris au dépouvu. Léonard en profita pour commenter :

— Dieu est infiniment bon et tout-puissant, pourquoi permet-il que les hommes, ses créatures, soient aussi méchants ? Ils passent leur temps à s'entretuer. Si c'est lui qui l'a fait, Dieu a vraiment manqué son coup en créant l'homme, car il est loin d'être à son image et à sa ressemblance comme le dit le petit catéchisme.

Cette réplique de Léonard sembla ébranler Rosario qui réfléchit un bon moment avant de répondre :

— Dieu a voulu laisser les hommes libres de leurs actes.

— Il me semble, reprit Léonard en ricanant, que quand un architecte se rend compte que ce qu'il a créé est imparfait, il corrige son œuvre pour la rendre la plus parfaite possible. Pourquoi Dieu, qui a visiblement manqué son coup avec les hommes, ne répare-t-il pas son erreur, lui le tout-puissant, qui est supposé avoir tous les moyens de le faire ?

Cette fois, Rosario en avait assez entendu. Il ragea :

— Tu ne veux et ne peux rien comprendre, toi qui n'as pas la foi.

Léonard prit un ton faussement contrit pour répondre :

— Je sais, je suis bouché des deux bouts. Il n'y a rien à faire avec moi. Dieu aurait tout un travail à réaliser pour me rendre moins imbécile. Je suis la preuve même qu'il a manqué son coup en me créant. Qu'est-ce qu'il attend pour me rendre aussi parfait que toi?

Rosario était rouge comme un coq. Je croyais qu'il allait éclater. Heureusement, leur père intervint, d'un ton ferme:

— Je crois qu'il serait sage de vous taire, tous les deux. Je ne sais pas qui a raison et je ne veux pas le savoir. Tout ce que je veux, c'est que nos dîners en famille soient une bonne occasion de nous réunir entre frères et sœurs et de nous raconter ce qu'a été notre mois, rien de plus, rien de moins.

Il se fit un long silence. Puis Philibert, se tournant vers Marjolaine, demanda:

— Avez-vous toujours idée d'adopter un enfant?

Marjolaine ne répondant pas, j'hésitai un moment et finis par dire:

— Nous y pensons, mais il n'y a encore rien de décidé.

Léonard en profita pour insinuer:

— Demandez à Dieu de vous en créer un, sinon informez-vous à Rosario, il saura bien vous dire comment en faire.

Le beau-père, qui gardait pourtant toujours son calme, cette fois le perdit:

— Si tu n'as rien de plus intéressant à dire, lui reprocha-t-il, tu serais bien mieux de te taire.

— Parfait, si vous ne voulez pas m'entendre, fit Léonard, vous ne m'entendrez plus.

Il se leva, enfila son manteau et mit son béret et claqua la porte. Son départ causa un malaise parmi tous les convives... ou presque. Rosario se mit bientôt à déblatérer:

— Voulez-vous bien me dire pourquoi il se comporte comme ça? Il ne pourrait pas être comme tous les autres?

Il parla dans le vide, car personne ne lui répondit. Finalement, Gertrude rompit le silence en disant:

— Maurice a quelque chose de nouveau à vous apprendre.

J'étais curieux de savoir de quoi il s'agissait. Je dis :

— Quelque chose d'heureux, j'espère. Un enfant ?

— Non, tu n'y es pas du tout.

Maria intervint, ce qui lui arrivait très rarement :

— Gertrude doit vouloir parler de la nouvelle brioche.

— En effet. Est bonne comme ça s'peut pas.

— Une brioche à quoi ?

— Cannelle et raisins, nous apprit Maurice.

— Avec d'la crème dessus, précisa Maria.

Je m'écriai :

— Vous auriez dû en apporter !

Gertrude répondit :

— Si vous voulez y goûter, vous n'aurez qu'à passer à la boulangerie cette semaine.

La nouvelle brioche de Maurice avait fait diversion. L'atmosphère devint moins tendue, d'autant plus que dans la maison flottait l'arôme du rosbif que nous allions déguster pour dîner. Le moment était venu de passer à table. Quand Rosario bénit le repas, je pensai à Léonard. Il aurait certainement eu un commentaire à faire. Je me demandai si nous le reverrions à nos dîners du mois. Chose certaine, il n'y reviendrait plus quand Rosario serait là. Et en effet, il fut des mois sans remettre les pieds chez lui. Déjà que Firmin et Clémence étaient au loin, sans Léonard, nos repas manquaient d'animation… et tout cela parce que lui et Rosario n'étaient pas capables de se sentir. La vie, parfois, bien malgré nous, prend de drôles de tournures.

# Chapitre 26

# La femme au diadème

*Hubert*

Quand nous habitons une grande ville, il y a des gens que nous connaissons bien que nous perdons de vue. Nous pouvons être des mois et même des années sans les croiser, même si nous vivons dans le même secteur. Chacun de nous a ses habitudes et rarement en changeons-nous.

Par contre, il y a des gens que nous croisons très souvent. Ils semblent parcourir les mêmes rues que nous, les mêmes jours et aux mêmes heures. Nous les voyons à l'épicerie, au marché ou à l'église. Nous n'avons pas besoin de les chercher pour les trouver. Ça se fait tout naturellement, d'une semaine à l'autre, et très souvent à la porte de l'église. Puis, sans savoir pourquoi, alors que nous empruntons un itinéraire différent, voilà qu'au moment où nous nous y attendons le moins, nous arrivons nez à nez avec quelqu'un qui était sorti de nos souvenirs depuis des mois ou des années.

C'est un peu ce qui survint quand, un jour, il me prit l'idée d'aller flâner dans les rues de Saint-Roch. Je marchais rue Saint-Joseph, quand une jeune femme sortit d'un des commerces de musique qui s'y trouvait. Je ne lui aurais pas prêté attention si elle n'avait pas boitillé comme moi.

Elle marchait devant moi d'un assez bon pas malgré son infirmité. Elle s'arrêta pour examiner une des vitrines du magasin Paquet. Je l'y suivis, parce que j'étais curieux de voir son visage.

Quand, enfin, elle se tourna dans ma direction, mon cœur se mit à battre. Il s'agissait, j'en étais sûr, de Françoise de Bellefeuille, la jeune femme au diadème, que j'avais pratiquement renoncé à retrouver. J'avais si souvent examiné son portrait que je ne pouvais pas me tromper. Je me fis le plus discret possible, car avec ma bosse on a vite fait de me repérer. J'attendis qu'elle termine ses emplettes en ne la perdant pas de vue tout en faisant semblant de m'intéresser à diverses marchandises. Fort heureusement, les commis étaient tous occupés et je n'eus pas à pousser plus avant la comédie en faisant croire que je désirais me procurer quelque chose.

Dès qu'elle fut sortie de l'établissement, je la suivis, étant certain qu'elle me mènerait droit chez elle, ce qui arriva comme je le pressentais. Par la rue Saint-Joseph, elle gagna la rue Saint-Vallier et, de là, se dirigea vers Saint-Sauveur pour s'arrêter au 44 de la rue Arago, une jolie petite maison de bois avec son toit en pente et ses larges fenêtres donnant sur le trottoir de bois. Elle tira ses clefs de son sac à main et entra chez elle sans se retourner.

Je n'osai pas frapper à sa porte afin de lui révéler tout ce que je savais d'elle et, en particulier, que j'étais possesseur d'un objet de valeur lui appartenant. Je l'aurais effrayée au point qu'elle n'aurait jamais voulu me parler par la suite. Il me fallait réfléchir à la façon de l'aborder, sans qu'elle devienne méfiante et me tourne le dos à jamais. Nous étions un lundi, il me fallait retourner au plus tôt à l'église, car je devais y sonner le glas pour une de nos plus vieilles paroissiennes qui avait enfin obtenu la faveur qu'elle désirait et demandait depuis des années, elle qui répétait à qui voulait l'entendre que le bon Dieu l'avait certainement oubliée. Il est vrai qu'elle s'acheminait allègrement vers ses cent ans. Elle ne les vit pas, à six mois près. Mais n'est-ce pas que quatre-vingt-dix-neuf ans est un bel âge pour mourir?

Je me rendis donc à l'église accomplir mon devoir d'assistant sacristain et tout en faisant tinter les cloches du glas je songeai au scénario que je devrais imaginer pour contacter la jolie propriétaire du diadème. Je résolus donc de lui écrire. Il me semblait que ce serait la façon la plus élégante d'expliquer toutes les démarches qui m'avaient amené à m'intéresser à elle.

De retour à la maison après mon angélus du soir et le ventre plein du bon plat de poisson servi par Maria, je gagnai ma chambre, sortis papier, plume et encrier et me mis en frais d'écrire la lettre qui, de ma vie, me causa le plus de difficultés. Je crois bien l'avoir reprise quatre ou cinq fois avant de me satisfaire de ce qui suit :

*Mademoiselle,*

*Vous serez sans doute étonnée du contenu de cette lettre, mais si vous me faites confiance, je saurai vous expliquer mieux, de vive voix, les raisons qui m'incitent à m'adresser à vous, comme si je vous connaissais bien, alors que vous ignorez qui je suis.*

*J'ai en ma possession un objet de valeur qui vous appartient et que je désirerais vous remettre en main propre, puisqu'il serait bien long de vous divulguer par écrit toutes les démarches que j'ai dû accomplir pour d'abord savoir qu'il vous appartient, et ensuite vous retracer en vue de vous le remettre tout en vous faisant part de la façon dont il m'est parvenu.*

*Sachez que je suis un honnête homme, qu'il vous est facile de repérer, car je suis l'assistant du sacristain de Saint-Roch ayant entre autres tâches, celle de sonner les cloches pour l'angélus du matin, de midi et du soir, de même que pour les baptêmes, les mariages et les sépultures, sans compter les glas, le passage du curé quand il va porter la communion à un malade, l'appel des gens aux messes du matin et à celles du dimanche, de même qu'aux vêpres. Informée de la sorte de qui je suis, j'ose croire que vous accepterez de me rencontrer afin que je puisse vous faire part plus clairement des motifs de ma démarche.*

*Veuillez croire, mademoiselle, à mes sentiments les plus chaleureux à votre égard.*

*Votre tout dévoué,*
*Hubert Bédard*

*P. S. Je vous laisse mon adresse, le 45 de la rue Dupont, afin que vous puissiez donner suite à ma lettre et me faire savoir où et quand j'aurai le bonheur de vous rencontrer.*

J'attendis au lendemain et après m'être acquitté des tâches qui me revenaient après les messes du matin, je me dirigeai d'un bon pas jusqu'au bureau de poste du secteur du Palais où je déposai ma lettre. J'avais l'impression de jeter une bouteille à la mer et j'étais bien conscient que cette demoiselle de Bellefeuille prendrait le temps de venir voir qui je suis avant de répondre à ma demande. Je craignais qu'en m'apercevant avec ma terrible bosse et l'infirmité qui m'accable, elle n'oserait pas y répondre et ne me convierait à aucun rendez-vous. Je demeurais tout de même confiant, sachant fort bien qu'entre infirmes on se comprend. De plus, elle devait certes se demander quel objet lui appartenant j'avais en ma possession. Comme les femmes sont ordinairement curieuses, j'avais espoir que ma démarche finirait par aboutir à quelque chose de positif. Mais je dus attendre encore longtemps avant qu'elle ne daignât se manifester.

# Chapitre 27

# Des nouvelles de Clémence

*Ovila*

Quand j'ai épousé Marjolaine, je suis entré dans une famille tricotée serrée. J'ai toujours été fasciné de voir à quel point, quoique frères et sœurs, les membres d'une même famille ne se ressemblent pas. Chacun a son caractère et mène sa vie comme il le peut avec les outils que lui a donnés la providence. Je n'avais qu'à songer à Rosario et Léonard pour constater à quel point deux frères pouvaient être différents, à croire qu'ils n'étaient pas nés des mêmes parents. Il est vrai que l'éducation reçue par chacun différait quelque peu : autant Rosario était rigide dans sa tenue et ses propos, autant Léonard se montrait désinvolte face à la vie. Marjolaine, pour sa part, avait bon caractère, souriait, parlait doucement et se souciait du bien-être de tous, un peu comme sa sœur Maria, quoique plus effacée. Autant Marjolaine était douce, autant Gertrude avait mauvais caractère. Nous avions de la peine à lui voler un sourire. Quant à Firmin, c'était l'aventurier de la famille, alors qu'on pouvait qualifier Hubert de casanier en raison de ses infirmités.

À mes yeux, Clémence demeurait la plus mystérieuse de la famille. Je la connaissais peu, mais je l'avais vu faire opiniâtrement son chemin, apprendre l'anglais et obtenir ce qu'elle désirait le plus : une bourse pour devenir médecin. Par contre, autant Firmin était fidèle à donner de ses nouvelles, autant Clémence se faisait discrète là-dessus, comme si elle ne s'ennuyait aucunement des siens. À peine avait-elle expédié deux courtes lettres depuis qu'elle se trouvait au Minnesota.

Aussi, quand une de ses missives arrivait, c'était tout un événement chez les Bédard. On ne manquait pas d'en prévenir Marjolaine qui passait chez elle voir ce que sa jeune sœur racontait. C'est ainsi qu'un soir, à l'heure du souper, Marjolaine me dit :

— Devine de qui nous avons eu des nouvelles aujourd'hui ?

— De Firmin, je suppose.

— Tu n'y es pas du tout.

— Si ce n'est pas de Firmin, ça ne peut être que de Clémence.

— En plein ça !

— Et que raconte-t-elle ?

— Elle parle des cours qu'elle suit, des amies qu'elle a et du travail qu'elle accomplit. Sa vie ne semble pas facile.

— Il ne faut pas s'inquiéter pour elle, j'ai rarement connu quelqu'un d'aussi déterminé.

— Tu devrais demander à m'man de te faire lire sa lettre. Je pense que tu pourrais y trouver quelque chose d'intéressant à faire paraître dans un article du *Soleil*.

— Que raconte-t-elle de si passionnant ?

— Tu la connais, elle décrit une intéressante expérience récente qu'elle a vécue.

— Quel genre d'expérience ?

— Je ne t'en dis pas plus. Va lire sa lettre, tu auras du plaisir.

Marjolaine m'avait mis la puce à l'oreille, j'allai donc chez mes beaux-parents afin de jeter un coup d'œil sur cette lettre particulière. Marjolaine avait bien fait de m'en parler, parce que Clémence racontait comment elle s'y était prise pour délivrer une femme de ses hallucinations.

«En tant que médecin, disait-elle, je me rends compte que nous sommes exposés à vivre toutes sortes d'expériences insolites. Quand ce n'est pas un homme qui nous arrive avec un clou planté dans une main, c'est un bébé qui s'étouffe avec un objet coincé dans la gorge, quand ce n'est pas une femme qui se présente à l'hôpital en train d'accoucher.» Elle faisait donc un stage à l'hôpital quand une femme en détresse y arriva. Elle était si paniquée qu'il n'y avait pas moyen de lui faire dire de ce dont elle souffrait. Mais je laisse la parole à Clémence :

*Cette femme passait par toutes les couleurs de l'arc-en-ciel. Nous avions beau tenter de la calmer, nous n'y parvenions pas. Elle était arrivée à l'hôpital avec une compagne qui nous expliqua pourquoi elle était si terrorisée. Elle avait, paraît-il, participé à une séance de spiritisme et depuis elle voyait des fantômes partout. Effrayée, elle se tournait brusquement, croyant toujours être suivie. Elle se mettait à trembler en disant qu'un fantôme l'assaillait. Elle avait visiblement l'esprit dérangé et ne se possédait plus. Afin d'apaiser ses craintes, nous nous demandions par quel moyen lui faire passer le choc qu'avait produit sur elle cette séance de spiritisme.*

*Il existe plusieurs médicaments qui servent précisément à permettre à une personne de se détendre. On lui donna des pilules supposées accomplir des miracles. Elles ne firent sur elle aucun effet. On lui fit prendre des tisanes, sans plus de résultat. Bref, personne ne savait comment lui extirper de l'esprit les craintes qui la hantaient.*

*En réalité, cette personne était davantage atteinte psychologi-quement que physiquement. Nous étions d'avis de lui faire suivre une thérapie. Nous allions la confier à un confrère spécialisé dans le domaine, quand me vint à l'esprit une idée toute simple. Je me dis : si elle est gravement affectée parce qu'elle se croit toujours en contact avec des esprits mauvais, c'est qu'elle croit à leur existence. Or, pour elle, sans aucun doute, y a-t-il des esprits mauvais et d'autres bons. Si nous jouions le jeu avec elle et que nous la met-tions en contact avec un ange, sans doute parviendrait-elle à retrouver son équilibre. Et c'est ainsi que nous avons organisé à son intention une séance où l'une de nous déguisée en ange lui apparut et promit de chasser loin d'elle les démons qui l'acca-blaient. Cette mise en scène s'avéra être une parfaite réussite et le meilleur remède à ses hallucinations.*

*Voilà un exemple de ce qu'en tant que médecin nous sommes appelés à vivre. Nos études nous préparent à faire face à toute sorte de situations, mais encore faut-il trouver le meilleur remède aux maladies qui affectent les gens. Pour ma part, je trouve que la médecine s'avère être un des plus beaux métiers du monde.*

*Je vous laisse là-dessus, car mon devoir m'appelle. Portez-vous bien ! Je vous reviendrai bientôt avec d'autres exemples de ce qui me réjouit et remplit bien ma vie, c'est-à-dire pouvoir, par mes connaissances, rendre service aux autres.*

# Chapitre 28

# Incendies et rixes

*Hubert*

Un matin, le livreur de lait nous apprit qu'il y avait eu un début d'incendie au pont Dorchester et qu'il allait être fermé pour plusieurs jours.

— Le premier pont à cet endroit, m'apprit p'pa, était entièrement fait de bois comme beaucoup de nos ponts.

— Il était couvert?

— Il le fallait bien, si on ne voulait pas le voir se couvrir de neige en hiver et devenir vite impraticable. Mais l'inconvénient des ponts de ce genre est qu'ils risquent de brûler, ce qui survint justement à ce même pont Dorchester dans les années soixante, si ma mémoire est fidèle. On ne sut pas trop comment le feu avait pris, mais à la même époque dans Saint-Roch les gens étaient très inquiets parce qu'il y avait un ou des incendiaires qui s'amusaient à mettre le feu un peu partout. Ainsi, une nuit, alors qu'il dormait comme un bienheureux, un homme de la rue Arago entendit une explosion dans son grenier. Il s'empressa d'y monter en vitesse pour se rendre compte que des flammes léchaient le mur derrière la cheminée. Il parvint à les éteindre et il chercha la cause de ce début d'incendie. Il se rendit vite compte qu'il s'agissait d'un incendie criminel.

— Avait-il des ennemis ?

— Il semble que non. Toujours est-il qu'il trouva entre la cheminée et le mur un bâton creux d'environ deux pieds de long et à moitié fendu qu'on avait rempli de poudre à fusil. Cette torche incendiaire était de la grosseur d'un canon de fusil. À l'un des bouts, au moyen d'un fil de fer, l'incendiaire avait enroulé de l'écorce de bouleau avec du coton enduit de graisse.

— Il y a des gens malfaisants. Je me demande ce qui peut se passer dans leur tête pour agir de la sorte.

Mon père soupira :

— Il faut toute sorte de monde pour faire un monde. Pour aller placer sa torche à cet endroit, l'incendiaire était parvenu à franchir une clôture de neuf pieds qui entoure la maison en question et à l'aide d'une échelle placée contre le mur il avait pu glisser sa torche entre le lambris et la cheminée et y mettre le feu. Sans l'explosion produite par la poudre de fusil, le propriétaire de la maison n'aurait pas été réveillé et peut-être que tout le quartier aurait passé au feu.

— Pourquoi voulait-on incendier cette maison ?

— On a supposé que, comme elle était rue Arago, dans le même secteur où avait commencé l'incendie de 1862, on voulait mettre le feu une fois de plus à Saint-Sauveur. Nous étions tous sur nos gardes et nous dormions mal. C'était la troisième tentative d'incendie criminel en quinze jours dans le quartier.

— A-t-on fini par mettre la main sur le ou les coupables ?

— Pas que je me souvienne. Le feu fut un des pires fléaux auxquels notre ville eut et a encore à faire face. Il y a eu des incendies dans les quartiers de la Basse-Ville mais aussi à la Haute-Ville et beaucoup des principaux édifices ont été la proie des flammes.

— Vraiment ?

— Le parlement y a passé après plusieurs fausses alertes au moment où les députés y étaient réunis. Le palais de justice a également brûlé de même que la basilique et notre église en 1845. Mais le feu n'a pas été le seul fléau auquel la ville a eu à faire face. Il y en a beaucoup moins aujourd'hui, mais il y eut autrefois de célèbres bagarres.

P'pa s'arrêta, sortit sa pipe et l'alluma, puis il continua là où il avait laissé.

— Notre ville a subi autrefois plusieurs sièges, mais elle a été témoin par la suite de nombreuses bagarres, certaines à l'occasion de grèves comme celle des ouvriers qui travaillaient à la construction de l'édifice du parlement en 1878.

— Pourquoi faisaient-ils la grève ?

— Comme dans toutes les grèves, c'était pour une question d'argent. Les ouvriers, avec raison, s'estimaient sous-payés. Ils étaient plus de mille à marcher en chantant en direction du parlement en agitant le drapeau de la France. Il est vrai qu'un de leurs leaders était français. Sous prétexte que des ouvriers avaient pillé un entrepôt de farine dans Saint-Roch, les autorités firent appel à l'armée. On fit lecture aux grévistes de la Loi de l'émeute, ce qui justifia les soldats d'ouvrir le feu sur les manifestants. Il y eut une dizaine de blessés et un mort, le leader français Édouard Beaudoire. Les gens étaient furieux. Le même soir, ce ne fut pas mille mais quatre mille ouvriers qui manifestèrent près de la prison de Québec où étaient détenus plusieurs grévistes. L'armée protégea le secteur et reçut des renforts de Montréal le lendemain. Mais, en fin de compte, chose rare, les grévistes finirent tout de même par gagner leur cause.

P'pa avait envie de parler et, une fois lancé, il me raconta ce qu'il considérait comme les pires bagarres survenues chez nous. Elles avaient eu lieu entre des ouvriers irlandais et des ouvriers canadiens-français.

— C'était le 15 août 1879.

J'étais toujours étonné de voir que p'pa avait retenu avec exactitude les dates des différents événement dont il nous entretenait. Je lui demandai :

— Comment faites-vous pour vous souvenir des dates de ces événements anciens avec autant de précision ?

— C'est très simple, il faut les relier à quelque chose qui fera vous en souvenir. Comme là, le 15 août 1879 : ce qui se passa ce jour-là et les jours suivants était tellement insensé que j'ai retenu la date en me disant : "du 15 aux 19 fous 79"!

Il avait l'air tout fier de lui. Il continua :

— Ce jour-là se déroula, à mon avis, un des plus tristes événements auxquels je fus mêlé bien malgré moi. Il y avait des mésententes entre les débardeurs du port de Québec. Ils faisaient tous partie de la Société de bienfaisance des journaliers de navire de Québec. Depuis un certain temps il y avait moins d'ouvrage pour les débardeurs. Les dirigeants de leur société distribuaient le travail et plusieurs laissaient entendre que la diminution de travail était due au fait que les salaires des débardeurs de Québec étaient plus élevés que ceux de Montréal et que, de plus en plus, les marchands préféraient faire charger et décharger leurs marchandises au port de Montréal. De plus, la majorité des dirigeants de la Société des débardeurs de Québec étaient des Irlandais.

Les Canadiens français se rendirent compte que ces Irlandais favorisaient davantage leurs compatriotes quand il s'agissait de distribuer le travail. Ils résolurent donc de former leur propre société qu'ils baptisèrent l'Union canadienne. Pour gagner les marchands et les armateurs à leur cause, ils décidèrent même d'accepter une baisse de leur salaire. Ils firent passer leur journée de travail de huit heures à dix heures et acceptèrent de n'être payés pour leurs heures supplémentaires qu'à compter de la douzième heure. Ils croyaient de cette façon remplacer la Société des débardeurs par la leur.

Pour souligner la création de leur association, ils décidèrent de tenir un défilé dans les rues de la ville, le 15 août. Ils prévinrent que le cortège partirait du quartier Saint-Roch pour se diriger vers le port et longer la rue Champlain afin de se rendre jusqu'au Cap-Blanc. Il faut savoir que la rue Champlain était le fief des ouvriers de la Société des débardeurs. Les résidants de la rue Champlain, en grande majorité des Irlandais, membres de cette société et craignant d'être chassés de leur maison, s'armèrent de pistolets, de fusils, de haches et de gaffes. Pour bloquer le défilé, ils érigèrent un barrage entre le quai et les installations portuaires. Ils s'emparèrent de deux canons d'un navire à l'ancre dans le port et les placèrent sur la barricade en les bourrant de clous et de ferraille. Pendant ce temps, leurs femmes et leurs enfants garnirent le rebord des fenêtres, sous lesquelles devaient passer la parade, de pierres, de morceaux de bois et de toutes sortes de projectiles.

La parade se mit en branle comme prévu. Ils étaient entre mille et deux mille débardeurs avec drapeaux et bannières qui déambulaient, quatre de front, vers le Cap-Blanc. Quand ils furent rendus à la Côte de la Montagne, des charretiers les prévinrent qu'ils étaient attendus de pied ferme rue Champlain. Même le chef de police du port les avertit et leur demanda de renoncer à se rendre plus loin. Ils se moquèrent de lui et poursuivirent leur chemin. Dès qu'ils mirent le pied le long de la rue Champlain, ils furent accueillis à coups de pierres, de fusils et de pistolets. Les femmes et les enfants leur jetèrent une pluie de projectiles de toutes sortes et leur déversèrent de l'eau bouillante sur la tête. Quelques membres de l'Union canadienne étaient armés et répliquèrent. En quelques minutes on dénombra des dizaines de blessés et l'affrontement s'arrêta aussi vite qu'il avait commencé. Les manifestants rebroussèrent chemin en laissant sur place deux mourants et une trentaine de blessés.

«Ce jour-là, j'étais allé repeindre une maison de la rue Saint-Paul. Je vis passer, à leur aller, les membres de la parade et je les vis également revenir ensanglantés. Ça faisait pitié à voir et je me demandais pourquoi ils avaient tant tenu à ce défilé.

«Un tel affront méritait vengeance. Les membres de l'Union canadienne se réunirent à la Halle Jacques-Cartier dans Saint-Roch et quand ils furent environ mille deux cents, après s'être emparés de carabines et de fusils qu'ils volèrent dans un magasin, ils grimpèrent par l'escalier de la rue Dorchester jusqu'à la Haute-Ville et, munis d'armes et de haches, ils démolirent sur leur passage les portes et les fenêtres des Irlandais qui avaient le malheur d'habiter là et se rendirent sur les plaines d'Abraham et la terrasse. De là ils bombardèrent de roches, de balles et de projectiles de toutes sortes les maisons de la rue Champlain. Le maire Chambers fit appel à la milice et ce n'est que de cette façon qu'on parvint à calmer les belligérants des deux camps, puisque le lendemain, pour se venger, au moins cent cinquante Irlandais de la rue Champlain, armés jusqu'aux dents, grimpèrent jusqu'à la terrasse, bien résolus à répliquer à ceux qui lançaient des pierres sur leur maison. Les miliciens les dispersèrent.

« Réunis à la Halle Jacques-Cartier, les ouvriers canadiens-français voulaient poursuivre les hostilités, mais le curé de Saint-Roch les exhorta à cesser leurs querelles et à rentrer paisiblement chez eux. De toute façon, la milice était partout et dispersait tout rassemblement. Le calme revint petit à petit. Mais on entendit parler longtemps de ces affrontements entre Irlandais et Canadiens français. Et comme il arrive toujours dans des conflits de ce genre, les Irlandais accusèrent les Canadiens français d'avoir été à l'origine de tous ces troubles alors que, bien entendu, les Canadiens français mirent la faute sur le dos des Irlandais. Fort heureusement, de nos jours nous n'assistons plus à de tels affrontements. »

P'pa se tut. Je restai un moment avec lui. Tout ce que nous entendions dans la maison était le tic-tac de l'horloge. Nous pensions sans doute à la même chose. Pourquoi les hommes ont-ils tellement tendance à s'entretuer?

# Chapitre 29

# Une rencontre insolite

*Ovila*

Québec en 1904 n'était pas une grosse ville. Elle ne comptait alors guère plus de soixante-dix mille habitants, mais parmi tous ces gens il se trouvait des individus qui, par leur comportement et leur attitude – ou parfois par leurs aptitudes –, se démarquaient des autres.

Un matin, alors que je me dirigeais vers l'édifice du *Soleil*, je croisai sur mon chemin un individu tout à fait bizarre. Il était habillé exactement comme les coureurs de bois d'autrefois, le chapeau de poil sur la tête et l'air perdu. Il m'aborda en me disant :

— Veux-tu avoir le feu au cul ?

Je lui répondis :

— À quoi ça me servirait ?

Il sembla réfléchir un moment, enleva son chapeau, cracha dedans et le remit sur sa tête. Puis il me posa de nouveau la même question et obtint la même réponse. Il enleva son chapeau et recommença les mêmes simagrées. Je crois qu'il le ferait encore si je ne lui avais pas demandé à mon tour :

— Veux-tu avoir le feu au cul ?

Il s'écria : « Oui je le veux ! » et il se mit à courir comme s'il avait eu une ruche au derrière.

À notre dîner du dimanche suivant, je fis part de cette rencontre bizarre. Mon beau-père me demanda :

— As-tu lu *Originaux et détraqués* de Louis Fréchette ?

Je ne l'avais pas lu. Il me recommanda :

— Tu devrais le lire, il y a dans ce livre des histoires très intéressantes concernant des individus que monsieur Fréchette a connus. Il parle entre autres de Grelot qui était de notre paroisse.

— S'il m'avait connu, intervint Hubert, il aurait sans doute parlé du bossu de Saint-Roch.

Philibert poursuivit :

— J'ai rencontré Grelot quand j'étais plus jeune et j'en ai été profondément marqué. Comme j'arrivais, ce jour-là, près du marché, je croisai un homme, presque un vieillard, se promenant avec une canne et s'en servant pour menacer les gens. Ses cris attirèrent l'attention sur lui et il fut bientôt le point d'attraction d'un grand nombre de badauds. Je demeurai sur place, curieux de voir comment tout ça tournerait. Je racontai le tout à p'pa de retour à la maison. Et une fois de plus je vis, par ses réflexions, comment mon père avait de la commisération pour les marginaux. Je lui dis : "Vous ne pouvez pas savoir à quelle pénible scène j'ai assisté ce matin." "Quoi donc ?" "J'étais sur la place du marché quand j'ai croisé un homme muni d'une canne qu'il brandissait un peu à la manière d'un sabre. Il vociférait à tel point que les gens se retournaient sur son passage." "C'est bien triste, fit remarquer p'pa, que des gens perdent la raison ou boivent au point de ne plus savoir ce qu'ils font." Cet homme n'avait pas bu, mais il n'était certainement pas en possession de toute sa tête. Un quidam s'étant arrêté pour le regarder, il se tourna soudain brusquement vers lui et hurla : "Tu as envie de le dire, mon criminel ? Je le vois. Ça te démanche, mon poisson pourri ? Tu ris. T'as envie de le dire ? Dis-le donc, que je t'écrabouille, fils de truie." L'autre répondit : "Qu'est-ce qui te prend ? Je n'ai rien envie de te dire." Le vieil homme, continuant son manège, reprit sa litanie un peu plus loin. Cette fois, il donna de sa canne en direction de quatre hommes occupés à causer paisiblement. Il s'arrêta près d'eux et les regarda de travers. "Qu'est-ce que vous nous voulez ?", lui demanda l'un d'eux. "Vous vous retenez pour le dire", cracha-t-il d'un air menaçant. "Dire quoi ?" "Vous le savez tous aussi bien que moi, maudits hypocrites, enfants du diable et de sa femme. Bande de mécréants, dites-le que je vous le fasse ravaler !"

« Sachant fort bien que cet homme n'avait pas toute sa raison, les quatre compères s'éloignèrent tout en se méfiant de cet énergumène qui les pourchassait de ses insultes. Le bonhomme continua son manège de la sorte. Il faisait vraiment pitié à voir. Il avait les yeux rouges et exorbités et il bavait. Il poursuivit sa marche et invectiva un groupe de jeunes hommes qui s'amenaient vers lui. "Bande de bâtards à crasse. Troufions de bas étage. Qui a eu l'audace de vous mettre au monde ?"

« Interdits, les jeunes hommes s'arrêtèrent. Mais l'un d'eux chuchota : "Préparez-vous à la bagarre." Puis il dit au vieil homme : "Si ce n'est pas ce cher Grelot !" À ces mots, le bonhomme se mit à hurler comme si un démon lui brûlait tout le corps. Je n'avais jamais rien vu de si étrange. Il n'y eut pas une injure qu'il ne proféra pas contre ce jeune homme qu'il se mit à poursuivre avec rage en tentant de le frapper de sa canne. Les autres voyant qu'il allait finir par rattraper leur ami s'approchèrent et lui donnèrent un crocen-jambe. Le bonhomme s'étala de tout son long sur les pierres de la chaussée. Un gendarme passait par là et vint à la rescousse. Il arrêta le vieux qu'il menotta avant de l'aider à se relever. Il avait le visage en sang et pleurait comme un enfant.

— Voilà une bizarre affaire, dis-je.

Mon beau-père poursuivit :

— Si ce jeune homme ne l'avait pas appelé Grelot, je n'aurais jamais deviné, même si j'en avais déjà entendu parler, qu'il s'agissait de lui. P'pa assura aussitôt : "Tout le monde à Québec le connaissait, mais il y avait quelques années qu'il se tenait tranquille. Il suffisait de l'appeler Grelot et il sortait de ses gonds, le pauvre homme. Les autorités de la ville ont même fait passer un règlement interdisant aux gens sous peine d'amende de l'appeler ainsi. Tu sais bien que ça n'a pas duré. Quand ils le voyaient venir, les gamins se divisaient en deux camps. Un groupe criait 'gre' et l'autre ajoutait 'lot'. Il s'enrageait même seulement à entendre des grelots et comme les gens sont méchants, ils étaient nombreux à s'en servir pour arriver à leurs fins." Je lui ai demandé s'il avait un nom. "Je ne l'ai connu que sous ce sobriquet. On dit qu'il était autrefois un honorable citoyen. Mais un jour, au sortir de l'église, il s'est rendu compte que son chapeau de castor avait été endommagé. Est-ce lui-même qui s'était assis dessus ou son voisin de banc ? Mais paraît-il que sur le parvis de l'église après la messe, il a lancé comme ça sans y penser : 'L'espèce de grelot, il a bossué mon chapeau !' Un gamin l'a entendu et a commencé à crier : 'Satané grelot ! Qu'a bossué mon chapeau ! Satané grelot ! Qu'a bossué mon chapeau !' Au lieu de laisser l'enfant crier, il lui a couru après en le menaçant de sa canne. Voyant l'effet que ces paroles produisaient, les autres gamins de la place se mirent à crier à leur tour et lui, à force de s'enrager à les courir, en a perdu la raison. Voilà, ajouta-t-il, l'histoire de ce détraqué."

Je commentai :

— Croyez-vous que ce soit là l'origine de l'utilisation de ce mot pour désigner un fou ?

— Certains le croient. D'ailleurs, il paraît que la prononciation "gueurlot" tient son origine de la façon dont les jeunes Irlandais appelaient ce pauvre homme. La vie n'a pas été tendre avec lui. C'est une bien triste histoire que celle-là. Il aura tout de même été à l'origine d'un sens nouveau du mot grelot.

# Chapitre 30

# Des suites inespérées

*Hubert*

Il y avait un bon moment que je n'avais pas pensé au diadème. Comme Françoise de Bellefeuille n'avait pas daigné donner suite à ma lettre, j'avais fini par croire cette histoire classée. J'étais certain que cette demoiselle avait entrepris des démarches pour savoir qui j'étais en réalité. Ça lui était facile de venir à l'église où je me trouvais si fréquemment et de me repérer occupé à me préparer à sonner les cloches ou encore à changer les lampions qui brûlent en permanence au pied de la statue de saint Roch devant la nef.

J'aurais pu certainement invoquer le saint patron de notre église pour que cette demoiselle me fasse signe. Mais saint Roch est avant tout le protecteur des associations et des corporations de tous genres, sans compter qu'il est également le protecteur des animaux. Je préférai donc invoquer saint Jude, le patron des causes perdues et des cas désespérés.

Je me disais que si elle n'avait pas voulu communiquer avec moi, car elle était certainement venue fureter à l'église pendant que je m'y trouvais, c'est qu'elle était rebutée par ma bosse. Cette maudite infirmité me valait toutes sortes de contrariétés. Ainsi venait-on me voir fréquemment pour me demander l'autorisation de toucher à ma bosse. Comme j'ai du mal à refuser, je satisfaisais le désir de ces quémandeurs tout en me demandant où était née cette sotte superstition selon laquelle la bosse d'un bossu porte chance… Si elle portait chance aux autres, elle n'était pour moi qu'un grand inconvénient.

Je désespérais donc de revoir la demoiselle au diadème. Le bijou n'avait pas quitté l'arrière de la commode où je l'avais dissimulé. Mais voilà qu'un dimanche après vêpres, un vieillard vint me prévenir qu'une jeune femme désirait me voir à l'arrière de l'église. Quel ne fut pas mon étonnement d'y trouver Françoise de Bellefeuille que je reconnus au premier coup d'œil.

— Veuillez m'excuser, fit-elle, de venir vous importuner de la sorte. Croyez bien que je ne me le serais pas permis si vous ne m'aviez au préalable écrit une lettre, il y a un certain temps, où vous laissiez entendre que vous aviez en votre possession un objet de valeur m'appartenant. Je suis désireuse de savoir de quoi il s'agit.

— C'est une histoire très longue que je vous résumerai en deux mots. En creusant dans l'ancien enclos du cimetière, j'ai trouvé un diadème.

À ce mot je la vis pâlir et pensai même qu'elle allait s'évanouir. Je l'invitai donc à s'asseoir sur un banc afin de reprendre tous ses esprits, ce qu'elle fit sans se faire prier. Quand je m'aperçus qu'elle pouvait entendre ce que j'allais lui dire, je l'invitai à me suivre dans un parc voisin. Je la persuadai que nous y serions loin des oreilles indiscrètes. Comme je la voyais hésitante, je lui demandai :

— Préféreriez-vous que nous allions à une place de votre choix ?

Non sans quelques hésitations, elle répondit :

— Le parc fera l'affaire.

C'est ainsi que je pus tranquillement lui relater tous les événements qui m'avaient conduit jusqu'à elle. Elle m'apprit entre autres choses que le diadème ne valait rien, puisqu'il était orné de faux diamants. Elle me confia aussi, les larmes aux yeux, qu'il ne lui avait pas porté chance. Je voulus savoir en quelles circonstances elle en avait hérité.

— Je suis fille unique et ma mère, qui passait son temps à dire que j'étais sa petite reine, me l'offrit pour l'anniversaire de mes vingt ans. Elle tint, quelques jours plus tard, à ce que j'aille me faire photographier avec. Par coquetterie, j'eus le malheur de le garder bien en évidence sur ma tête en revenant à pied chez moi. Un individu, que je ne vis pas venir, me l'arracha des cheveux tout en me bousculant. Je tombai sur le trottoir de bois. Ma hanche en heurta le bord si violemment que je ne pus me relever. Des passants me portèrent secours. Je souffrais d'une fracture du bassin qui n'a pas bien repris. Depuis, je boitille en marchant.

— Avez-vous porté plainte à la police ?

— Oui, et bien que l'incident ait été rapporté dans les journaux, ils n'ont jamais pu trouver le coupable. Par contre, une bonne description du diadème avait été faite dans les journaux. On en avait même reproduit un dessin. Je présume que mon agresseur, sachant qu'il ne pourrait rien en tirer sans se livrer, s'en est débarrassé en l'enfouissant là où vous l'avez trouvé.

Pendant qu'elle me parlait, j'admirais ses yeux bruns et vifs si expressifs et si beaux. En veillant à ne pas la dévisager, je détaillais discrètement ses traits fins, ses cheveux bouclés et je me délectais de la douceur de sa voix. Je me disais que si la Providence l'avait mise sur ma route, sans doute qu'en m'enhardissant quelque peu, malgré mon handicap, je pourrais m'en faire une amie et, qui sait, peut-être même une épouse… Je lui offris de nous rendre chez moi afin que je puisse lui remettre le diadème. Elle insista pour que je le lui apporte plutôt chez elle. J'en déduisis qu'elle vivait seule.

— Donnez-moi le temps, insista-t-elle, de me remettre des émotions suscitées par notre rencontre et je vous ferai signe.

C'est ainsi que la découverte d'un diadème de pacotille me permit enfin, pour la première fois de ma vie, de rêver à la possibilité d'un amour.

# TROISIÈME PARTIE

# LA VIE QUOTIDIENNE

## 1905-1910

# Chapitre 31

# Le retour de Firmin

*Ovila*

Je savais mon beau-frère Firmin débrouillard. Toutefois, depuis qu'il était à Dawson, contrairement à ce à quoi tous s'attendaient, ils donnait de moins en moins de nouvelles. Il était tellement occupé, supposait son père, qu'il n'avait pas le temps d'écrire. Il était très souvent question de lui lors des dîners de la famille. Ce que j'en ai retenu, c'est qu'une fois arrivé à Dawson, il avait à peine l'argent nécessaire pour survivre jusqu'au printemps. Il se fit d'abord barbier ambulant, comme il l'avait déjà fait un peu auparavant, jusqu'à ce qu'il ait assez de sous pour acheter une modeste boutique qu'il transforma en salon de barbier. Il ne tarda pas à se créer une bonne clientèle parmi les chercheurs d'or canadiens-français de Dawson. Il travailla de la sorte pendant un an, couchant dans son échoppe de barbier et économisant tout ce qu'il pouvait pour réaliser son rêve, celui d'ouvrir un hôtel à Dawson.

Se rendant compte qu'il ne parviendrait jamais à accumuler suffisamment d'argent en coupant des cheveux et en rasant des barbes, il résolut d'aller travailler sur un des lots déjà en exploitation sur l'Eldorado. Je me souviens fort bien que dans une de ses lettres il parlait du lot numéro 17 et d'un certain Létourneau qui lui avait permis d'obtenir du travail sur ce lot, l'un des plus productifs des environs.

Pour qu'on puisse se faire une idée du travail qu'il avait à accomplir, il expliquait en long et en large en quoi consistaient ses journées. Avec des compagnons, il creusait une galerie souterraine afin d'en extraire l'or. En hiver, il devait subir des températures de cinquante sous zéro alors il préférait se tenir au fond de cette mine où le froid était moins intense. De son lot, il lui fallait, à lui et à ses compagnons, marcher pendant trois heures pour atteindre Dawson et en rapporter des provisions. Quand il en avait la chance, il s'y rendait avec un traîneau tiré par un chien. À chaque voyage du genre il devait faire des commissions pour d'autres de ses compagnons, tous des Canadiens français d'un peu partout dans la province. Il vivait là dans une cabane qu'il partageait avec deux camarades dont j'ai oublié les noms.

Ils travaillaient jusqu'à dix heures par jour. Ils commençaient leur journée en descendant dans la mine et creusaient la terre qu'ils faisaient remonter à la surface avec son contenu d'or. Là, elle était tamisée et rapportait gros aux propriétaires du lot. Pour pouvoir creuser, ils devaient au préalable, à l'aide d'un appareil à vapeur, dégeler la terre en profondeur. Ils recevaient régulièrement leur paye et tâchaient de leur mieux d'en dépenser le moins possible. À l'occasion, Firmin continuait son travail de barbier auprès de ses compagnons du lot 17 et des lots voisins.

Mais son idée d'acheter une maison à Dawson et d'y installer un hôtel ne quittait pas son esprit. Ne me demandez pas d'où lui venait cette ténacité qui le distingue toujours. C'était un Bédard, qui avait hérité de la fougue caractéristique de ses ancêtres. Ses ambitions pour son hôtel étaient très modestes au début : il comptait n'avoir d'abord que cinq chambres et agrandir la maison au fur et à mesure pour en faire un établissement respectable d'une trentaine de chambres avec un bar et une salle de spectacles.

Il y parvint au bout de deux ans. Je me souviens qu'il disait avoir travaillé comme un forcené pratiquement jour et nuit. Puis, un jour qu'il était à Dawson pour y faire des commissions, il vit une maison qui avait été en partie incendiée. Son propriétaire était décidé à vendre et Firmin fit une offre que l'autre accepta. La maison avait l'avantage d'être bien située, toutefois, elle avait besoin d'une rénovation complète. Il acheta les matériaux nécessaires et travailla lui-même à la réfection de la bâtisse tout en réservant déjà à l'avance l'emplacement où il prévoyait l'agrandir.

Pendant une année, il s'en tint à ses cinq chambres et un bar que se mirent à fréquenter en grand nombre les Canadiens français de Dawson et ceux qui y étaient de passage. Pendant toute cette période, il continua, malgré toutes ses autres obligations, son travail de barbier. Il avait à son service une femme de chambre et un préposé au bar quand ce n'était pas lui qui assurait le service. Au bout d'une année, se sentant les reins assez solide pour agrandir, il réalisa son rêve en ajoutant un deuxième étage et une salle qui, le jour, servait de restaurant et qui le soir se transformait pour offrir des spectacles où défilaient chanteurs, musiciens et danseuses, quand ce n'était pas du théâtre.

Il semble que pendant deux ans ce fut un des endroits les plus animés et les plus courus de Dawson. Chose certaine, la boisson et les spectacles aidant, l'argent coulait à flot. Firmin fit fortune. Mais comme il n'était pas aveuglé par le succès, il se rendit compte que la ruée vers l'or déclinait.

Alors, pendant que son hôtel faisait des affaires d'or, il le vendit et décida de revenir chez lui.

Avant de quitter Dawson, il écrivit qu'il comptait arriver environ un mois plus tard. Toute la famille l'attendait impatiemment et un bon soir il déboula avec deux valises pleines, et les traits quelque peu tirés. Il était parti encore tout jeune homme, il revenait homme mûr chargé d'un tas de souvenirs et d'expériences inoubliables. Il avait appris beaucoup : un hôtel est certainement un des endroits où se déroule tout ce que la vie peut offrir de bien et de moins bien. Il avait lutté et il avait souffert. Ça paraissait dans ses propos et son attitude, mais il était plein de dynamisme et de fougue. À peine avait-il mis les pieds chez ses parents qu'il s'informa auprès de son père s'il n'y avait pas dans Saint-Roch une maison ou un bâtiment qu'il pourrait aménager pour en faire un hôtel.

Je fus heureux de lui venir en aide. J'avais entendu parler d'une maison en vente rue Saint-Joseph. Je trouvai l'adresse et la lui donnai. Dès le lendemain il partit en quête de son rêve. Deux jours plus tard, Marjolaine, qui ne manquait jamais de passer chez ses parents régulièrement, m'apprit qu'il avait trouvé. Il allait établir son hôtel rue Saint-Joseph. Il tint à ce que son père voie la maison qu'il avait dénichée. Je les accompagnai. Ce n'était pas celle dont je lui avais recommandé l'achat et j'avoue, quand m'apparut cette maison décrépite, ne pas avoir compris ce que Firmin pouvait lui trouver. Mais en visionnaire qu'il était, il imaginait déjà parfaitement ce qu'elle deviendrait. C'est ainsi que quelques mois plus tard, il ouvrit son hôtel Eldorado. Comme tout ce qu'il touchait, la réussite fut quasi immédiate. Ses parents étaient fiers de lui et c'était un plaisir de le retrouver parmi nous lors de nos dîners mensuels. Il y mettait beaucoup d'animation et n'avait surtout pas perdu son habitude de raconter des histoires qui nous faisaient rire aux larmes.

# Chapitre 32

# Bénédiction des gorges

*Hubert*

Les mois et les années passaient. L'hiver nous tombait dessus en novembre quand ce n'était pas en octobre et je le trouvais de plus en plus difficile à subir. P'pa et m'man vieillissaient et p'pa, surtout, parlait de prendre sa retraite. Nous étions en plein mois de janvier quand m'man fut prise d'un mal de gorge qui semblait ne plus vouloir la lâcher. C'est alors que je pensai lui conseiller un remède qu'on disait fort efficace. Chaque hiver, le 3 février avait lieu à l'église durant les messes du matin la bénédiction des gorges à l'occasion de la fête de saint Blaise. Le prêtre, après avoir béni deux cierges, qu'il disposait en croix, les imposait sur la gorge des fidèles désireux de recevoir cette bénédiction en récitant l'invocation suivante : « Par l'intercession de saint Blaise, évêque et martyr, que Dieu te délivre de tout mal de gorge et de toute autre maladie, au nom du Père, du Fils et du Saint-Esprit, ainsi soit-il. » Les gens n'avaient qu'à s'agenouiller à la balustrade pour recevoir cette bénédiction et, soutenait-on, il n'y avait pas d'exemple que cette intercession faite d'un cœur pur et sincère n'ait été exaucée. J'invitai donc m'man à venir assister à cette cérémonie.

Elle voulut d'abord en savoir plus long là-dessus. Elle me demanda de m'informer d'où venait cette coutume.

Je demandai à monsieur le curé, qui me raconta que saint Blaise vivait à la fin du troisième siècle et au début du quatrième. Il était médecin à Sébaste et les citoyens décidèrent de l'élire évêque de leur ville. Il n'allait plus pratiquer sa profession, mais Dieu lui donna une grande capacité de guérison. Quelque temps après son élection comme évêque, il se retira sur une montagne nommée Argée, où il avait pour compagnie des lions et des ours qui, paraît-il, étaient ses compagnons et allaient jusqu'à lui lécher les mains. Agricola, gouverneur de Cappadoce et d'Arménie sous l'empereur Licinius, entendit parler de Blaise et des miracles qu'il accomplissait. Voyant grandir sa notoriété, il en prit ombrage et le fit arrêter et conduire en prison. Pendant le trajet, Blaise accomplit le miracle suivant.

Une femme des environs de Sébaste avait un fils unique. Cet enfant, en mangeant du poisson, avala une arête qui resta prise dans sa gorge sans qu'on puisse l'enlever. Il allait mourir lorsque Blaise passa par là. La mère amena son enfant et se jeta aux pieds du saint évêque. Blaise imposa les mains au jeune malade et traça sur sa gorge le signe de la croix en demandant au Seigneur de lui donner le don de guérir tous ceux qui souffriraient de la gorge. L'enfant fut aussitôt guéri.

Apprenant que Blaise, en route vers sa geôle, continuait à guérir des malades et convertir des païens, Agricola fut saisi de rage. Il fit battre l'évêque à coups de verge, le fit attacher à un chevalet, puis, avec les peignes de fer dont se servent les cardeurs, il lui fit écorcher le dos et tout le corps. Cela n'empêcha pas Blaise d'accomplir encore d'autres miracles jusqu'à ce qu'il ait la tête tranchée. C'était le 3 février 316. Avant de mourir, Blaise dit cette prière : « Seigneur, mon Dieu, venez en aide à votre serviteur et écoutez la prière qu'il vous adresse avant de mourir pour vous. Si une arête se fixe dans le gosier de quelqu'un ou si, souffrant d'une maladie de la gorge, il implore avec foi votre secours et votre protection, venez-lui en aide et délivrez-le de son mal. » Par la suite, plusieurs miracles du genre furent accomplis par l'intercession de saint Blaise. Une jeune fille qui n'avait plus de voix depuis cinq ans la recouvra en priant saint Blaise. Et ainsi se répandit donc la cérémonie de bénédiction des gorges à la Saint-Blaise.

Je rapportai tout ça à m'man et n'eus pas de misère à la convaincre qu'elle n'avait rien à perdre à faire bénir sa gorge. Elle vint à l'église et reçut la bénédiction. Malheureusement, ça n'eut aucun effet immédiat. Son mal finit par passer de lui-même. Quand, plus tard au printemps, Rosario vint à la maison, il fut question de cet épisode. Rosario semblait bien embêté – et cela d'autant plus que Léonard était présent.

— Tu ne peux pas soutenir, dis-je, que m'man n'est pas la personne parfaite pour une telle guérison, elle qui prie sans arrêt, qui a confiance en Dieu et aux saints et qui mène une vie exemplaire.

Rosario était visiblement dans ses petits souliers. Il n'allait tout de même pas laisser entendre que m'man n'avait pas reçu la bénédiction avec assez de confiance. Il bredouilla :

— Il y a, comme ça, des mystères que nous ne pouvons pas expliquer.

— Il faut croire, insinuai-je, qu'avec les années et les siècles, les pouvoirs de saint Blaise ont diminué.

Ma réflexion sembla ouvrir une porte à Rosario qui s'empressa d'expliquer :

— Nous avons malheureusement l'habitude de nous adresser aux saints sans préparation. Il aurait fallu que m'man fasse une neuvaine à saint Blaise avant d'aller faire bénir sa gorge. Le saint l'aurait certainement alors guérie sur-le-champ.

Fier de lui, Rosario se cala dans son fauteuil. Léonard, qui n'était pas intervenu, en profita pour mettre son grain de sel.

— Je suis étonné, mon bien cher frère, que tu n'aies pas dit qu'il s'agissait là de la volonté de Dieu.

Rosario s'écria :

— Ai-je besoin de le répéter ? Tout dépend de la volonté de Dieu !

— C'est parfait, ricana Léonard, comme ça la face est sauvée. Mais réjouissons-nous, car m'man n'a plus mal à la gorge et ce n'est pas saint Blaise qui l'a guérie. La vie demeure un mystère insondable. Pourquoi certains naissent-ils infirmes ? Pourquoi des pécheurs vivent-ils toute leur vie dans l'abondance et de saintes personnes dans la misère ? Pourquoi des enfants ont-ils à peine le temps d'ouvrir les yeux qu'ils sont rappelés à ton Dieu ? Pourquoi ? Ne cherchez pas, mes bien chers frères, c'est la volonté de Dieu et ce que Dieu veut est un mystère. Amen.

La réflexion de Léonard laissa tout le monde pensif. Mais il n'en avait pas fini avec cette histoire, car il ajouta :

— Pour guérir d'un seul coup, m'man aurait dû baiser la relique de la Vierge Marie qui a été donnée au Sanctuaire de Notre-Dame-du-Cap.

— Une relique de la Vierge Marie ? s'étonna Firmin. Il existe vraiment encore des reliques d'elle ?

— Comme il y en en a de tous les saints, certifia Rosario.

— J'aimerais bien savoir en quoi elle consiste.

Léonard intervint :

— À la plus belle des supercheries pour attrape-nigauds !

Comme de juste, sa réflexion fit bondir Rosario de son fauteuil. Il était rouge de colère et s'apprêtait à répliquer vertement, lorsque fort heureusement, au même moment, la fidèle Maria qui, de sa cuisine, semblait ne rien perdre des conversations, survint comme d'habitude au moment crucial et nous invita à passer à table. J'ignore pourquoi, ce dimanche-là, j'eus l'impression que nous venions d'éviter une mémorable prise de bec. Léonard eut le dernier mot quand il lança en désignant l'abondance de nourriture sur la table :

— Regardez, mes frères et sœurs, ça c'est le miracle produit par p'pa tous les jours depuis notre naissance !

# Chapitre 33

# Nos loisirs

*Ovila*

Son handicap avait toujours empêché mon beau-frère Hubert de pratiquer quelque sport que ce soit. Ce n'était pourtant pas les possibilités de nous adonner à un ou des sports qui manquaient, ils foisonnaient à Québec. Ne pouvant pas en pratiquer un en raison de son infirmité, Hubert avait particulièrement plaisir à assister aux sports de compétition. L'hiver était propice à cet effet. Il y avait le curling, la crosse, la lutte, les quilles, les courses de raquette et surtout le sport nouveau que j'aimais le plus, le hockey.

Chaque hiver avait aussi lieu le carnaval. C'étaient les raquetteurs qui y jouaient le rôle principal, car ils participaient à la parade, avec chars allégoriques, rue Saint-Joseph, à laquelle je ne manquais jamais d'assister. Quel plaisir de les voir défiler chacun aux couleurs de son club ! Ils étaient plus de mille deux cents venant de Québec, de Montréal, de Sherbrooke et même de Winnipeg. La fête ne manquait pas d'être grandiose et excitante quand, au cours de l'après-midi, ils s'adonnaient aux différentes courses dont les gagnants étaient déclarés champions du monde.

Voilà ce que j'aimais de Québec. On pouvait y assister à toutes sortes de compétitions. Mais, en temps ordinaire et tout au long de l'hiver, ce que j'aimais le plus était de suivre les parties de hockey pour en faire un compte rendu dans le journal. Québec avait son club qui luttait entre autres contre Ottawa et Montréal pour obtenir à la fin de l'hiver la coupe Stanley. Cette coupe portait le nom de l'ancien gouverneur général lord Stanley qui l'avait donnée pour être remise au club qui gagnerait les séries finales au terme des compétitions annuelles.

Comme Québec avait son équipe de hockey et que je ne manquais aucune partie, je pensai inviter Hubert à m'y accompagner, ce qu'il fit avec grand plaisir. Je trouvais que ce sport relativement nouveau constituait le jeu par excellence. Il attirait des foules enthousiastes. Je crois qu'on pouvait attribuer l'intérêt pour ce sport au fait qu'il était très rapide et qu'il fallait beaucoup d'habileté pour y jouer. Il gagnait de plus en plus de popularité partout et notamment dans les universités américaines comme Yale, Harvard, Cornell, Princeton et Pennsylvanie.

Grâce au journal *Le Soleil* dans lequel je rapportais les exploits des joueurs de hockey, je suivais les activités du club de Québec et j'allais assister aux parties locales. J'en sortais toujours heureux quand notre club gagnait, et Hubert qui était devenu un fidèle supporter de notre club me disait que sans son infirmité il se serait certainement adonné à ce sport.

C'est d'ailleurs lors d'une de ces joutes qu'Hubert fit la connaissance de Réal Dumont qui devait devenir un bon ami. Réal était passablement grand et il réagissait avec tellement d'enthousiasme à chaque bon coup des joueurs qu'on ne pouvait pas manquer de le remarquer. Il nous adressa la parole dans une drôle de circonstance. La rondelle avait été lancée dans notre direction et pour se protéger Hubert se pencha vivement. Réal s'écria spontanément :

— Tu viens d'éviter une deuxième bosse !

Voyant qu'Hubert réagissait à sa réflexion en souriant, il tint à lui parler.

— Tu as bon caractère à ce que je vois !

Hubert haussa les épaules, ce qui, avec sa bosse, était quelque chose d'assez étrange à voir. Ça le fit bien rire, mais l'encouragea à lui parler, et ainsi, sans qu'il l'ait cherché, Hubert se fit un ami qu'il retrouvait avec plaisir à chaque partie.

Mais il ne faut pas croire qu'il s'agissait là des seuls loisirs que nous avions. Grâce au théâtre de Firmin, nous pouvions assister à des pièces. L'une d'elles fit d'ailleurs grandement plaisir à Hubert, notre sonneur de cloches. Il ne manqua pas de m'en parler.

— L'autre soir au théâtre de Firmin il y a eu une pièce tout à fait particulière où les cloches jouaient le premier rôle. Elle s'intitulait en anglais *Eight Bells*.

— Toi, le sonneur de cloches, ç'a dû te faire plaisir d'y assister !

— Et comment donc ! Ça m'a permis de mesurer à quel point les cloches sont importantes dans notre vie. Dès la levée du rideau s'est fait entendre une mélodie très vivante, entièrement jouée avec des cloches. Elle a été suivie d'une chanson où les cloches jouaient un rôle important, de la naissance à la mort d'un homme. Le deuxième acte s'est ouvert sur le son d'une cloche de locomotive signalant le départ d'un train. Là encore nous avons eu droit à une mélodie très entraînante. Ensuite, nous nous sommes retrouvés sur le pont d'un navire où la cloche sonnait à toute volée au milieu d'une tempête.

— Il ne manquait que les cloches de l'église pour que ce soit complet.

— Tu as raison, car le spectacle s'est terminé justement devant une église où les cloches sonnaient à toute volée.

Hubert était reconnaissant à Firmin d'être parvenu à trouver un tel spectacle et, qui plus est, qui coïncidait avec son anniversaire de naissance.

En plus du théâtre, nous avions le loisir de nous rendre au cinéma assister à des films dont nous gardions un souvenir inoubliable et nous pouvions également assister à des concerts joués par l'orchestre de monsieur Vézina. Nous n'étions donc pas en peine d'occuper notre temps à des loisirs très agréables rendant notre vie plus douce.

# Chapitre 34

# Françoise de Bellefeuille

*Hubert*

Des semaines avaient passé depuis ma rencontre avec Françoise de Bellefeuille. J'attendais avec anxiété le moment où elle me ferait signe à propos du diadème. Un bon matin, alors que je sortais de l'église, je la vis venir vers moi de son pas hésitant. Elle ne m'adressa pas la parole, mais en passant me remit un billet sur lequel d'une belle et fine écriture était inscrit : « Je vous attends cet après-midi chez moi à compter de deux heures. »

Fort heureusement, mes obligations de sonneur de cloches ne me retenaient pas à l'église à cette heure et je me préparai fébrilement à cette rencontre. Je commençai par récupérer le diadème toujours à sa place derrière ma commode et je le mis dans ma poche. Puis, après avoir longuement réfléchi, je décidai d'écrire un billet que je voulus le plus simple possible, dans lequel je laissais entendre à cette demoiselle qu'elle était loin de me laisser indifférent. Je savais que c'était osé d'agir de la sorte et que je risquais de me faire rapidement éconduire. Mais qui ne risque rien n'a rien. J'écrivis :

*Mademoiselle,*

*Je vous sais gré de me faire confiance au point de me recevoir chez vous. Vous ne me connaissez pas et malgré mon handicap vous m'accueillez comme on accueille un ami. J'en suis profondément touché. La Providence a fait que nos routes se sont croisées. Peut-être est-ce un signe du destin pour nous inviter précisément à cheminer ensemble comme de bons amis.*

*Permettez-moi de vous dire que depuis que j'ai fait votre connaissance, mes jours sont plus ensoleillés et la vie devant moi s'annonce plus belle. Vous saurez bien me dire si ce n'est là qu'illusions de ma part.*

*Merci de votre accueil, vous dont, depuis des semaines, je porte l'image dans mon cœur. Pardonnez au pauvre sonneur de cloches que je suis de ne pas savoir employer les mots des poètes pour souligner votre beauté et vous remercier de votre bonté.*

*Votre humble serviteur,*
*Hubert Bédard*

J'arrivai chez elle à l'heure dite. Elle habitait une petite maison jolie à l'extérieur et tout aussi pimpante à l'intérieur. Le soleil illuminait d'une belle clarté la maison. Je ne manquai pas de le lui faire remarquer en m'exclamant :

— C'est donc beau chez vous ! Vous vivez dans la lumière.

Je la vis rougir de plaisir et j'osai ajouter :

— Votre maison, mademoiselle, est à votre image, d'une beauté éblouissante.

Me rendant compte que je venais de dire là quelque chose de passablement audacieux, pour faire diversion, je sortis le diadème de ma poche. En le voyant, elle réagit comme quelqu'un qui tout d'un coup est submergé par un mélange de souvenirs heureux et malheureux. Sans doute, tout ce qui touchait la possession de ce bijou lui revenait-il en mémoire. Je le lui tendis. Elle le prit d'une main trem- blante. Je dis :

— Mademoiselle, me ferez-vous l'honneur de me rap- peler dans quelle circonstance ce diadème vous a été remis ?

— Je crois, fit-elle, vous l'avoir mentionné lors de notre dernière rencontre. C'était un cadeau de ma mère.

— Ah, oui ! Je me rappelle, elle avait voulu souligner de la sorte vos vingt ans. Mais je vois que vous vivez seule. Est-ce à dire que vous avez perdu vos parents ?

Elle me répondit d'une voix émue :

— En effet. Je suis orpheline depuis cinq ans. Mon père est mort dans un accident survenu à son travail et ma mère n'a guère survécu à ce malheur. Il est vrai qu'elle souffrait d'une maladie du cœur qui a fini par l'emporter.

— Vous m'en voyez sincèrement navré. Mais, dites-moi, vous me semblez vous débrouiller assez bien dans la vie, puis-je connaître votre secret ?

Elle se leva et m'invita à la suivre. Elle se dirigea vers ce que je jugeai être la porte du salon, qu'elle ouvrit, et d'un large geste me désigna tout au fond de la pièce un piano.

— Cet instrument m'aide à gagner ma vie.

— Vous enseignez le piano ?

— Vous avez deviné. Jusqu'à ce que m'arrive le bête accident dont je vous ai parlé, je donnais avec un certain succès des récitals. Mais les blessures que j'ai subies en raison de ce diadème de malheur ont mis fin à ma carrière de pianiste. Je donne donc des cours, ce qui me permet de gagner honnêtement ma vie. Fort heureusement, mes parents m'ont laissé en héritage cette maison. De la sorte, je n'ai pas à me soucier d'un toit, ce qui, dans la vie, constitue un magnifique cadeau.

— Vous m'en voyez heureux pour vous. Mais je constate qu'en vous rapportant ce diadème j'ai fait ressurgir à votre mémoire de bien malheureux souvenirs. Veuillez m'en excuser.

— Vous n'avez pas à le faire, vous ne pouviez pas deviner tout ce qui se cachait derrière ce bijou à l'origine de mes malheurs. De l'avoir à nouveau en main refermera sans doute la plaie qu'il a ouverte. Mais maintenant que tout cela est derrière moi, j'apprécierais que nous parlions d'autre chose.

Je réfléchis un moment à ce que j'allais lui dire pour orienter notre conversation sur une voie plus heureuse.

— Je présume, dis-je, que vous n'avez jamais eu la chance d'admirer notre ville de très haut, sinon de la Haute-Ville. Mais peut-être seriez-vous heureuse de la voir du haut du clocher de notre église ? Je pourrais vous mener là-haut et vous auriez tout votre temps de laisser courir vos regards sur Saint-Roch et Saint-Sauveur et au-delà de la rivière Saint-Charles sur Limoilou, Gros Pin et Charlesbourg jusqu'à la chaîne des Laurentides, au loin. Si je vous invitais, sauriez-vous venir ?

— Certainement, pourvu que vous me laissiez le temps de souffler en montant les marches qui conduisent là-haut.

— Soyez sans inquiétude, vous aurez tout votre temps et il vous sera même donné de pouvoir contempler la plus grosse de nos cloches sans qu'elle ne se mette en branle puisque c'est mon travail de la faire chanter.

Je vis que ses yeux brillaient à la seule idée de pouvoir se retrouver ainsi en haut du clocher.

— Les hauteurs ne vous font donc pas peur?

— Certes non, puisqu'elles nous rapprochent du ciel.

— Je choisirai, dis-je, une journée où l'air est pur comme du cristal et le regard peut porter très loin. Nous pourrons ensuite nous asseoir dans un petit îlot de verdure, voisin de la rivière, et savourer ensemble un repas qui viendra conclure agréablement cette heureuse journée.

Au-delà de mes rêves et de mes espoirs les plus fous, alors que je m'attendais, au pire, à une rebuffade ou, au mieux, à un refus poli, elle accepta mon invitation avec un beau sourire.

Quand je la quittai, je ne portais plus à terre. Il me semblait en reprenant le chemin de l'église que je ne claudiquais plus.

# Chapitre 35

# Québec, ville anglaise

*Ovila*

Mon beau-père aimait se promener dans Québec. C'était sa ville, après tout! Il y était né et même s'il n'avait pas visité les autres villes du pays il était persuadé que c'était la plus belle. Un de ses plaisirs consistait à y faire un tour le dimanche après-midi. Un beau dimanche, Marjolaine me dit:

— Il faut que je passe à la maison chercher une recette de m'man, viens-tu avec moi?

Je l'accompagnai. Comme nous arrivions rue du Pont, mon beau-père revenait justement d'une tournée dans Saint-Roch. À son air songeur, je devinai qu'il était préoccupé. Je lui demandai:

— Quelque chose ne va pas?

— Toi qui es journaliste, tu devrais te soucier de ça.

— Quoi donc?

À sa façon coutumière, il répondit brusquement, d'une voix quelque peu courroucée:

— Parfois, je me demande si notre ville est réellement une ville française.

— N'oubliez pas, dis-je, qu'il y a à peine cinquante ans, elle était plus anglaise que française.

— Ouais! Mais peux-tu me dire pourquoi ça paraît encore autant aujourd'hui? On ne peut pas parcourir cent pieds dans une rue sans avoir devant les yeux une affiche en langue anglaise. J'ai voulu acheter un plan de la ville. Il n'y en avait pas en français. J'ai dû me contenter de l'*Index Plan of the City of Quebec and its environs*. Regarde!

Il le tira de sa poche.

— Je n'en suis pas encore revenu, dit-il.

— De quoi?

Il étala le plan sur la table et, de son index, m'indiqua, inscrits en lettres majuscules, St. Lawrence River et St. Charles River. Il clama d'une voix indignée:

— Même si les noms des rues y sont écrits en français, ceux des principaux édifices y paraissent en anglais.

Il pointa son index sur Parlement Building, Ursuline Convent, Seminary of Quebec, Normal School.

— Ce n'est pas tout, ajouta-t-il. Les places et les quartiers sont écrits en anglais, comme Plains of Abraham, St. Roch Ward, St. Charles Village et Catholic Cemetery. Ajoute à ça que les noms de certaines rues sont massacrés ou ont été traduits. Ainsi la rue Saint-Olivier est devenue St. Oliver et Desjardins, Desjardines.

Sa fibre patriotique brûlait. Il était indigné.

— Nous ne sommes même pas chez nous dans notre propre ville! Heureusement au moins que les pancartes annonçant le nom des rues sont bien écrites en français. Mais ce qui me paraît le plus désolant, c'est qu'un grand nombre des commerces et des industries affichent en anglais.

Je lui fis remarquer:

— Il ne faut pas s'en surprendre, car la plupart des principaux marchands et commerçants sont de langue anglaise et les grosses industries sont anglaises.

— Rien n'empêche que quand nous marchons dans nos rues, vraiment, nous avons l'impression de vivre dans une ville anglaise. Regarde les affiches : Dominion Corset, Montmorency Electric Power, Quebec Land Company, Bell Telephone of Canada, Bank of British North America, Bank of Montreal, et j'en passe...

Je lui fis remarquer :

— Dans Saint-Roch, c'est différent.

— Malheureusement on y trouve encore beaucoup trop d'annonces en anglais.

— Mais, dis-je, je pense que c'est pas mal pire à la Haute-Ville.

— À qui le dis-tu !

Il paraissait très contrarié de cette situation.

— Je pense, me confia-t-il, que je vais me mettre à me battre pour que nous ayons plus d'annonces en français. Après tout, si les marchands canadiens-français se sentent obligés de faire paraître leurs annonces en anglais, on pourrait bien contraindre les Anglais à les afficher en français.

J'approuvai :

— Ce n'est pas une mauvaise idée.

Pour lui faire voir le bon côté de la chose, j'ajoutai :

— Consolez-vous. Dans Saint-Roch, nos plus importants marchands canadiens-français comme Zéphirin Paquet, J.B. Laliberté et le Syndicat se tiennent debout.

Il approuva d'un signe de tête peu convaincant. Je ne pouvais pas le blamer de pester contre ça. Il passait son temps à répéter que si nous ne nous réveillions pas, un jour il n'y aurait plus une affiche en français et nous serions devenus aussi anglais que les millions de personnes qui nous entourent. Là-dessus il était intraitable. Il soutenait que nous avions le devoir de conserver le patrimoine, les coutumes et la culture que nos ancêtres nous ont laissés et que tout ça commençait par la langue. À vrai dire, je trouvais qu'il avait entièrement raison. Je lui promis de regarder cela de près et d'attirer éventuellement l'attention là-dessus dans les journaux.

— Fais donc ça, mon gars. Tu ferais bien plaisir à ton beau-père.

<hr />

Quand je voulus mettre mon projet à exécution et que j'écrivis un long article sur cette question, mon patron refusa de le publier. Je lui demandai pourquoi.

— Parce que nous allons nous mettre les Anglais à dos.

— Ce ne sont pas eux qui s'abonnent au *Soleil*.

— Peut-être pas, mais ils peuvent nous faire bien du tort.

— Comment?

Il ne sut trop quoi répondre, mais mon article se trouve encore dans un des tiroirs de mon bureau.

# Chapitre 36

# Clémence écrit

*Hubert*

Clémence a toujours été indépendante et s'est habituée à faire son affaire toute seule. Je me souviens quand nous étions petits comment elle se débrouillait sans dire un mot. Je la vois encore occupée à disséquer des grenouilles et même des souris pour en étudier l'anatomie. Rien ne lui répugnait. Elle avait ça en elle et nous ne fûmes pas étonnés qu'elle veuille à tout prix devenir médecin. Elle a une telle volonté qu'en moins d'une année elle a appris à très bien s'exprimer en anglais et Nathalie Ducharme, la jeune femme médecin de Montréal dont elle s'était faite une amie, a tenu parole en lui faisant obtenir une bourse d'étude à l'Université Saint Paul au Minnesota.

Clémence s'est installée là comme si elle était chez elle. Je l'imaginais dans sa chambre entourée de livres d'anatomie et de tout ce qu'il fallait pour disséquer toutes les bêtes qui lui tombaient sous la main. Débrouillarde comme elle l'est, nous ne nous inquiétions pas d'avoir si peu de ses nouvelles. Aussi, quand elle daignait nous faire parvenir une lettre, tout le monde avait hâte d'en prendre connaissance. En revenant de l'église un beau midi, je constatai qu'il y avait plus d'animation que de coutume à la maison. Maria, ordinairement discrète, était très volubile quand j'arrivai. Je m'informai de ce qui se passait et c'est ainsi que j'appris que Clémence avait écrit. Je demandai :

— Que raconte-t-elle de bon ?

Maria répondit :

— Elle parle de toutes sortes de choses. Quand bien même je tenterais de résumer ce qu'elle dit, je n'y arriverais pas. Constate par toi-même.

Elle me tendit la lettre de Clémence et je me mis aussitôt à la lire avec beaucoup de plaisir.

*Saint Paul-Minneapolis, 22 février 1906*

*Chers parents,*

*Je m'excuse de ne pas vous donner de nouvelles plus souvent, mes études me demandent beaucoup d'attention et prennent tout mon temps. Heureusement j'ai une bonne santé et je suis en mesure de tenir le coup. Mine de rien j'en suis à ma dernière année ici et je me propose bien de revenir chez nous en me faisant admettre pour ce que je suis en train de devenir : une femme médecin. Je suis certaine que ce ne sera pas facile de faire avaler ça aux hommes médecins qui, chez nous, prennent toute la place. Mais, tout comme je suis parvenue à faire mon chemin ici, j'y arriverai bien chez nous.*

*Maintenant que mes études arrivent à leur fin, je ne regrette pas d'avoir choisi de m'intéresser à la médecine générale. De la sorte, je serai plus utile à plus de personnes. Ici, mes confrères et mes consœurs me voyaient tous en chirurgie. Il est vrai que je les ai beaucoup impressionnés quand il a été question de disséquer des cadavres. Je me souviens d'un matin où nous avons été appelés à nous attaquer, bistouri en main, au* corps qu'on nous avait apporté sur une civière. Nos professeurs pensaient qu'à la vue d'un macchabée dont nous allions avoir la tâche d'ouvrir la poitrine et d'en sortir le cœur, le foie et les entrailles, nous allions nous effondrer et perdre connaissance. Si deux de mes consœurs n'ont pas pu tenir le coup, ils ont été bien étonnés de me voir m'attaquer à mon cadavre comme s'il se fût agit d'un gros légume! Je n'ai jamais eu peur de disséquer tout ce qui me tombait sous la main. Ce fut pareil.

Plus tard, quand il fut question d'ouvrir un cerveau, les confrères masculins pensaient bien que j'allais flancher, mais ils ont été étonnés de me voir travailler sans sourciller. Aussi, au bout de quelques mois, tous me disaient que je devais m'orienter en chirurgie. Je ne les ai pas écoutés. Tout ce que je désirais, c'était de savoir comment est constitué et fonctionne un humain, pour pouvoir diagnostiquer ensuite de quelle maladie il souffrait, s'il avait mal au ventre, au foie, à l'estomac ou à la tête, et être en mesure de lui prescrire les remèdes appropriés. Voilà pourquoi j'ai choisi la médecine générale.

Nous aurons à la fin de l'année la remise de nos diplômes. J'aimerais bien vous voir y assister, mais Saint Paul-Minneapolis n'est pas à la porte d'à côté et je sais fort bien que ce sera difficile pour vous d'être là. Je ne vous en voudrai pas si vous n'êtes pas présents, pourvu que vous y soyez en pensée. Je ne tarderai pas ensuite à regagner Québec où je suis déjà en communication avec des hôpitaux qui pourraient avoir besoin de mes services. Par contre, jusqu'à présent on ne se bouscule pas aux portes pour m'offrir un poste et je suis certaine que parce que je suis une femme on aura pour moi des exigences qu'on n'impose pas aux hommes. Mais je suis prête à faire face à la musique.

J'ai bien hâte de vous voir et, en attendant, je vous espère tous en bonne santé. Ça me fera drôle de sortir de mon exil et *de me retrouver à Québec. Vous m'avez manqué, je n'ai guère été fidèle à vous écrire, mais ça ne veut pas dire pour autant que vous étiez loin de mes pensées. Je vous reviens bientôt et il me semble que nous aurons beaucoup à nous dire.*

*Votre fille qui ne vous oublie pas,*
*Clémence*

Je reconnaissais bien là ma petite sœur devenue grande, mais demeurée toujours aussi dynamique et directe. Cette lettre me faisait mesurer une fois de plus à quelle vitesse le temps file et comme parfois une simple lettre peut nous faire remonter dans le temps. Tout le reste de la journée, me trottèrent dans la tête les moments passés en compagnie de Clémence qui, si discrète qu'elle fût, prenait tout de même une large place dans ma vie. J'avais bien hâte qu'elle nous revienne.

# Chapitre 37

# Firmin

*Ovila*

Lorsqu'il revint de Dawson, Firmin était devenu un homme qui portait fièrement la moustache et ressemblait en tous points aux hommes d'affaires et marchands de notre bonne ville. Il en avait les habits et la prestance, et se déplaçait, sûr de lui, parmi tout ce beau monde qui ne l'intimidait pas du tout.

En moins d'un an après son retour, il avait doté Saint-Roch d'un nouvel hôtel et d'une salle de spectacles qu'il transforma ensuite en théâtre et en salle de cinéma. Dès lors, il fut aux prises avec nos bons curés pour qui théâtre, cinéma et danse représentent autant d'occasions de pécher.

Je me souviens fort bien en particulier qu'il était parvenu à inviter pour l'ouverture de son théâtre nulle autre que l'actrice Gabrielle Réjane accompagnée d'une troupe de comédiens français. Après la prestation de la troupe à l'Auditorium de la Haute-Ville de Québec, il obtint que ces acteurs viennent inaugurer sa salle pour deux soirs dans Saint-Roch. Les représentations firent salle comble. Mais, comme il fallait s'y attendre, les pièces *L'Hirondelle* et *La Petite Marquise* firent l'objet d'une critique très sévère de la part du clergé. L'archevêque lui-même s'en mêla. Les représentations, celle de *L'Hirondelle* en particulier, furent qualifiées d'immorales et la presse catholique se mit de la partie.

Pourtant, après la première représentation, tout le monde était d'avis que cette actrice valait à elle seule le déplacement, pour sa verve, ses jeux de physionomie et sa facilité à passer du rire aux larmes. Qu'est-ce qui, dans cette pièce, pouvait être qualifié d'immoral? Le fait qu'un mari trompe sa femme ou le fait que certains personnages s'embrassent en public?

Chose étonnante, malgré l'intervention des autorités ecclésiastiques, les billets pour la deuxième soirée s'envolèrent et les acteurs reçurent au terme de leur prestation une longue ovation. Mais le clergé continua de prévenir les catholiques qu'en allant assister à des pièces de théâtre, ils s'exposaient à aller en enfer et que le salut de l'âme valait beaucoup plus que cinquante cents comme prix d'entrée. Fort heureusement, Firmin ne se laissa pas impressionner par ces remontrances et il continua à faire monter des pièces de théâtre fort appréciées dans la salle qu'il possédait.

Une fois Firmin de retour parmi nous, il me sembla que la vie ne serait plus la même. J'eus plaisir à lui rendre visite avec Marjolaine, mais il était toujours très occupé, surtout depuis qu'il s'était fait une bonne amie, Chantale Robert, une actrice, avec laquelle il ne tarderait pas, j'en étais sûr, à être fiancé.

C'est exactement ce qui survint à peu près un an et demi après son retour. Mon beau-père trouvait Chantale gentille, bien qu'un peu distante. Ma belle-mère soutenait qu'elle n'était pas du même monde qu'eux. Elle voulait dire par là que cette jeune actrice n'avait pas reçu la même éducation que nous. Elle la trouvait dépensière et coquette. Invité par Firmin, en compagnie de Marjolaine, je la vis jouer une fois dans une pièce comique et pour le peu que je connaissais du théâtre, je ne fus pas très enthousiasmé par sa prestation qui me parut assez médiocre. Mais Firmin et elle s'aimaient et c'était tout ce qui comptait. J'étais heureux pour eux.

Ils se fréquentèrent longtemps sans parler de se marier, ce qui contraria beaucoup mes beaux-parents, influencés en cela par Rosario qui n'approuvait pas du tout leur façon de vivre. Il est vrai que Firmin baignait dans un milieu où les mœurs étaient passablement relâchées, ce qui contrariait le beau-frère curé. Ils eurent d'ailleurs une prise de bec mémorable lors d'un dîner familial.

Avec sa spontanéité habituelle, Firmin parla des spectacles présentés dans sa salle.

— Nous avons eu, confia-t-il, de très bonnes représentations dernièrement. Entre autres : les Américains, une troupe de burlesque parmi les meilleures au monde. Le second acte des *Mixed Pickles* était à se rouler par terre. Il y a des numéros remarquables, des danseuses, des chanteuses et Joe Goodwin, le *stand-up comic*, comme ils disent, est incroyable. Une fois que tu as assisté à leur spectacle, tu es de bonne humeur pour longtemps.

« Nous avons eu aussi les Merrymakers avec les *Milk Maids*, une farce musicale comme je n'en avais jamais vue. Le chœur des cow-girls valait à lui seul le prix d'entrée. Une des filles chante le solo, tandis que les autres cow-girls l'accompagnent sur des terrines et des jarres. Vous devriez venir à une de ces représentations. Ça me ferait plaisir de vous y inviter.

Son père lui demanda comment il s'y prenait pour faire venir ces troupes. Firmin dit qu'il était en contact avec le propriétaire du théâtre Royal de Montréal qui les engageait et une fois leurs représentations terminées à Montréal, il les dirigeait vers son théâtre à Québec. Rosario n'avait pas dit un mot et, comme il avait le bec pincé, j'étais certain qu'il allait intervenir. L'air de rien, il commenta :

— Ainsi, tu n'as donc aucun contrôle sur les bonnes mœurs de ces acteurs.

— Pourquoi en voudrais-je ? Je ne suis pas leur confesseur.

— C'est par des hommes inconscients comme toi que le mal pénètre dans la vie de nos bonnes gens.

Piqué au vif, Firmin répliqua :

— Permets-moi de te dire que c'est toi et tes semblables qui voyez du mal partout. Jusqu'à maintenant, je n'ai rien à redire à propos de la conduite de ces actrices et acteurs.

Il marqua une pause, pensif, et ajouta :

— Ce que je souhaite le plus, c'est que nous finissions par pouvoir engager des actrices et des acteurs de chez nous.

Rosario s'insurgea :

— Ça n'arrivera jamais, car nous allons y voir.

Constatant qu'il n'y avait rien à gagner à discuter avec Rosario, Firmin préféra répéter son invitation :

— La prochaine représentation sera celle des Brigadiers, une troupe américaine extraordinaire, paraît-il. Ç'a l'air qu'ils ont le diable au corps ! C'est du moins ce qu'on dit…

Rosario grogna :

— Tu admets toi-même qu'ils ont le diable au corps.

— Et après ? fit Firmin, dégoûté. Toi qui es instruit, tu n'es pas capable de faire la distinction entre une expression bien française et la réalité ? Pourquoi je perds mon temps à discuter avec toi ?

Il prit son couvre-chef et partit en disant:

— Vraiment, il n'y a rien à faire avec tous ces porteurs de soutane qui ne savent pas rire et veulent à tout prix empêcher les autres de le faire.

# Chapitre 38

# Aide-sacristain

*Hubert*

Mon travail d'aide-sacristain n'était pas de tout repos. Il me fallait toujours être à l'heure pour sonner les cloches, ce qui m'obligeait à me lever tôt. L'angélus de six heures n'attendait pas. Ordinairement, le sacristain arrivait avant moi, car il devait ouvrir les portes de l'église pour la première messe, et au moment où je sonnais l'angélus les fidèles se savaient conviés à la messe.

Comme je ne suis jamais loin de l'église, j'étais la plupart du temps témoin de ce qui s'y passait. J'en sortais justement un bon matin, quand je fus abordé par un type habillé comme un moine. En me tendant la main il me demanda :

— La charité, s'il vous plaît, je viens tout juste de sortir du noviciat des frères de la Charité de Montréal et je suis sans le sou.

Je lui répondis :

— Je ne suis que le sonneur de cloches et pas plus riche que vous.

Il répéta :

— La charité, s'il vous plaît, non pas pour moi, mais pour les bons pères oblats de Saint-Sauveur qui ont bien voulu m'accueillir chez eux. J'aimerais leur rendre ce qu'ils m'ont donné.

Son histoire me parut confuse et je l'invitai à aller s'adresser au presbytère. Quand je vis qu'il semblait réticent à le faire et après avoir pris le temps de bien examiner son accoutrement, comme il portait un immense crucifix à sa ceinture, je pensai qu'il s'agissait d'un escroc. Je le priai de nouveau de venir au presbytère. Il finit par me suivre. Un des vicaires vint répondre. Je lui fis part de ce qu'il en était. Il l'invita à entrer. Ne perdant pas de temps, je me rendis au poste de police où je racontai l'histoire au chef Cloutier. Il partit tout de suite pour se rendre au presbytère. J'allai déjeuner et quand je revins à l'église, l'abbé Robitaille que je croisai me remercia d'avoir envoyé la police.

Cet homme, m'apprit-il, était un faux religieux. Après l'avoir appréhendé, le chef Cloutier, que son collègue Bouchard était venu rejoindre, trouva sur lui cinq dollars. Cet escroc, dont je tairai le nom par charité, était en réalité arrivé à Québec depuis le lundi et il avait pris une chambre à l'hôtel Victoria où, semble-t-il, il ne se nourrissait que de sardines et de biscuits soda. Les policiers l'incarcérèrent et tentèrent d'obtenir plus d'informations à son sujet.

Ce n'était pas la première fois que j'étais mêlé bien malgré moi à des histoires semblables. Il se passait toutes sortes de choses dans et autour des églises.

Il y a de cela environ deux ans, alors que je m'apprêtais à sonner l'angélus du matin, je découvris un garçon d'une dizaine d'années endormi près du portail de l'église. Que faisait-il là et comment était-il parvenu à échapper à l'attention du sacristain quand, la veille au soir, il avait fermé à clé les portes de l'église? Je l'ignorais.

Mais je sonnai l'angélus sans que le gamin ne sorte de son sommeil. Une fois ma tâche faite, je m'approchai de lui pour me rendre compte qu'il semblait si épuisé qu'il n'avait pas la force de se lever. Je lui secouai l'épaule et il ouvrit les yeux. Je lui demandai :

— Que fais-tu là ?

Pour toute réponse il murmura :

— J'ai faim.

Voyant que ce pauvre enfant avait dû vivre des moments difficiles, je le conduisis au presbytère. Il avait peine à me suivre, moi qui pourtant ne marche pas très vite. En le voyant, la ménagère fut d'avis qu'avant tout il fallait que cet enfant boive et mange. Elle l'installa à la table de la cuisine et lui donna un morceau de pain sur lequel il se jeta et qu'il dévora presque sans mâcher.

Quand, enfin, il eut le ventre plein et sembla reprendre un peu de force, l'abbé Provencher, qui s'était joint à nous, lui demanda son nom et ce qui l'avait mené jusqu'ici. Il refusa de s'identifier, mais il nous raconta volontiers son aventure.

Nous fûmes fort étonnés d'apprendre qu'il venait de la Petite-Rivière-Saint-François et qu'après s'être enfui de chez lui, il était parvenu à pied jusqu'à Québec, se nourrissant de fruits des champs et se désaltérant d'eau de source. Comment expliquer qu'il n'avait été vu par personne ? Il précisa qu'il ne se déplaçait que la nuit et couchait à la limite des champs durant le jour. À voir toute la crasse et la poussière dont il était couvert, nous n'avions pas de mal à le croire. Interrogé sur les raisons de sa fugue, il resta muet.

— Si tu ne nous le révèles pas, lui glissa l'abbé, nous serons obligés de te mener à la police.

Malgré cette menace, il ne broncha tout d'abord pas.
Puis, après un moment, d'une voix lamentable il déclara :
— Je serai mieux en prison qu'à la maison.

Voyant que ce pauvre enfant avait bien besoin d'aide,
l'abbé décida de le garder au presbytère une journée ou deux,
afin qu'il puisse réellement refaire ses forces. Il se chargea
d'en prévenir monsieur le curé. Ce n'est que le surlendemain
que le garçon accepta de révéler son nom. Il raconta que son
père le battait et qu'il avait décidé de s'enfuir avec l'idée de
venir vivre chez sa tante à Québec, dont il ignorait l'adresse.
Après enquête, monsieur le curé finit par retracer la tante
en question, laquelle accepta de garder l'enfant jusqu'à ce
que son père se mette à sa recherche ou le porte disparu.
À ce que je sache, il vit toujours chez sa tante…

Un autre fait curieux dont je fus témoin concerne un
paroissien de Saint-Roch mort en voyage. On vint en prévenir monsieur le curé, parce que cet homme avait pris la
précaution de porter sur lui une lettre du curé se lisant
comme suit : « Je certifie que Joseph Roberge, mon paroissien de Saint-Roch de Québec, est un bon chrétien craignant Dieu et le servant bien, et qu'il est exact à s'approcher
souvent des sacrements et à assister aux offices religieux. »
Sans cette lettre, ce monsieur Roberge aurait été inhumé
dans la fosse commune comme un pauvre inconnu. Tout
cela pour dire que nous sommes bien peu de chose sous le
soleil du bon Dieu.

# Chapitre 39

# Les amours de Firmin

*Ovila*

Firmin avait eu le malheur, ou – c'est selon – le bonheur de tomber amoureux d'une jeune actrice issue d'une famille très riche. Il n'y avait pas deux mois qu'ils se fréquentaient qu'elle le prévint : elle partait en voyage en France avec sa mère. Désolé, Firmin s'en plaignit :

— Quel malheur de vous voir nous quitter alors que nous commencions à peine à nous connaître ! Il faut du temps, vous le savez, pour nous apprivoiser l'un l'autre. Vous écrirez sans doute des banalités sur les endroits où vous passerez et moi qui voulais en savoir plus sur vous, être à l'affût de vos moindres désirs, je devrai attendre patiemment votre retour après ces longs mois d'absence. Je n'aurai pas de nouvelles de vous et me ferai du mauvais sang d'ignorer ce que vous devenez.

— Détrompez-vous. Il y a moyen de contourner facilement ce problème.

— Vraiment ? Je suis curieux de l'apprendre.

— Nous communiquerons par ce moyen merveilleux et encore tout récent, la carte postale. Je vous ferai parvenir des vues de tous les endroits où je passerai et vous pourrez m'écrire en poste restante là où j'arriverai par la suite. Je connais entièrement notre itinéraire et même les hôtels où nous logerons et je vais vous en remettre une copie.

— Mais, chère amie, vous ne pourrez pas me faire part de vos sentiments au dos d'une carte postale que tout le monde peut lire.

— Là encore vous faites fausse route. Je pourrai vous faire connaître mes sentiments en usant d'un stratagème.

— Lequel ?

— J'y ferai parler pour moi les poètes.

Et c'est ainsi que Firmin reçut régulièrement de France des cartes postales au dos desquelles il put lire des extraits de grands poèmes. Il fut tellement émerveillé par ce stratagème qu'il ne put se retenir de m'en parler et il me montra ces cartes que sa dulcinée lui faisait parvenir. J'avoue que, dans la mesure où on savait lire entre les lignes, je fus à mon tour fort étonné de ce que ça pouvait donner. Ainsi, lui expédiait-elle un beau paysage qu'elle transcrivait un poème ou une strophe quelconque par laquelle elle lui laissait connaître ses sentiments.

*Tout près du lac filtre une source,*
*Entre deux pierres, dans un coin*
*Allègrement l'eau prend sa course*
*Comme pour s'en aller bien loin.*

*Signé : Théophile Gauthier*

Firmin n'avait plus qu'à retracer le poème entier pour découvrir à travers son langage celui de sa fiancée. Il se prit lui aussi à ce jeu et dans ses lettres il usa du même procédé. C'est ainsi qu'il lui expédia l'extrait suivant d'un poème de François Coppée :

*Mon âme est comme une fauvette*
*Triste sous un ciel pluvieux ;*
*Le soleil dont sa joie est faite*
*Est le regard de deux beaux yeux*

Elle lui répondit d'une vive écriture, au dos d'une carte, ce petit boniment venant de Victor Hugo :

*Du bord des sinistres ravines*
*Du rêve et de la vision,*
*J'entrevois les choses divines...*
*Complète l'apparition !*

Il se permit d'être plus explicite en empruntant une strophe à un poème d'Alfred de Musset tout en changeant le titre de « À Julie », par celui de « À Chantale ».

*On me demande, par les rues,*
*Pourquoi je vais bayant aux grues,*
*Fumant mon cigare au soleil,*
*À quoi se passe ma jeunesse,*
*Et depuis trois ans de paresse*
*Ce qu'ont fait mes nuits sans sommeil.*

Elle fut toute remuée quand elle prit connaissance d'autres extraits du poème :

*Donne-moi tes lèvres, Julie ;*
*Les folles nuits qui t'ont pâlie*
*Ont séché leur corail luisant.*
*Parfume-les de ton haleine ;*
*Donne-les-moi, mon Africaine,*
*Tes belles lèvres de pur sang.*

*Julie, as-tu du vin d'Espagne?*
*Hier, nous battions la campagne;*
*Va donc voir s'il en reste encor.*
*Ta bouche est brûlante, Julie;*
*Inventons donc quelque folie*
*Qui nous perde l'âme et le corps.*

Aidé par ce jeu stimulant, Firmin put attendre le retour de sa Chantale avec moins d'impatience. Mais dès qu'elle remit les pieds à Québec, comme s'il craignait de la voir partir à nouveau, il la demanda en mariage.

Firmin ne fait jamais les choses à moitié. Son mariage va demeurer, dans les annales de la famille, comme un des événements les plus marquants. Nous avons eu droit à un mariage éblouissant. Si la cérémonie à l'église ressembla à bien d'autres, la noce, elle, fut absolument grandiose. Nous eûmes droit, au théâtre de son hôtel, à un magnifique banquet suivi de tout un cocktail de numéros de danses, de chansons et d'humour qui agrémentèrent largement la soirée. Seul son frère Rosario ne fut pas de la fête.

# Chapitre 40

# Un récital impromptu

*Hubert*

Il me fallut plus de temps que je ne l'aurais cru pour mettre à exécution mon idée d'amener Françoise dans le clocher. Je pensais qu'elle me remettrait un billet me laissant savoir quand elle serait disposée à venir, mais comme elle ne le faisait pas, je pris l'initiative de l'inviter un beau jour que le temps clair permettait une vue dégagée sur toute la ville et jusqu'aux montagnes au-delà de Charlesbourg et de la Jeune-Lorette. Il n'y avait pas plus beau paysage à admirer, sinon celui que nous pouvions apprécier du haut de la terrasse Dufferin vers l'île d'Orléans et la Côte de Beaupré. Mais Françoise ne répondit pas à mon invitation.

Je dois dire que je ne savais pas m'y prendre avec les femmes. Il est vrai que ma bosse n'aidait pas. Je craignais toujours de les contrarier. Et je savais fort bien que quand elles boudent, ça peut durer longtemps. Je ne comprenais d'ailleurs pas trop ce qui pouvait les mettre en colère. Parfois, il suffisait de rien. Je me souvenais fort bien de toute la diplomatie qu'un jour p'pa avait dû déployer pour reconquérir m'man qu'il avait offusquée en lui laissant entendre que son travail à elle consistait à bien tenir la maison et à voir à ce que le souper soit prêt quand il arrivait de travailler. Il faut dire que m'man préparait toujours les repas à temps, aussi p'pa n'aurait jamais dû lui reprocher l'unique fois où elle avait pris du retard. M'man était devenue furieuse. Je ne l'avais jamais vue dans un tel état, elle qui était ordinairement une femme soumise et d'humeur égale. Tout cela pour dire qu'avec les femmes, on ne sait jamais sur quel pied danser – déjà qu'avec ma bosse et ma jambe plus courte que l'autre, danser n'est pas mon fort…

Mais, j'en étais bien conscient, ça n'avait rien à voir avec mon attitude envers les femmes. C'était moi qui ne savais pas comment m'y prendre. Françoise n'ayant pas répondu à ma première invitation, je croyais qu'elle me ferait remettre un billet m'expliquant pourquoi elle n'avait pas pu venir, mais j'attendis inutilement. Je pensai qu'elle n'avait peut-être pas vu l'invitation que je lui avais remise. J'avais pourtant pris bien soin de glisser le billet sous sa porte. Je laissai passer encore un peu de temps avant de prendre l'initiative d'une nouvelle invitation.

Cette fois, je m'assurai qu'elle l'avait bien reçue, car je la lui donnai en mains propres. Elle me dit que malheureusement elle n'avait pas pu répondre à mon autre invitation parce qu'elle était souffrante et que cette fois il lui ferait plaisir de venir. Sa réponse me fit grandement plaisir et je me préparai à vivre ce qui serait, espérais-je, un des plus beaux moments de ma vie. Comment, malgré ma bosse, pouvais-je avoir le privilège d'accompagner dans le clocher une des plus belles créatures de la ville ? Plus je la regardais et plus je l'aimais. Son sourire, sa voix douce, ses traits magnifiques, ses cheveux bouclés, ses yeux rieurs et jusqu'à ses moindres gestes, tout en elle me plaisait. Je devenais amoureux d'elle.

Elle vint comme promis au rendez-vous. En la voyant, mon cœur se mit à battre plus vite. Elle était vêtue d'une robe de velours aux épaules bouffantes, terminée par un col de dentelle orné d'un camée qui lui donnait un véritable air de princesse. Je n'osai pas lui dire que ce n'était pas la tenue la plus appropriée pour monter dans un clocher, j'aurais trop craint de la froisser et qu'elle refuse de m'y suivre.

Nous montâmes tranquillement et, une fois au beffroi, ce fut l'enchantement. Elle ne cessait de pousser des petits cris d'étonnement qui m'allaient droit au cœur, car cela prouvait qu'elle appréciait mon initiative. Nous passâmes une bonne demi-heure à pointer du doigt tout ce qui attirait notre attention. À nos pieds, les maisons s'élevaient, coquettes sous leur toit de tôle, se saluant de part et d'autre des rues. Le quartier avait brûlé si souvent qu'on était parvenu à tracer des rues bien droites. Elles couraient, alignées comme des règles sous notre regard. Nous n'avions qu'à les suivre pour identifier tout au long les principaux édifices. Rue Saint-Joseph se dressaient fièrement le magasin de monsieur Paquet et celui du fourreur Jean-Baptiste Laliberté au coin de la rue Lachapelle. Vers l'ouest se dressait la halle Jacques-Cartier et pour peu que nous tournions le regard se dessinait la silhouette de la chapelle de la Congrégation qui venait tout juste de devenir l'église Notre-Dame de Jacques-Cartier. Plus loin, l'Hôpital général nous paraissait presque assis sur la rive sud de la rivière Saint-Charles dont la surface était argentée sous les rayons du soleil.

Nous laissions notre regard courir jusqu'aux Laurentides, au-delà des contreforts de Charlesbourg. En nous tournant vers le nord, le pont Dorchester enjambait devant nous la rivière et aussitôt se découvraient à nos yeux le village de Limoilou et la Canardière, là où la rivière rejoignait le fleuve. Plus loin, nous pouvions apercevoir Maizerets et Beauport et la partie du fleuve que le cap Diamant ne dérobait pas à notre vue. La Haute-Ville semblait vouloir nous écraser avec ses hauts édifices et sa falaise à laquelle s'accrochaient les escaliers comme celui de Saint-Augustin reliant la rue Saint-Vallier à la Haute-Ville, près de la maison funéraire Germain Lépine, et le si utile escalier Sainte-Claire menant au faubourg Saint-Jean vis-à-vis de la rue de la Couronne.

Nous passâmes là un très bon moment et, une fois en bas, j'eus droit de la part de mon invitée à un merci sincère qui me laissa rêveur, surtout quand je vis dans ses yeux le magnifique éclat, reflet du bonheur qui l'habitait. Je n'osais pas croire qu'elle accepterait de me revoir, mais je le lui demandai tout de même :

— Est-ce trop audacieux de ma part de vous inviter à nouveau à une rencontre nous permettant de mieux nous connaître et, surtout, nous assurant de passer un bon moment ensemble ?

— Tout dépendra de ce que vous voudrez m'offrir. Je suis toujours preneuse pour des rendez-vous comme celui d'aujourd'hui. Mais n'est-ce pas à mon tour de vous inviter ? Je vais peut-être vous surprendre, mais je souhaiterais vous convier à venir m'entendre jouer quelques morceaux de piano. Accepterez-vous ?

— Vous ne pouvez pas savoir à quel point votre invitation m'honore.

Deux semaines plus tard, un après-midi, je me rendis chez elle l'entendre en un petit récital privé. Je ne savais trop quoi lui apporter en guise de remerciement. Je m'arrêtai en chemin lui acheter quelques chocolats.

Même si je ne m'y connaissais pas beaucoup en musique classique, étant davantage habitué à entendre de la musique religieuse sur l'orgue de l'église Saint-Roch, je goûtai beaucoup les minutes passées en sa compagnie. Je ne voulus pas la quitter sans lui dire à quel point j'avais été enchanté de l'entendre. Je promis de l'inviter à mon tour:

— Je saurai bien trouver quelque chose qui puisse vous plaire et je ne manquerai pas de vous faire signe.

— Il me fera plaisir de passer un autre bon moment en votre compagnie.

Sa réponse me permit de rêver. Sachant qu'elle adorait la musique, j'en oubliai ma bosse et j'attendis l'occasion de lui offrir d'assister à un concert. Il y avait à Québec de nombreuses représentations du genre. Je feuilletai les journaux avec attention et je vis l'annonce suivante: «Monsieur Joseph Vézina dirigera le 28 novembre prochain un concert de l'Orchestre symphonique de Québec.» Sans hésiter j'achetai deux billets.

En route vers chez Françoise, le soir du concert, il me vint une idée que je trouvai fort appropriée. Je tenais à ce qu'elle sache que je songeais beaucoup à elle. Aussi, en chemin vers la salle de concert, je lui dis:

— J'ai pensé à une façon de vous signaler que je ne vous oublie pas.

— Ah, bon? Vous pensez parfois à moi?

— Souvent, mais j'ai si peu d'occasions de vous le dire.

— Et ce soir, vous avez trouvé une façon de le faire?

— Entendez-vous les cloches, quand je sonne l'angélus ou encore un baptême, un mariage ou la grand-messe?

— Je les entends, mais n'y prête guère attention.

— À l'avenir, voulez-vous tendre l'oreille lorsque vous entendrez les cloches sonner?

— Pourquoi donc?

— Parce que, et ce sera notre secret, je m'arrangerai toujours pour qu'à la fin, il y ait un unique tinton après tous les autres.

— Et ce tinton sera un signal?

— Ce sera ma façon de vous dire bonjour. De la sorte vous recevrez de nombreux bonjours, et certains jours plus d'un, car il m'arrive souvent, en plus des trois sonneries d'angélus chaque jour, de procéder à celles d'un ou deux mariages et souvent aussi à celles de baptêmes. La seule sonnerie dont je ne profiterai pas pour vous saluer, et vous le comprendrez bien, sera celle des funérailles.

Elle fut enchantée de cet arrangement et je me souviens que nous eûmes droit ce soir-là à un magnifique concert.

Françoise m'en remercia vivement et me laissa entendre qu'elle tenait grandement à notre amitié. Au fond, elle était dans la vie aussi seule que moi.

# Chapitre 41

# Les malheurs de Gertrude

*Ovila*

Je ne connaissais que fort peu mes belles-sœurs. Maria, en particulier, restait pour moi une énigme. Elle faisait son travail sans jamais geindre et s'exprimait si peu que j'aurais eu de la difficulté à reconnaître sa voix. La plus jeune, Clémence, était toujours au loin. Toutefois, Gertrude, mon autre belle-sœur, ne manquait jamais notre dîner du mois. Elle arrivait avec ses enfants, Joseph, Archange, Aurélie et Clémentine. Ils ne manquaient jamais d'animer les lieux. Gertrude avait toutes les misères du monde à les faire tenir en place. Son Maurice semblait chaque fois se faire tirer la patte pour être présent. C'en était un autre dont le métier ne lui donnait guère de répit. Le repas du premier dimanche du mois semblait souvent pour lui être une corvée. S'il n'y avait pas eu le petit verre de « fort » servant de digestif, sans doute se serait-il trouvé une raison de ne pas venir. Mais une fois réchauffé, il entrait dans le jeu et avait toujours quelque chose à raconter au sujet de son travail qui était toute sa vie.

Gertrude, pour sa part, après s'être assurée que ses quatre enfants avaient bien mangé – nous les faisions dîner avant nous –, ne s'embêtait pas, se mêlant, elle aussi, à la conversation. La plupart du temps, sinon toujours, ce qu'elle racontait avait trait à un ou des événements fâcheux touchant la boulangerie : des pains perdus, des souris dans le pétrin, des clients mauvais payeurs, etc. Un beau dimanche, elle nous arriva en furie.

— Vous ne savez ce qui nous est arrivé hier ? Imaginez-vous que des voleurs ont dérobé pratiquement toute une fournée de pain, si bien que certains de nos clients en ont manqué.

Crispant la mâchoire, elle murmura entre ses dents serrées :

— Si jamais je mets la main sur le maudit innocent qui nous a volé, il n'est pas mieux que mort.

Hubert, qui malgré sa force ne ferait pas mal à une araignée, lui demanda :

— Que compterais-tu lui faire ?

Gertrude, qui bouillait de rage, lança d'un ton sinistre :

— Je lui ferais avaler assez de pain qu'il en crèverait.

— Et ça t'avancerait à quoi ? commenta Philibert. Tu te retrouverais au cachot du jour au lendemain et tu finirais tes jours la corde au cou.

La réflexion de Philibert sembla la dégonfler d'un coup comme un ballon qui perd subitement tout son air. Elle était rouge de tout ce qu'elle retenait de ressentiment en elle. Ce n'était certainement pas une femme heureuse. Par chance, Firmin qui avait des anecdotes appropriées à tous les sujets, détendit l'atmosphère en racontant que lorsqu'il était au Klondike, un type ne voulant pas parcourir à pied les quinze milles le séparant de son claim raconta à la police s'être pratiquement tout fait voler. L'officier de police décida de se rendre constater le tout sur place. Avec ses chiens de traîneau, il ramena l'homme chez lui pour se rendre compte de la supercherie. L'autre en fut quitte pour faire à pied et à rebours les quinze milles en question pour se retrouver en prison.

Pour ne pas laisser Gertrude macérer dans son jus, je ramenai la conversation sur ce vol en demandant à Maurice ce qu'il comptait faire.

— Pas grand-chose, avoua-t-il. La police est sur l'affaire. Il y a eu plusieurs vols dans Saint-Roch dernièrement. Même s'ils arrêtent le voleur, sans doute qu'il ne pourra jamais rien nous remettre.

— Comment a-t-il pu revendre les pains volés ?

— Il paraît qu'un homme a vendu des pains de porte à porte sur la Côte de Beaupré le lendemain du vol. Certains qui en ont acheté ont pu faire une description du voleur : de taille moyenne, les yeux bruns, les cheveux noirs. Ça peut être n'importe qui.

— Je ne comprends pas, s'insurgea Gertrude d'une voix courroucée, comment il se fait que pas un seul de ces imbéciles ait remarqué quelque chose de particulier chez cet homme.

Marjolaine intervint :

— Ça nous arriverait à nous, que nous ne ferions pas mieux. Il passe tellement de monde à notre porte pour nous vendre une bébelle quelconque que nous ne remarquons rien de particulier. Il faudrait que nous sachions d'avance qu'il s'agit d'un voleur pour que nous portions plus attention.

— Marjolaine a raison, renchérit Firmin. Ne me demandez pas de décrire chacun des clients qui ne font que passer à l'hôtel, je n'y arriverais pas. Pourtant, j'ai l'habitude de voir bien du monde.

Pince-sans-rire, Léonard lança :

—Je parierais que ce ne serait pas la même chose pour les clientes…

Sa réflexion eut le mérite de détendre l'atmosphère et la conversation s'engagea sur une autre voie. Pendant ce temps, je regardais Gertrude qui, renfrognée dans son coin, n'avait même pas souri à la boutade lancée par Léonard et je me dis que ma belle-sœur était bien malheureuse.

# Chapitre 42

# Un pont sur le fleuve

*Hubert*

Chaque été, grâce à la générosité du curé, je pouvais oublier mes cloches pendant la semaine de vacances qu'il m'accordait et que je passais infailliblement à la Trousse pierre, notre maison d'été au bord du fleuve.

Absorbés par leur famille ou par leur travail, aucun de mes frères et sœurs ne trouvait le temps d'y passer ne serait-ce que quelques jours. Toutefois, p'pa, m'man et Maria continuaient de s'y rendre régulièrement. Quand p'pa avait acheté cette maison, il pensait déjà à sa retraite. Je l'entends encore répondre à Firmin qui lui demandait pourquoi il avait acheté la maison sur la rive sud alors qu'il est plus difficile de s'y rendre, ayant à traverser le fleuve en bateau : « Pour le moment nous le faisons en bateau, mais un jour nous traverserons sur un pont, je vous le dis. » Sa prédiction allait se réaliser.

Il y avait d'abord eu des rumeurs, mais pour une fois elles s'étaient concrétisées. Le pont était en construction depuis 1903. Je n'aurais rien vu de son érection sans notre maison d'été. Chaque jour, alors que p'pa et m'man se reposaient sur le balcon, je me rendais à pied jusqu'aux abords du pont et je pouvais passer des heures à observer le travail des ouvriers. Je me demandais comment ces hommes pouvaient grimper aussi haut sur les piliers et jusqu'au sommet de cette structure sans avoir le vertige. On m'apprit qu'un grand nombre d'entre eux étaient des indiens mohawks qui ne craignaient pas les hauteurs.

Ce n'était pas une mince affaire que de jeter un pont au-dessus du Saint-Laurent, sans compter que les ingénieurs avaient choisi de le fabriquer en acier. Inutile de dire que nous avions bien hâte d'en voir l'inauguration.

Le hasard voulut qu'en 1907 je ne puisse prendre ma semaine de congé qu'à la toute fin d'août, pendant la dernière semaine que mes parents y passaient. D'une certaine façon, ça tombait bien puisque je comptais les aider à empaqueter leurs effets et que je profiterais de leur transport pour mon retour à Québec.

Comme je le faisais chaque fois que je me rendais à Saint-Romuald, je ne manquai pas d'aller observer la progression de la construction du pont qui était passablement avancée. Il y avait maintenant quatre ans qu'on y travaillait avec acharnement. Les travées sud et nord étaient presque achevées et je me rendais chaque jour par la grève admirer le travail remarquable de ces hommes. C'était gigantesque et vraiment impressionnant à voir. Je me demandais comment des ingénieurs pouvaient concevoir sur papier de telles merveilles et les faire réaliser par la suite avec tant d'habileté.

Le jeudi 29 août, avant-dernière journée avant notre retour, je me rendis comme tous les jours aux abords du pont. Je regardai les ouvriers se déplacer avec habileté sur la charpente d'acier, les enviant de pouvoir se promener ainsi sans peur au-dessus du vide. Je revins à la maison vers les quatre heures. Puis, un peu avant le souper, j'allai sur la grève jeter un dernier coup d'œil vers le pont et là, je crus avoir un cauchemar. Je vis la travée sud s'effondrer dans le fleuve en y faisant jaillir un nuage d'écume. Je restai là, figé, hébété, me demandant si je n'étais pas en train de perdre la raison. Mais le bruit de la chute avait attiré p'pa, m'man et Maria dehors. Je repris mes esprits pour constater que je venais d'être témoin d'une effroyable catastrophe.

Les journaux du lendemain ne parlaient que de ce drame. *La Patrie* titrait « Catastrophe nationale, un deuil épouvantable s'abat sur Québec, scènes d'horreur indescriptibles ». À la une du *Quebec Chronicle* nous pouvions lire : « One of the worst disasters in accident capital's history ».

Dans sa chute, la travée sud du pont, longue de sept cents pieds, avait entraîné plus de quatre-vingts ouvriers. Certains étaient restés coincés dans les décombres et on entendait encore leurs plaintes à la nuit tombée. L'accident semblait avoir été causé par une locomotive traînant des wagons sur cette partie du pont.

On nous apprit rapidement les noms des victimes, dont un bon nombre venaient de Saint-Romuald. Chez nos voisins, c'était la consternation. Des personnalités aussi importantes que monsieur Ulric Barthe, secrétaire de la compagnie du pont, et messieurs Lavigne, marchand de musique de Québec, et Joseph Vézina, directeur de l'Orchestre symphonique, venaient tout juste de quitter le pont quand le malheur s'était produit. Ils pouvaient se compter chanceux d'être encore de ce monde. Le plus malheureux était que l'accident s'était produit environ vingt minutes avant que la majorité des travailleurs quittent le pont à la fin de leur travail.

Secoué par cette tragédie, je ne dormis pas de la nuit. Le lendemain, nous montâmes dans une barque réquisitionnée par p'pa pour regagner Québec. Après toutes ces années, je n'ai qu'à fermer les yeux pour revoir la scène comme si elle ne datait que d'hier.

# Chapitre 43

# Le tricentenaire de Québec

*Ovila*

Trois siècles d'existence, ça se fête ! Il y avait des mois que nous entendions parler des futures célébrations soulignant les trois cents ans de Québec. Et voilà que, sans nous en rendre compte, nous avions les deux pieds dans cette année 1908 et que se déroulaient les célébrations tant attendues.

Hubert aurait aimé participer à ces fêtes, mais sa jambe plus courte lui interdisait, bien malgré lui, de se mêler aux foules qui envahissaient les rues lors de tels événements. Il se contentait donc de lire les comptes rendus dans les journaux et d'écouter les récits qu'en faisaient ceux qui, comme moi, avaient la chance d'y assister.

Ces célébrations, d'ailleurs, occasionnèrent un surcroît de cérémonies religieuses auxquelles, en raison de son travail, il ne pouvait pas échapper. Il eut à sonner les cloches pour souligner l'arrivée du prince de Galles, ce qui lui fit mesurer, comme il me le confia, l'ampleur de ce qui pouvait se passer au cours d'une période de trois cents ans. Fondée par des Français, la ville de Québec célébrait ses trois cents ans sous la férule d'un prince anglais. Des milliers de personnes, comme le rapportaient les journaux, l'accueillirent dans l'allégresse. Philibert, que ces célébrations n'inspiraient guère, ne manqua pas de souligner à quel point nous avions la mémoire courte.

— Ces fêtes, disait-il, sont un rappel de notre condition de vaincus. Y participer, c'est en quelque sorte applaudir notre propre défaite. Pourquoi pensez-vous que tout se passe autour de l'endroit où les Anglais sont parvenus à renverser les Français ?

Léonard tenta de lui faire comprendre qu'on soulignait d'abord et avant tout la fondation de la ville par Samuel de Champlain en 1608, mais il tint son bout :

— Peut-être bien la fondation, mais aussi tout ce qui a suivi et, en particulier, la perte du pays aux mains de ceux qui mènent aujourd'hui les célébrations. Nous sommes un bien pauvre petit peuple à la mémoire courte. As-tu lu le journal ? Il y a eu au Club de la Garnison un banquet en l'honneur de lord Roberts. Tu sais qui il est ? Le commandant en chef de l'armée anglaise. C'est la première fois qu'il met les pieds au pays et si tu lis bien ce qu'on rapporte dans les journaux, il a été applaudi et ovationné à tout rompre. Comment expliquer un pareil comportement ?

Léonard commenta :

— Ce n'est pas vraiment lui qu'on applaudit, mais bien le poste qu'il occupe.

Son père grogna :

— Raison de plus pour ne pas applaudir. Nous célébrons une fois de plus notre défaite.

Voyant qu'il n'aurait pas gain de cause, Léonard choisit de souligner comment les tableaux historiques avaient été réussis.

— En sept tableaux, nous avons pu revivre toute l'histoire du temps des Français. Vous auriez dû venir voir ça. C'était très émouvant. On a reconstitué l'arrivée de Champlain, puis il a été question de mère Marie de l'Incarnation, du gouverneur, monsieur de Montmagny, de Dollard des Ormeaux, de monseigneur de Laval et de Frontenac répliquant à l'envoyé de Phipps: "Dites à votre maître que je lui répondrai par la bouche de mes canons."

— On en aurait eu besoin, de canons, pour répondre à ceux de Wolfe en 1759.

Voyant qu'il n'y avait décidément rien à faire pour convaincre son père de la beauté de ces célébrations, Léonard ajouta tout de même:

— Savez-vous ce qui m'a le plus ému?

— Quoi donc?

— Quand, au dernier spectacle, les gens ont chanté en chœur l'hymne composé par monsieur Routhier et mis en musique par monsieur Lavallée:

> *Ô Canada terre de nos aïeux*
> *Ton front est ceint de fleurons glorieux*
> *Car ton bras sait porter l'épée*
> *Il sait porter la croix*
> *Ton histoire est une épopée*
> *Des plus brillants exploits*
> *Et ta valeur, de foi trempée*
> *Protégera nos foyers et nos droits*

— Tout ça est bien beau, dit Philibert, mais ça ne change rien à ce que nous sommes.

Mon beau-père n'avait vraiment pas le cœur à la fête. On ne pouvait pas l'en blâmer. Pour lui, depuis la prise de Québec par les Anglais, nous ne nous appartenions plus. Il se plaisait à répéter:

— Ils font de nous ce qu'ils veulent et nous n'avons même pas assez de cœur pour protester.

Les célébrations du tricentenaire n'en furent pas moins une grande réussite. Hubert me dit :

— J'étais au poste à quatre heures de l'après-midi, lors de l'arrivée du futur roi d'Angleterre et, n'en déplaise à p'pa, j'ai sonné les cloches pour célébrer sa venue. Il y a eu, paraît-il, un très beau discours de monsieur Laurier, le premier ministre du Canada. Le prince de Galles, dans son allocution, a laissé entendre qu'il était très honoré de pouvoir participer à ces célébrations. Comme il a parlé en anglais et en français, il a été beaucoup applaudi. Après son discours, Son Altesse Royale fut conduite en voiture jusqu'à la Citadelle.

Si Hubert avait été heureux de sonner les cloches pour souligner l'événement, son père n'était pas du tout du même avis. Je ne pouvais guère l'en blâmer, car quand je pris le temps de constater par qui ces voitures étaient occupées, je compris un peu mieux le ressentiment de mon beau-père. Je l'entends encore se plaindre :

— Imaginez, comme le rapportent les journaux, une première voiture, un landau tiré par quatre chevaux où le prince a pris place avec le gouverneur général lord Annaly et deux aides de camp, une deuxième voiture occupée par la comtesse Grey, lord Roberts, le lieutenant-colonel sir Arthur Brigge et le colonel John Hanbury-Williams, une troisième par lady Sybil Grey, lady Allen Roberts, sir Francis Hopwood et le comte Dudley, une quatrième par lady Susan Dawnay, le duc de Norfolk et lord Lovat, une cinquième par d'autres ladies et militaires anglais et ainsi de suite, le tout précédé par un détachement de la Police montée du Nord-Ouest. Après ça, n'y a-t-il pas lieu de nous demander quelle est notre place, à nous les Canadiens français, dans ces célébrations ?

J'avoue qu'il avait raison et qu'on ne pouvait guère le blâmer. En fin de compte, dans la famille, ce qu'on retint le plus de cette année du tricentenaire fut la naissance chez Firmin d'un enfant prénommé Antonio. Mes beaux-parents furent de nouveau très heureux de se retrouver grands-parents. Mon beau-père, pour qui chaque nouvelle naissance était une grande joie, s'interrogea sur la place que cet enfant tiendrait dans la société.

# Chapitre 44

# Léonard à l'honneur

*Hubert*

Léonard était un homme passionné. Quand il s'intéressait à quelque chose, ce n'était pas à moitié. Nous savions qu'il travaillait sans compter les heures et surtout qu'il écrivait beaucoup. Il s'intéressait depuis des années à nos écrivains et poètes. Il ne nous avait pas dit qu'il préparait une sorte d'anthologie des auteurs canadiens-français. Aussi, nous fûmes tous étonnés quand il nous fit parvenir une invitation au lancement de son livre à la bibliothèque de l'Institut canadien.

Pour ma part, je ne m'adonnais pas beaucoup à la lecture. Mon travail de sonneur de cloches m'aurait pourtant permis de le faire, car tout au long de la journée, quand il n'y avait pas de glas ou d'autres sonneries à faire que celles de l'angélus du matin, du midi et du soir, j'en aurais eu, du temps pour lire, mais j'avais pris l'habitude de flâner ici et là et je donnais un coup de main à l'un et à l'autre sans voir mes journées passer. L'invitation de Léonard éveilla pourtant chez moi le goût de la lecture.

P'pa et m'man, qui ne sortaient guère, furent heureux de se rendre à l'Institut canadien pour cet heureux événement dont le prestige rejaillissait sur notre famille tout entière. Firmin et Gertrude trouvèrent le temps de venir. Il ne manquait que Rosario et Clémence. Léonard nous reçut avec un grand sourire et il fut parfait dans la présentation de son ouvrage. Il fit un discours fort apprécié de l'assistance très nombreuse.

Léonard ne manqua pas de louer ceux qui avaient fondé l'Institut et rendit hommage aux responsables de la bibliothèque, entre autres à monsieur Octave Crémazie, le premier bibliothécaire, qui après la faillite de sa librairie fut contraint de s'exiler à Paris où il mourut. Léonard souligna l'importance du travail de ce poète, dont, souligna-t-il, le nom figurait dans l'anthologie qu'il avait écrite.

Je cède au plaisir de retranscrire ici certaines pages de l'ouvrage de mon frère dans lesquelles il décrit le but de son travail.

« Vous y trouverez en particulier les noms de grands écrivains qui ont toujours eu à cœur la conservation et la sauvegarde de nos traditions. Que de belles heures n'ai-je pas écoulées à la lecture, par exemple, des *Anciens Canadiens* et des *Mémoires* de Philippe Aubert de Gaspé. Et que dire de ces auteurs qui, comme lui, se sont donné pour mission de raconter les délicieuses histoires de nos aïeux avant qu'elles ne soient oubliées. Grâce à des écrivains comme Joseph-Charles Taché, Hubert LaRue, Raymond Casgrain et Antoine Gérin-Lajoie, nous sommes en mesure de savoir comment nos ancêtres vivaient. Vous désirez les suivre dans la forêt? Lisez *Forestiers et voyageurs* de Taché. Grâce à LaRue, vous pouvez, comme le dit le titre d'un de ses ouvrages, faire un *Voyage sentimental* rue Saint-Jean ou encore connaître *Les Chansons populaires et historiques du Canada*. Avec l'abbé Casgrain, vous apprendrez comment se faisait et se fait toujours *La pêche aux marsouins dans le fleuve Saint-Laurent* et vous pourrez entreprendre en sa compagnie *Une excursion à l'Île aux Coudres* et même *Un pèlerinage au pays d'Évangéline*. Vous passerez des heures merveilleuses avec Antoine Gérin-Lajoie et son *Jean Rivard, le défricheur*, avec Patrice Lacombe et *La Terre paternelle*, de même qu'avec Olivier Chauveau et son *Charles Guérin* !

« Que de bon temps vous passerez également avec Faucher de Saint-Maurice, *À la brunante*, et sur le Saint-Laurent, *De tribord à bâbord*. Honoré Beaugrand quant à lui vous mènera dans les merveilleux contes comme *La Chasse-galerie* et Pamphile Le May dans *Les Contes vrais*. Notre grand poète national, Louis Fréchette, vous fera vivre *La Noël au Canada*.

« Vous ne pouvez pas mesurer quel plaisir j'ai eu en compagnie de ces grands écrivains. Voilà pourquoi j'ai tenu à vous les faire connaître à travers cette anthologie qui, j'en suis certain, aura une suite, puisque de nombreux poètes et romanciers, toujours avec nous – je songe entre autres à messieurs Nérée Beauchemin, Eudore Évanturel, William Chapman, Charles Gill, Albert Ferland, Émile Nelligan et tant d'autres –, verront paraître leur nom dans le prochain ouvrage que je suis à préparer. »

Il ajouta des remerciements à tous ceux – et ils étaient nombreux – qui avaient contribué à la réussite de ses recherches et à la publication de ce volume, et il nous fit la surprise, en terminant, de lire une strophe bien choisie d'un auteur méconnu. Il expliqua son choix ainsi :

« Je m'en voudrais de terminer cette présentation sans rendre un hommage bien mérité à mon père ici présent. Pour lui, permettez-moi de lire une strophe appropriée d'un auteur modeste mais prometteur, mort beaucoup trop jeune. Cette strophe est tirée d'un poème qu'il avait intitulé *Hymne national*.

> *Sol canadien, terre chérie!*
> *Par des braves tu fus peuplé;*
> *Ils cherchaient loin de leur patrie*
> *Une terre de liberté.*
> *Nos pères, sortis de la France,*
> *Étaient l'élite des guerriers,*
> *Et leurs enfants de leur vaillance*
> *N'ont jamais flétri les lauriers.*

Il prit le temps d'ajouter : « Si vous connaissez quelque peu nos poètes, vous aurez reconnu là un poème de nul autre qu'un parent à nous : Isidore Bédard. Merci ! »

Son discours fut longuement applaudi, mais ce que je retins le plus de cet événement, c'est que Léonard nous remit à chacun un exemplaire de son ouvrage. Sans le savoir, il me donna le goût d'en connaître plus et, grâce à lui, je commençai à m'adonner à la lecture, sans contredit un des plus beaux passe-temps qui soient.

# Chapitre 45

# Ovila raconte

*Ovila*

J'allais tous les mois au Clarendon chez le barbier Mousseau pour une coupe de cheveux. J'aimais entrer dans son salon uniquement pour l'agréable odeur qui s'en dégageait. Quand j'y arrivai ce jour-là, le barbier, que tout le monde appelait familièrement Marcel, était occupé à faire la barbe à un client à moitié endormi. Après l'avoir salué, je m'assis sur une chaise et, pour tuer le temps, je m'emparai d'un exemplaire du *Soleil* qui traînait sur une petite table le long du mur. Moi qui, tous les jours, pondait un article, je prenais rarement le temps de feuilleter le journal en entier. Ayant un peu de temps devant moi, je me mis à le parcourir et je fus étonné de constater à quel point nous y faisions paraître des nouvelles variées. Il y avait d'abord quelques nouvelles internationales, puis on rapportait en détail les catastrophes, les noyades, les accidents survenus au cours des derniers jours. Suivaient différentes chroniques, et un extrait d'un roman. Il y avait également des nouvelles concernant les naissances, les mariages et les décès, sans compter les pages du sport, les mots croisés, etc.

Marcel, me voyant feuilleter ainsi le journal, ne manqua pas de me faire une remarque :

— Monsieur Joyal, vous avez le nez dans les pages du *Soleil* auquel vous contribuez régulièrement. Sans vous vexer, je vous avouerai que je ne partage pas votre avis au sujet de l'incident impliquant monsieur Olivar Asselin et le ministre Louis-Alexandre Taschereau.

— Pourquoi donc ?

— Vous semblez approuver le geste d'Asselin. Entre journalistes, vous vous soutenez.

— As-tu bien lu mon article ?

— De la première à la dernière ligne.

— Sais-tu exactement ce qu'a dit monsieur Taschereau pour qu'Olivar lui applique une taloche en pleine figure ?

— Hélas non, mais Olivar Asselin n'a pas à s'en prendre à un ministre qui fait son travail.

— Accuser plus ou moins faussement quelqu'un ne me semble pas le travail d'un ministre. Que veux-tu, Marcel ! Taschereau et Olivar sont des individus passionnés qui défendent avec vigueur leurs opinions. Olivar Asselin, tu le sais comme moi, a la mèche courte. Ce n'est pas l'individu le plus patient du monde. Mais une chose qu'on ne peut pas lui reprocher, c'est qu'il a son franc-parler et n'admet pas qu'on puisse l'accuser faussement.

— Je vous le concède, mais de là à se battre comme des voyous et en plein parlement par-dessus le marché…

— C'était à la sortie de la Chambre législative. On ne choisit pas les endroits où on se fait insulter. Olivar a d'ailleurs passé la nuit en prison.

— Il semble être un habitué de la place.

— Ce n'est pas la première fois en effet qu'il fait de la prison. Il aime les confrontations vives. Il l'a bien démontré quand dans le *Nationaliste*, le journal qu'il a créé, il s'en est pris au ministre Jean Prévost que, dans son journal, il surnomme Jean-sans-tête.

Marcel en avait fini avec son client. Je pris place sur la chaise. Il me passa la serviette au cou et ne tarda pas à commencer son travail, mais non sans répéter :

— Jean-sans-tête… Tout cela est très vague dans mon esprit. Qu'est-ce qu'il lui reprochait au juste ?

— Il faut d'abord savoir qu'Olivar s'est présenté contre lui aux dernières élections. Prévost l'a battu et en plus a été nommé ministre de la Colonisation. Or c'était il y a quelques années au plus fort de la colonisation en Abitibi. Olivar a découvert que le ministre cédait à vil prix des territoires miniers à des spéculateurs qui, en les revendant, faisaient fortune. Tout cela l'a mené en cours avec le ministre.

— Vous allez admettre avec moi qu'Olivar Asselin est un mal engueulé.

— Il a son franc parler et il ne se gêne pas pour traiter ses adversaires de tous les noms.

Marcel s'arrêta pour me demander si j'étais satisfait jusque-là de la coupe de cheveux qu'il me faisait. Je lui assurai :

— Ça me va !

Fidèle à son idée, il me demanda :

— Est-ce vrai qu'il a dit du ministre Prévost qu'il n'est qu'un potache vicieux, un croisement de vache marine et de cachalot, qu'il a un regard noir, sournois et faux et que sa voix est un mélange de crécelle et de cymbale ?

— Il l'a dit, mais le ministre n'a guère été plus poli en le traitant de coquin sinistre et de triste Olivaron. Rien n'empêche qu'Olivar a déclenché là toute une polémique qu'on a baptisée le Scandale de l'Abitibi.

— Ah oui, je me souviens ! Un baron de Belgique achetait des terres en Abitibi en échange de sommes considérables versées à la caisse électorale du Parti libéral.

— C'est en plein ça.

Comme Marcel semblait s'intéresser à cette affaire, je poursuivis sur le même sujet :

— Savais-tu que le ministre des Terres et Forêts Adélard Turgeon fut également mêlé à cette affaire ?

— Pas vrai ! Un autre ministre ?

— En effet. Lui et son épouse en tiraient des profits considérables. Ils firent en particulier un voyage en Belgique pour lequel ils réclamèrent au gouvernement une très grosse somme pour leur déplacement et leur subsistance, alors qu'ils avaient été en fait logés et nourris aux frais du syndicat belge que le baron représentait.

Marcel s'exclama :

— Je me suis toujours demandé comment vous, les journalistes, vous parvenez à obtenir ces renseignements.

J'éclatai de rire.

— Dans ce cas-là, ç'a été facile, parce que madame Turgeon s'en est elle-même vantée. Mais tout ça a eu des suites. Les ministres Prévost et Turgeon poursuivirent Olivar en justice et quand ce fut le moment de le faire comparaître, Olivar, qui aimait bien faire parler de lui, avait disparu. Le grand connétable Gale de Montréal se rendit lui-même à Québec pour l'arrêter, mais Olivar et ses amis lui donnèrent du fil à retordre ainsi qu'à ses hommes.

Le barbier s'arrêta, les ciseaux en l'air.

— Est-ce vrai qu'il a réussi à se cacher dans un placard rempli de vêtements de femme ?

— Oui, grâce à sa petite taille. Il s'est fait arrêter quand il l'a bien voulu, après s'être au préalable moqué à sa guise des policiers. Quand on pense que, de Montréal, il a pris le train pour Québec, et qu'il a passé la nuit dans la couchette du haut, alors que dans le même compartiment, le policier qui tentait de l'arrêter occupait celle du bas! En arrivant à la gare du Palais à Québec, il s'est livré, au grand plaisir de ses amis venus en foule le voir descendre du train. Comme il était accusé de libelle diffamatoire, et donc au criminel, il choisit un procès avec jury. Pour sa défense, il laissa entendre qu'il était en mesure de fournir une centaine de lettres échangées entre les ministres Prévost et Turgeon. De guère lasse, il fut acquitté. Ce procès, et ce n'est pas rien, fut suivi de la démission des ministres Prévost et Turgeon.

— Je me souviens très bien de ça. Mais cela ne nous dit pas pourquoi il a frappé l'Honorable Taschereau.

Je soupirai avant d'avancer, d'une voix engageante:

— Tu comprendras qu'en se conduisant comme il le faisait, Olivar Asselin s'est attiré une foule d'ennemis, dont évidemment Alexandre Taschereau dont il n'avait pas ménagé les amis ministres. Alors qu'il assistait à une séance de l'Assemblée législative, Olivar fut pris à partie par Taschereau qui l'accusa en public d'avoir expédié un faux télégramme en vue de compromettre le premier ministre Lomer Gouin dans le scandale de l'Abitibi.

— Oh! Ç'a dû chauffer?

— Je comprends! Olivar a pété les plombs et s'est dirigé directement vers l'Honorable Taschereau à qui il a administré la gifle la plus mémorable jamais donnée à l'Assemblée législative. Ça lui a valu plusieurs semaines de prison.

Marcel avait fini son travail. Je me levai de la chaise et je lui payai son dû. Dehors, le soleil flamboyait entre les arbres. Des oiseaux faisaient entendre leurs chants. Je quittai les lieux au son de la clochette signalant les entrées et départs des clients, non sans me demander sur quoi porterait mon prochain article dans *Le Soleil*.

# Chapitre 46

# Le retour de Clémence

*Hubert*

Quand la maladie entre dans une maison, elle agit comme un voleur en dérobant des forces à chacun. Je dois préciser que jusque-là, la maladie avait passablement épargné notre famille. Elle avait cependant pris son dû dans celle de grand-papa Bédard dont elle faucha pratiquement tous les membres. Il faut dire par contre que nous étions maintenant privilégiés parce que nous avions un médecin dans la famille – je devrais plutôt dire, si cela se fait, *une* médecin.

Au bout de presque huit années, Clémence nous revenait diplômée en médecine de l'Université Saint Paul au Minnesota. Elle était discrète et ne voulait surtout pas être reçue comme une princessse. Elle avait écrit une lettre et avait bien prévenu p'pa et m'man de ne rien faire de particulier pour son retour. Toutefois, m'man n'allait pas laisser passer une telle occasion sans sortir sa belle vaisselle de porcelaine et préparer un repas digne de celle qui nous faisait tant honneur.

Il y avait si longtemps que nous ne l'avions pas vue. Nous nous souvenions d'une jeune fille timide, un peu renfermée. Nous fûmes étonnés quand elle parût, souriante, sûre d'elle et heureuse de venir exercer sa profession à Québec. Le dîner se déroula dans la bonne humeur. M'man et Maria avaient préparé les plats préférés de Clémence : une soupe aux pois, suivie d'un rôti de porc accompagné d'oignons à la crème, de patates jaunes et, au dessert, d'une délicieuse compote de pommes dégustée avec de larges tranches de pain encore chaud tout juste sorti du four de Maurice, le mari de Gertrude.

Clémence nous raconta sa vie de ses années là-bas, façonnée d'études sans fin et de travail accaparant et quotidien, ponctuée d'examens et de stages auprès de personnes atteintes de tous les genres de maladie. « Quand on a passé à travers ça, assura-t-elle, plus rien ne nous fait peur. Du sang, des os brisés, des plaies de toutes sortes, j'en ai vu tant et tant que ça ne m'émeut plus. Mon plus gros défi, j'en suis consciente, sera de me faire accepter par les hommes médecins qui ne se rentrent pas encore dans la tête qu'une femme puisse pratiquer cette profession. Ce sera mon plus grand combat. » Elle était si déterminée et avait si confiance en ses moyens et connaissances qu'elle fit en peu de temps son chemin en ce domaine. Rien ne l'arrêtait et les autres médecins furent bien obligés d'admettre qu'elle était fort douée.

Elle se fit une clientèle surtout parmi les femmes de la Haute-Ville. Elle s'installa dans un appartement de la rue Sainte-Anne, dans un quartier plus favorisé que celui de Saint-Roch, et parvint à se faire admettre à l'Hôtel-Dieu. J'ignore pourquoi elle ne voulut pas s'établir dans Saint-Roch. Peut-être pensait-elle que puisqu'elle venait de par ici, les gens n'auraient pas confiance en elle.

Elle venait dîner avec nous chaque premier dimanche du mois et je me souviens très bien qu'elle avait toujours des choses fort intéressantes à raconter concernant la médecine et les différentes maladies survenues dans la ville. Un certain dimanche, elle nous fit part d'une expérience qu'elle avait vécue durant la semaine.

Elle était occupée à examiner une jeune femme se plaignant de maux de ventre, lorsque le mari de sa patiente entra dans la chambre en catastrophe. Il faut dire qu'elle se rendait sur demande chez les gens désireux de voir un médecin. L'homme en question lui dit agressivement: «Qu'est-ce que vous faites ici?» «Vous le voyez, j'examine votre femme.» «Vous ne me ferez pas croire que vous êtes médecin. Nous n'avons pas besoin de charlatan dans la maison.» Sa jeune épouse voulut intervenir. «Toi, rugit-il, ne te mêle pas de ça!» Clémence n'a pas froid aux yeux. Elle se leva et lui fit face tout en répondant sur le même ton: «Vous n'avez peut-être pas besoin de charlatan, mais votre maison compte un ignorant de la pire espèce. Vous!» L'homme ne s'attendait pas à une telle réplique, car il resta bouche bée. Clémence en profita pour ajouter: «On se croirait encore en 1788…» L'homme ne savait pas à quoi elle faisait allusion, mais il la pria tout de même de sortir, en disant qu'une femme n'avait rien à faire en médecine. Elle partit sans plus discuter, parce qu'elle se rendait bien compte qu'il n'y avait rien à faire avec un pareil énergumène. Je demandai:

— Que s'est-il passé en 1788?

— On a créé ce qu'on appelle l'*Acte médical*. À compter de cette année-là des examinateurs furent chargés de faire passer des examens à tous ceux qui prétendaient être médecin. Ainsi, on a pu faire le ménage dans la profession et se débarrasser des charlatans, des guérisseurs et du tas d'ignorants qui se disaient médecins sans l'être. Rien n'empêche qu'il y a encore beaucoup de chemin à faire. Curieusement, à cette époque, il y a de cela plus de cent ans, un type qui avait fait des études de médecine en Angleterre pouvait pratiquer dès qu'il arrivait chez nous. Pendant ce temps, un Canadien-français qui voulait devenir médecin devait apprendre l'anglais et aller suivre ses cours aux États-Unis ou en Angleterre pour revenir ensuite passer un examen au Bureau des examinateurs afin d'obtenir un droit de pratique. Quand on pense qu'aujourd'hui ce sont les femmes qui doivent faire pareil! Vraiment, je me demande parfois pourquoi nous méritons un tel sort.

Sa réflexion me fit réfléchir. Pourquoi, en effet, y avait-il tant d'écart entre les Anglais et nous? Pourquoi, dans la vie, certains naissaient-ils infirmes ou le devenaient-ils comme moi et pourquoi y avait-il tant de discrimination entre les humains?

Clémence nous apprit encore qu'il n'y avait pas si longtemps, les médecins canadiens-français étaient réduits à pratiquer la médecine dans les campagnes. Dans une ville comme Québec on ne trouvait que des médecins anglais.

— Tout ça pour dire, intervint p'pa, que nous ne sommes vraiment pas les bienvenus chez nous.

Clémence commenta:

— C'est à nous à faire notre chemin.

Firmin, qui voulait sans doute détendre l'atmosphère, intervint et raconta une histoire où, bien entendu, il y avait une confrontation entre un Canadien français et un Canadien anglais.

— Un Canadien anglais, un Canadien français et une très jolie Suédoise se retrouvent dans le même compartiment d'un train qui passe dans un tunnel. Le compartiment devient noir pendant plusieurs secondes. On entend alors le son d'un gros bec suivi d'une violente taloche. Quand le train sort du tunnel, le Canadien français et la jolie Suédoise sont assis comme si rien ne s'était passé. Le Canadien anglais, par contre, se frotte la joue. Apparemment, c'est lui qui a pris la mornifle. La jeune Suédoise pense à ce qui s'est passé et suppose : "Le Canadien anglais a essayé de m'embrasser, mais comme il faisait noir, il s'est trompé et a embrassé le Canadien français qui lui a donné une bonne gifle !" Le Canadien anglais, de son côté, pense : "Le Canadien français a dû essayer d'embrasser la fille et en voulant le punir, elle l'a raté et m'a malheureusement frappé."

« Le Canadien français se dit, en riant dans sa barbe : "Ça c'est comique ! Au prochain tunnel, je refais le bruit et pendant que j'en ai la chance je balance une autre mornifle à ce maudit Canadien anglais !"

Cette histoire fit bien rire p'pa. Je demandai à Firmin :

— Veux-tu bien me dire où tu prends toutes ces histoires ?

— Celle-là, je l'ai apprise dans le train qui nous ramenait du Klondike. Mais si vous saviez comme j'en entends à l'hôtel et, souvent, des vertes et des pas mûres…

Son histoire eut le mérite de détendre l'atmosphère. Clémence déclara :

— Il paraît que le rire est un excellent remède.

— Dans ce cas, dit Firmin, j'ai des remèdes assurés pour le reste de mes jours !

# Chapitre 47

# Un 20ᵉ anniversaire (1910)

*Ovila*

Mon beau-père et ma belle-mère n'avaient pas la même opinion au sujet de leur fils Rosario. Comme c'était l'aîné, son père aurait voulu le voir s'intéresser à sa petite entreprise de peinture et il la lui aurait volontiers cédée, mais, comme me l'apprit Marjolaine, Rosario était si gauche qu'il ne réussissait rien de bon avec un pinceau en main. Quant à ma belle-mère, elle réalisa grâce à lui le rêve de bien des mères. Il devint le prêtre de la famille. Ainsi, elle était certaine que sa place au ciel était assurée.

Comme je ne savais pas grand-chose à son sujet, je décidai qu'à la première occasion où je serais seul avec lui, j'allais lui poser des questions. J'en eus la possibilité un jour où, pour un reportage, j'eus à me rendre dans Portneuf. Il se montra pourtant si réticent à s'ouvrir que je finis par cesser d'espérer en apprendre plus de sa part. Mais comme je ne suis pas un lâcheur, je me rendis au Séminaire, sachant fort bien que je retrouverais sa trace dans plusieurs documents.

Je fus bien inspiré, car tout d'abord je pus relever les résultats scolaires de ses années au Petit Séminaire. L'élève

296

Rosario Bédard se classait dans la moyenne à peu près dans toutes les matières sauf en mathématiques où on le retrouvait parmi les meilleurs. Une chose était certaine, il savait compter.

Il entreprit son cours classique à douze ans, en 1879. Je retrouvai un de ses textes dans le journal *L'Abeille* qui, malheureusement, cessa d'être publié après 1881. Il avait quatorze ans et avait écrit un court texte dans un des derniers numéros du journal, où il louait les vertus de monseigneur de Saint-Vallier, le deuxième évêque de Québec. Il écrivait : « Nous devons à ce noble et saint évêque le *Rituel des vertus* que nous devons pratiquer pour aspirer à la sainteté. Nous devons être très fiers que des hommes si illustres nous indiquent par leurs écrits le chemin du ciel. Ce sont nos modèles. Nous sommes privilégiés que Dieu les ait mis sur notre chemin. »

Il fit tout son cours classique comme pensionnaire au Séminaire de Québec puis il ne tarda pas à prendre la soutane en 1885 et, en 1890, il fut ordonné prêtre dans la basilique Notre-Dame de Québec par le cardinal Elzéar-Alexandre Taschereau.

En feuilletant l'album de photos de la famille, on voyait Rosario célébrant sa première messe à l'église Saint-Roch, puis on le retrouvait photographié devant le presbytère de Saint-Jean-Baptiste de Québec où il fut nommé vicaire et exerça pendant cinq ans. Les photos nous le montrent ensuite curé dans Portneuf.

L'année 1910 marquait donc sa vingtième année d'ordination sacerdotale. À cette occasion, parce qu'il s'agissait d'un enfant de la paroisse, le curé de Saint-Roch décida de souligner la chose de façon particulière. Il expédia un des vicaires de la paroisse jusqu'à Portneuf pour dire la messe

IL ÉTAIT UNE FOIS À QUÉBEC

du dimanche là-bas et Rosario eut l'honneur de célébrer la grand-messe dans sa paroisse natale.

La célébration se fit en grande pompe avec fleurs et encens, chants et musique d'orgue à profusion et un sermon bien senti de la part du curé qui laissa entendre qu'un prêtre dans une famille assurait le bonheur éternel de ses parents, de ses frères et de ses sœurs. Pour l'occasion, Hubert se surpassa en sonnant les cloches de la façon la plus joyeuse qu'il le pouvait et il tricha même un peu sur la durée de l'envolée.

Après la messe de Rosario, on se retrouva tous à la maison paternelle où se prolongeait la célébration. Inutile de dire que ma belle-mère et Maria s'étaient efforcées de préparer un repas digne d'un tel événement. Il y avait de tout sur la table : à partir d'une excellente soupe aux légumes, en passant par du jus de tomate, un délicieux plat de poulet en sauce ou, selon les préférences, du rosbif avec une montagne de patates pilées, de la sauce brune, des petits pois, des carottes à la crème et une profusion de desserts, tartes au sucre et à la farlouche, choux à la crème et petites bouchées sucrées au sirop d'érable.

Toute la famille avait été convoquée à ce festin. La tradition familiale du dimanche se perpétuait de belle façon. Les enfants de Gertude et Maurice mangèrent en premier afin de laisser ensuite la place aux adultes. Malgré l'importance de la fête, je ne pensais pas y voir Léonard qui depuis sa prise de bec avec son père se faisait de moins en moins présent. S'il ne vint pas à la messe, il se présenta néanmoins au repas. « Je n'aurais pas voulu manquer ça pour tout l'or du monde ! », s'exclama-t-il en entrant, souriant comme d'habitude.

Comme il avait coutume de le faire, Rosario prit la parole et nous eûmes presque droit à un autre sermon où fut évoqué tout ce qui lui tenait à cœur. Il nous parla de ses paroissiens, de la vie telle qu'il la concevait, ce passage obligé sur terre pour nous préparer à une vie éternelle avec Dieu et les anges. Je m'attendais à des commentaires de la part de Léonard, mais il n'intervint pas.

Chacun à sa façon félicita Rosario. Marjolaine lui remit un cadeau au nom de nous tous. Il s'agissait d'un bréviaire récemment publié que Rosario reçut avec plaisir, tant le sien, pour avoir beaucoup servi, était défraîchi. Léonard ne fut pas en reste. Il avait composé un poème qu'il récita par cœur avec toujours au coin des lèvres un petit sourire malicieux.

*À mon bien cher frère Rosario*

*Je sais, et ça va de soi, mon bien cher frère*
*Que nous ne parcourons pas les mêmes chemins*
*Nous avons pourtant même père et même mère*
*Mais différentes visions de nos lendemains*

*Ce n'est pas parce que je ne parle pas de Dieu*
*Que mes propos sont pour autant plus odieux*
*Je m'efforce de faire rire ceux qui pleurent*
*Et de vivre heureux à chaque minute et heure*

*J'ai de la vie une conception fort différente*
*De celle qui jour après jour, hélas! te hante*
*Pour moi elle est autre chose qu'un tremplin*
*Vers un ciel hypothétique de bonheur plein*

Qu'il faut gagner en nous privant de tant de choses
Pourtant si bonnes et pas du tout moroses
Il y a de grandes différences dans nos esprits
Sur l'interprétation dont nous en faisons le prix

Mon Dieu est rempli d'une grande miséricorde
Il ne mesure pas nos péchés à la corde
Le tien, hélas! est pour moi un Dieu trop vengeur
Qui me fait vraiment peur et même parfois horreur

Voilà pourquoi quoique je respecte ton opinion
Je n'adhère pas du tout à la même communion
Il faut toute sorte de monde pour faire un monde
Et contenter chacun tout au cours de sa ronde

Mettant volontiers de côté nos désaccords
Je te souhaite une vie très longue, un record
Puisses-tu demeurer assez longtemps sur terre
Pour tirer tous les pécheurs de leur misère

Je veux bien accueillir sur moi ta bénédiction
Pour effacer entre nous toutes les frictions
Que ce jour soit pour toi des plus mémorables
Et que les années à venir te soient favorables

Que tu puisses prêcher longtemps la charité
Et du bon Dieu rappeler toutes les bontés
N'est-ce pas ce à quoi tu as consacré ta vie?
Je te souhaite donc de le continuer à l'envi

Puisque c'est cela qui te rend le plus heureux
Puisses-tu profiter de moments merveilleux
Félicitations de maintenir ton cap et ta route
Bonne fête bien méritée, sans rancune en toute

Rosario ne s'attendait visiblement pas à un tel témoignage et encore moins à la main tendue de Léonard. Ému, il accepta même de prendre la copie du poème que Léonard lui remit. Il n'y a pas de doute que la récitation de ce poème fut sans contredit un des moments les plus forts de cette fête. Philibert et Laetitia se montrèrent très heureux de la tournure des événements. Mais en mon for intérieur, je me disais que ce n'était là qu'un moment de trêve comme il y en a de temps à autre sur les champs de bataille. Je ne fus pas étonné de voir Léonard partir avant qu'une malencontreuse réflexion de Rosario puisse mettre de nouveau le feu aux poudres. Quoi qu'il en soit, cette journée resta un beau moment dans les souvenirs de chacun. Mais que nous réservaient les années à venir ? Ça, nous ne le savions pas encore...

QUATRIÈME PARTIE

# LES TOURNANTS DE LA VIE

1911-1916

# Chapitre 48

# Un petit tour
# de la famille en 1911

*Hubert*

Les années qui passent se chargèrent de transformer nos vies. P'pa vieillissait et se plaignait de rhumatismes qui allaient bientôt, prophétisait-il, le contraindre à cesser de travailler. Jusque-là, il avait toujours gagné sa vie afin que nous ne soyons privés de rien, et souvent à son propre détriment. La seule libéralité qu'il s'était accordée était sa maison d'été. Il aurait aimé y demeurer toute l'année, mais pour la rendre habitable en hiver, il aurait fallu y réaliser d'importants travaux et p'pa ne voulait pas y engager l'argent nécessaire.

M'man continuait à être ce qu'elle était depuis toujours : une femme soumise et tout à son devoir, inquiète pour chacun de nous et pour les enfants de Gertude, ses petits-enfants, qu'elle se plaignait de ne pas voir assez souvent. Elle sortait peu, avait bien quelques amies qu'elle voyait à la sortie de la messe le dimanche, mais qu'elle n'invitait jamais chez nous à jouer aux cartes ou tout simplement à jaser. Elle n'était pas du genre à casser du sucre sur le dos des gens, bien qu'elle eût des idées bien arrêtées sur les uns et les autres. Sa vie se résumait, aidée par Maria, à veiller sur notre bien-être et en particulier sur celui de p'pa.

Maria ne disait jamais un mot plus haut que l'autre. Elle était comme une huître bien close, et elle avait ses petites manies qui consistaient à ranger tout de façon bien ordonnée et à bâtir ses journées toujours de la même façon, sans jamais y changer quoi que ce soit. À six heures elle était debout, faisait son lit et une courte toilette, puis gagnait la cuisine où elle préparait le déjeuner et la boîte à lunch de p'pa. C'est du moins ce que je supposais, car pour ma part, à six heures, j'étais déjà à l'église à sonner l'angélus. Quand je revenais à la maison après les messes matinales, je n'avais qu'à m'asseoir pour manger. P'pa était parti travailler et Maria avait grignoté son pain comme un écureuil. Dès que j'avais terminé, elle ramassait tout, secouait la nappe par la fenêtre, puis la remettait sur la table en vue du dîner. Elle jetait quelques croûtes aux moineaux, puis passait ensuite le balai et s'assoyait un moment pour faire quelques jeux de patience et jeter un coup d'œil au journal. Après s'être bercée quelques minutes, elle aidait m'man à la préparation du dîner et s'affairait à faire cuire une tarte ou un pudding pour le dessert du souper.

Je me sauvais à l'église pour la sonnerie de l'angélus de midi. Quand je revenais à la maison, j'avalais un bol de soupe et mangeais ce qui avait été préparé pour le dîner, parfois du boudin ou des saucisses, ou encore un bouilli de bœuf, que Maria s'empressait de me servir. Puis, dès qu'elle avait desservi la table et fait la vaisselle, elle allait dans sa chambre pour n'en ressortir que vers trois heures et s'adonner à un peu de ménage sinon au lavage avant de retourner à la cuisine pour préparer le souper en jasant de temps à autre avec m'man à propos de tout et de rien. Le souper terminé et la vaisselle faite, elle ne tardait pas à retourner dans sa chambre après avoir lancé un timide bonsoir et elle ne reparaissait que le lendemain. Et tout recommençait...

De Rosario, nous avions peu de nouvelles. Il semblait se plaire dans sa paroisse et on nous disait que les gens l'aimaient bien. Je n'en doutais pas, puisqu'il n'y avait pas de Léonard pour le contrarier! Parlant de Léonard, il menait sa vie à sa guise et faisait parler de lui de temps à autre quand il faisait paraître un texte ou un poème dans *Le Soleil*. Il ne publiait rien dans *L'Action sociale*, et ne se gênait pas pour critiquer ce qu'on y écrivait. Je me rappelle qu'il s'était montré très virulent à propos d'un appel aux jeunes gens pour une heure sainte célébrée à la chapelle de la Congrégation de la Haute-Ville. Ce qui le tarabiscotait le plus était que cette cérémonie tombait le jour des Rois : « Quand on pense, grognait-il, qu'on a le front de demander aux gens d'aller adorer Dieu avec les mages et les bergers le jour des Rois... Il n'y a pas assez de Noël et du jour de l'An pour aller à l'église ? Batèche qu'il y a des coups de pied au cul qui se perdent... »

Nous avions rarement la visite de Marjolaine et d'Ovila. Ils étaient toujours très accaparés par leur travail. À peine les voyions-nous à nos dîners mensuels. Marjolaine n'avait rien perdu de sa beauté sinon qu'elle avait les traits plus tirés. Ovila et elle vivaient dans un monde à part du nôtre et je ne les enviais pas. Ovila était toujours sur le qui-vive en quête d'un sujet d'article pour son journal. De temps à autre, il réussissait à se faire remplacer et profitait d'une semaine de congé pour traverser la frontière et aller rendre visite à Louis Dantin, un ami exilé du côté des États-Unis. Marjolaine, qui a le cœur grand comme la main, s'occupait des pauvres de Saint-Roch.

Gertrude et Maurice en avaient plein les bras avec leur boulangerie, mais, comme ils avaient des enfants, leur tâche les accaparait encore plus que Marjolaine et Ovila. Ils faisaient cependant l'effort de venir partager notre dîner du premier dimanche du mois et c'était à peu près les seules occasions que nous avions de les voir.

Clémence se faisait un devoir de passer de temps à autre à la maison. P'pa et m'man étaient très fiers d'elle. Nous avions toujours du plaisir à la voir et elle nous racontait avec enthousiasme les différentes recherches auxquelles elle s'adonnait après ses journées de clinique. Elle militait par ailleurs dans une foule d'organismes luttant pour l'égalité des hommes et des femmes. Elle ne manquait jamais de nous faire part des moindres victoires des femmes dans leurs revendications. Mais elle ne se faisait pas d'illusions : « Quand on pense, disait-elle, qu'au Manitoba, on veut empêcher les Noirs d'entrer au Canada sous prétexte qu'ils ne doivent pas être traités comme les Blancs, on n'a pas de misère à se figurer ce qu'ils peuvent penser des femmes. »

Quant à Firmin, il devenait un homme d'affaires prospère et il ne cessait pas de nous épater par tout ce qu'il entreprenait. Son mariage avec Chantale demeurait certes un des événements les plus marquants dans la famille, mais nous avions des raisons de nous demander si Firmin avait bien fait. Sa femme faisait partie d'une troupe de théâtre se produisant un peu partout au pays et aux États-Unis, et elle passait des semaines, sinon des mois, en tournée. Comme ils avaient eu deux enfants, Antonio et Martine, Firmin avait engagé une préceptrice prénommée Colette, une jeune femme vive et dévouée qui, de toute évidence, ne le laissait pas indifférent.

Et moi, dans tout ça, je tournais en rond. Françoise ne donnait plus de nouvelles depuis des mois et la dernière fois que je l'avais invitée à un concert, elle avait refusé de venir, si bien que j'étais plus seul que jamais. Tel était le sort du pauvre bossu que je suis. Mais j'y pense, je n'ai pas eu l'occasion de vous reparler de Françoise, il faudra que je vous revienne là-dessus.

# Chapitre 49

# Une sacrée frousse

*Ovila*

Ce dimanche-là, Léonard nous arriva pour dîner avec l'air soucieux. Il tenait à la main une page de journal. À peine avait-il mis les pieds dans la maison qu'il s'adressa à Rosario :

— Mon bien cher frère sait-il qu'un certain monsieur Fitchett déclare que, de l'avis de tous, il n'y a qu'un seul obstacle à l'union de la race anglaise et de la race française au Canada, et que c'est l'Église catholique ?

— Tu ne trouves pas que c'est une bonne chose ? Désirerais-tu devenir anglais ?

— Pas vraiment. Mais c'est la suite de ce que laisse entendre ce monsieur qui m'intéresse et je le cite dans les grandes lignes : "Je suis catholique, mais ma foi et ma religion n'impliquent pas que je me plie à tout ce que veulent les curés, comme le font les Canadiens français qui acceptent que la propriété ecclésiastique soit exempte d'impôt, que les écoles de la province soient sous le contrôle absolu du clergé et que leur dîme au curé de leur paroisse soit versée sans récriminer." Bref, et je résume, il soutient que dans aucune autre nation civilisée on ne trouve, comme au Canada, un aussi parfait exemple de la domination du prêtre sur son troupeau, à part peut-être au Moyen Âge ! L'Église tient ses fidèles dans un jardin fermé où personne n'a accès. C'est un mauvais service que l'Église rend aux Canadiens français en les tenant ainsi isolés.

Léonard s'arrêta pour reprendre son souffle. Rosario en profita :

— L'Église nous protège contre l'assimilation. Les gens du peuple devraient l'en remercier.

— Oui, elle nous protège, ce qui lui donne une bonne raison de nous garder prisonnier.

Rosario répliqua :

— Connais-tu une autre façon de ne pas perdre notre foi et notre langue ?

Ne laissant pas le temps à Léonard de répondre, il enchaîna en brandissant un journal :

— Moi aussi j'ai un article qui contredit les propos de cet individu.

Sans plus attendre, il lut :

« S'il était vrai que pendant un siècle et demi, l'Église fut le pouvoir dominant dans la politique provinciale et municipale, il n'y aurait qu'à la féliciter de l'excellent résultat de ses travaux. J'en juge ainsi d'après le caractère de la population, le peuple canadien-français en effet se distingue par sa sobriété, il a un sens profond de la responsabilité politique, il est religieux, honnête, et ami du progrès. Assurément, l'Église aurait le droit de se réjouir de son œuvre… L'Église a eu jusqu'à ces derniers temps indiscutablement une grande influence politique, mais ce n'est plus la même chose aujourd'hui… Le clergé ne contrôle pas l'habitant, c'est ainsi que l'on appelle le paysan canadien-français. »

— Chacun son opinion ! lança Léonard. Mais si nous revenons à notre monsieur Fitchett, il se demande pourquoi, alors que nous sommes pour toujours sous la domination anglaise, nous nous obstinons à garder nos lignes de démarcation de race et de langage. Il s'interroge à savoir si nous sommes loyaux et suppose que nous ne le sommes pas. L'orgueil de la race, le sentiment d'avoir un même sang, de parler la même langue et de vivre la même histoire, toutes ces choses qui sont les vraies racines de la loyauté d'un Anglo-Saxon, il prétend qu'on ne les retrouve pas chez les Canadiens français et qu'on ne peut s'attendre à les y trouver. Les Canadiens français, dit-il, sont bornés. Ils ne connaissent pas la loyauté au-delà de leur province.

Léonard s'arrêta avant d'ajouter :

— Ce monsieur a une belle opinion de ce que nous sommes ! Il va jusqu'à dire qu'il y a plusieurs jeunes Canadiens français qui ont des rêves étranges. Ils caressent la vision d'un État français indépendant sur les rives du Saint-Laurent, avec Québec pour capitale et peut-être aussi la fleur de lys pour armoiries... Il précise aussi que ce rêve insensé hante les cerveaux de gens plus ou moins équilibrés...

Léonard ne put se retenir de commenter :

— Ainsi, vouloir garder sa culture et sa langue serait synonyme de folie. Voilà une belle opinion ! Enfin, si on se fie à ce qu'il ajoute, il semble bien que nous ne deviendrons fins que le jour où nous serons tous anglais. Il poursuit en effet en ces termes : "Les Canadiens français, lorsqu'ils seront complètement assimilés, ajouteront au type canadien de riches éléments. Ils joindront une note d'art, de vivacité et de brillant aux qualités commerciales et pratiques de l'Anglais et au bon sens de l'Écossais qui forment avec lui la masse de la population. Mais la fusion est lente à venir, plus lente même qu'elle ne l'a jamais été chez aucun peuple, dans aucun temps de l'histoire."

En terminant sa lecture Léonard s'écria :

— J'ai faim ! Pas vous ? Mangeons, ça nous aidera à digérer tout ce que nous venons d'entendre.

Mon beau-père, qui avait écouté tout ça sans rien dire, se leva de son fauteuil en murmurant quelque chose comme s'il se parlait à lui-même.

Léonard lui demanda :

— Quelque chose ne va pas ?

— Rien ne va, quand nous entendons des individus de bas étage déblatérer sur notre dos comme si nous étions une bande d'arriérés. Je souhaite pour nous tous, Canadiens français, de n'être jamais assimilés. Puisqu'on nous considère comme des moins que rien comme nous sommes là, que deviendrions-nous une fois que nous aurions perdu nos valeurs et tout ce que nos ancêtres nous ont laissé ? Mes enfants, si votre père a quelque chose à vous conseiller, restez toujours fiers de ce que vous êtes et ne laissez jamais personne vous voler votre identité de Canadiens français.

Il avait parlé avec beaucoup d'émotion. Tout à coup, il pâlit et s'effondra sur sa chaise. Maria se précipita. Il était inconscient. Nous allâmes l'étendre sur son lit et Firmin courut chercher Clémence qui, malheureusement, n'était pas avec nous ce jour-là. C'était la consternation dans la maison. On aurait pu entendre une araignée marcher. Gertrude envoya ses enfants jouer dehors. Maria s'occupa de sa mère qui n'en menait pas large, elle non plus. Heureusement, Firmin revint une demi-heure plus tard avec Clémence. Elle examina son père qui reprenait des couleurs. Elle lui administra un médicament dont j'ai oublié le nom et il se remit petit à petit de ce qui, selon elle, était une crise cardiaque. Elle nous prévint :

— Si nous voulons garder notre père encore longtemps, nous devrons lui épargner les émotions fortes, sinon il risque d'y laisser sa peau.

Quand Clémence fut partie, et alors que Philibert se reposait dans sa chambre, il y eut spontanément comme un conseil de famille. Nous étions tous d'accord de le convaincre de cesser de travailler.

— Il ne voudra jamais, soutint Léonard. C'est lui qui fait vivre m'man et Maria.

— Et un peu moi aussi, souffla Hubert. Malheureusement, je ne gagne pas assez pour le remplacer.

— Ne vous préoccupez pas de ça, intervint Firmin, je veillerai à ce que ni m'man ni p'pa ni Maria ne manquent de rien.

Je fis remarquer :

— C'est généreux de ta part, Firmin, mais ton père est bien trop fier, il ne voudra jamais dépendre de qui que ce soit.

— Il faudra qu'il apprenne, déclara Firmin avec fougue. Après tout, il aura eu une bonne leçon, sa vie en dépend.

Il fut convenu qu'au prochain dîner de famille, nous lui en parlerions.

# Chapitre 50

# Un événement très étrange

*Hubert*

Il y avait plus d'un an que je n'avais pas entendu parler de Françoise. Au début, je lui étais reconnaissant d'accepter d'aller au concert avec moi malgré ma bosse et tout ce que cela comportait. Elle devait certainement se rendre compte de ce que notre présence en ces lieux pouvait susciter de commentaires de part et d'autre. Les gens pouvaient difficilement comprendre pourquoi cette magnifique jeune femme était accompagnée de l'affreux bossu que je suis. J'étais bien conscient que notre relation ne devait pas paraître normale aux yeux de bien du monde.

Françoise semblait se moquer des qu'en-dira-t-on. Pour elle, ces moments à écouter de la belle musique passaient avant tout. J'étais quand même étonné qu'elle veuille sortir en ma compagnie. Elle n'aurait certainement pas eu grand-chose à faire pour se présenter aux concerts au bras d'un beau jeune homme. Pourquoi m'avait-elle choisi ? Son comportement s'avérait si différent de la normale que je me proposais de le lui demander. Puis elle cessa de me donner des nouvelles et je craignais tellement de l'importuner que je n'osai pas m'informer de ce qui se passait. Je redoutais, en me rendant chez elle, de la trouver en compagnie d'un homme ou peut-être même mariée.

Un jour, alors que j'en avais pris mon parti, je reçus un billet d'elle me priant de l'accompagner au prochain concert. Comme je l'avais toujours fait, quelques jours avant le concert j'allai la voir pour m'assurer qu'il n'y avait rien de modifié au programme et qu'elle comptait toujours sur moi pour l'y emmener. Elle n'avait pas changé. Elle continuait à donner des cours de piano, mais je la trouvai nerveuse et elle me parut inquiète. J'eus beau la questionner à savoir si tout allait bien et lui dire que je la trouvais changée, elle soutint que je n'avais pas à m'inquiéter, que tout baignait dans l'huile et que je me faisais du souci pour rien.

Le concert eut lieu et, comme toujours, elle fut ravie de ce qu'elle avait entendu et me remercia de l'y avoir menée. Je la reconduisis chez elle vers les neuf heures trente et la quittai non sans lui demander si je pourrais revenir la voir bientôt comme il m'arrivait autrefois de le faire, juste pour le plaisir d'être en sa compagnie, car je ne me faisais plus d'illusions de pouvoir créer avec elle une relation autre que d'amitié. Elle m'assura qu'elle communiquerait bientôt avec moi dès qu'il y aurait un autre concert.

Elle le fit bien avant. À peine deux jours avaient-ils passé qu'elle vint me chercher à l'église à la fin d'une messe. Elle me semblait complètement bouleversée. Je voulus savoir ce qui la tracassait tellement. Elle me dit : « Tu le sauras rendu chez moi. » De tout le trajet, elle ne desserra pas les lèvres. Elle marchait la tête basse, se retournant de temps à autre comme pour s'assurer que nous n'étions pas suivis. Une fois chez elle, elle ouvrit la porte et me pria de la précéder dans la maison. Je pensais y trouver un dégât quelconque. Pourtant tout y était bien en place comme d'habitude. Elle se tenait derrière moi en gémissant. J'avais beau regarder de tous bords et de tous côtés, je ne voyais rien qui puisse lui faire peur. Soudain, elle me poussa avec plus de vigueur dans le dos et je la laissai me guider là où elle semblait vouloir me mener. Sans trop m'en rendre compte je me retrouvai devant le petit aquarium où elle nourrissait un poisson rouge baptisé Gustave.

Je vis tout de suite que ce pauvre Gustave était passé de vie à trépas. Il flottait sur le dos à la surface de l'eau. Je ne pouvais pas croire que la mort de ce poisson avait pu autant dévaster Françoise. Interdit, je restai un moment hébété devant l'aquarium. Puis, me tournant vers elle, je lui demandai :

— Tu veux que je m'occupe de Gustave ?

Elle opina tristement.

— Aimerais-tu que nous l'enterrions quelque part ?

De nouveau, à son attitude, je compris que tel était son souhait. Je la pris par un bras et la menai dehors dans le tout petit jardin attenant à sa maison.

— Nous pourrions l'enterrer ici, proposai-je en désignant un coin sous l'unique sapin au fond du jardin.

Elle acquiesça, puis, retournant dans la maison, elle en revint avec une petite boîte à cigares de La Havane. Je compris qu'elle désirait faire de ce contenant le cercueil de Gustave. Je retournai dans la maison m'emparer du poisson mort que je déposai dans sa boîte. J'allais sortir quand elle me retint. Elle me fit signe de m'asseoir dans l'unique fauteuil du salon. Elle s'approcha du piano, se mit à sangloter sans que je puisse la consoler. Au bout de longues minutes, les yeux pleins de larmes, elle s'installa au piano et se mit à jouer un air funèbre dont je ne saurais dire le titre. Pendant tout ce temps, je restai dans mon fauteuil à me demander ce qui ne tournait pas rond dans sa tête. Il fallait qu'elle soit terriblement troublée pour se conduire de la sorte. Quand elle eut terminé son morceau, elle se leva, se dirigea vers moi et, me poussant comme elle l'avait fait à notre arrivée, elle me conduisit au fond du jardin près du sapin sous l'ombre duquel Gustave devait trouver son dernier repos.

Il me fallait une pelle pour creuser la petite fosse. Je déposai la boîte sur le sol et retournai sur mes pas vers la remise où étaient rangés outils et autres accessoires de jardin. Elle ne me quitta pas d'une semelle. Je compris qu'elle avait une peur bleue de la mort. Le simple fait de se trouver près du cadavre de ce poisson qu'elle nourrissait depuis des mois ou des années suffisait à la faire paniquer.

Elle me suivit jusqu'au fond du jardin et assista sans mot dire à l'enterrement. Puis elle versa de nouveau quelques larmes et m'entraîna à sa suite dans la maison. Je croyais pouvoir me libérer mais elle me retint et finit par recouvrer la parole pour me demander de lui trouver un autre poisson. Je suggérai :

— Ne serait-il pas préférable que je t'achète une cage et un serin ? Toi qui aimes tant la musique, tu aurais le bonheur de l'entendre chanter et ça égaierait tes journées.

Ma proposition ne sembla pas lui plaire. Elle tenait à ce que ce soit un poisson. Je promis de me rendre au marché dès que j'en aurais le temps et de lui rapporter un autre Gustave. Elle sembla s'apaiser un peu. Je la laissai ainsi. En route vers l'église, je me rappelai qu'il y avait un marchand d'animaux, rue de la Couronne. Je m'y arrêtai. Il avait des poissons de diverses espèces. Puisque Gustave était un poisson rouge, j'en choisis un semblable. Je le rapportai à Françoise. Pour la première fois de la journée, j'eus l'impression qu'elle retrouvait ses moyens. Je la laissai en vitesse afin de revenir à temps sonner l'angélus de midi. Tout au long du chemin, tant j'étais bouleversé, je me demandai, le cœur serré, si mon amie n'était pas atteinte d'une maladie mentale.

# Chapitre 51

# Rosario

*Ovila*

Il y avait maintenant des mois que Rosario n'était pas allé chez ses parents et Marjolaine me demanda de m'enquérir de ce qui se passait. Auparavant, il passait parfois à la maison familiale lorsqu'une affaire quelconque l'obligeait à se rendre à Québec et il venait régulièrement au dîner du premier dimanche du mois. Comme il ne donnait pas de nouvelles depuis très longtemps, mon beau-père et surtout ma belle-mère commencèrent à s'inquiéter. Laetitia supposa :

— Il doit être malade.

— Allons donc, lui reprocha Philibert, pourquoi en venir tout de suite aux conclusions les plus pessimistes ? S'il était malade, il nous l'aurait fait savoir.

Je trouvais qu'il avait raison, mais ma belle-mère, avec ses idées noires, continuait à se faire du mauvais sang, si bien que je leur proposai :

— Appelez-le au téléphone !

— Tu crois qu'il a le téléphone ?

— La plupart des curés l'ont, maintenant. Ils sont si souvent demandés par l'un ou l'autre qu'ils ont fait installer le téléphone dans leur presbytère.

J'avais vu juste. Je me servis du téléphone du bureau pour obtenir le numéro de Rosario. Je fus tout heureux de le communiquer à Philibert qui décida de se rendre à l'hôtel de Firmin pour appeler son curé de fils. À ce que me dit Firmin, leur conversation ne fut pas très longue. Rosario était en parfaite santé mais très occupé et il ne trouvait pas le temps de donner des nouvelles ni encore moins de venir à la maison. Son père lui laissa entendre que sa mère s'inquiétait. Il répondit qu'elle se tracassait pour rien et que tout allait bien. Il promit de faire tout son possible pour être présent au prochain dîner de famille. Malheureusement, il faut croire, quelque chose l'empêcha de venir, ce qui fut loin de contribuer à apaiser sa mère.

Léonard me confia :

— Quand quelqu'un comme lui se fait aussi discret, c'est qu'il y a anguille sous roche.

— Que veux-tu insinuer ?

— Rien de particulier pour le moment, mais il y a une rumeur qui court à son sujet.

— Vraiment ?

— Je n'en sais pas plus, mais un type de Portneuf venu à la bibliothèque y a fait allusion d'une façon très vague.

J'eus beau insister, Léonard ne voulut pas en dire plus.

— Une rumeur est une rumeur, s'impatienta-t-il. Attendons que les choses se précisent.

Peu de temps après, c'est Firmin qui à son tour laissa entendre qu'un de ses clients de l'hôtel, habitant Portneuf, lui avait appris que certains bruits couraient à propos de Rosario. Quand Firmin lui révéla que c'était son frère, le type en question devint muet comme un poteau.

Tout cela n'était guère rassurant. Nous nous gardâmes d'y faire allusion au dîner suivant. Il se passa encore quelques jours, puis on nous apprit que Rosario était muté de la paroisse dont il était curé depuis près de vingt ans dans une paroisse de Charlevoix. Pourquoi ce changement?

Quand je revis Léonard, il me demanda si je croyais qu'Hubert était en bons termes avec le curé de Saint-Roch. Je lui dis qu'à ma connaissance il s'entendait bien avec lui, ainsi qu'avec ses vicaires. Il me demanda:

— Pourrais-tu le convaincre de s'informer au curé ou aux vicaires de ce qui a motivé le changement de cure de Rosario? Comme ils se connaissent tous, ils devraient le savoir.

À la première occasion, je racontai à Hubert ce que j'avais appris au sujet de Rosario et lui demandai de tenter d'obtenir des informations de la part du curé. Il promit de s'y efforcer. Quelques jours plus tard, il arrêta chez moi en passant et m'informa:

— J'ai posé la question à monsieur le curé à savoir pourquoi Rosario avait changé de cure. Il a hésité d'abord à répondre puis m'a assuré: "Des changements de cure, il s'en fait chaque année. Il est bon parfois, quand ça fait déjà longtemps que nous sommes curés dans la même paroisse, d'en changer. Quand nous arrivons dans un milieu qui nous est inconnu, nous sommes plus motivés, parce que nous devons apprendre à connaître les gens. Ça nous évite de nous encroûter."

« Sachant qu'un de ses prédécesseurs dans Saint-Roch, le curé Charest, y avait été près de quarante ans, je le lui fis remarquer. Il se mit à rire. "Il y a des exceptions partout! Le curé Charest est demeuré tellement longtemps en poste ici qu'on a même jugé bon de nommer une rue en son honneur. Je ne crois pas que ça arrive dans mon cas. Tu sais, il n'y a rien de coulé dans le béton à ce sujet.

Quand l'archevêque juge qu'un des ses prêtres peut sans doute rendre de meilleurs services ailleurs, il n'hésite pas à le muter et comme nous devons obéir à nos supérieurs, nous n'avons guère le choix. C'est probablement ce qui est arrivé à ton frère."

Voilà tout ce que cette démarche d'Hubert avait donné. Je croyais qu'il allait me conseiller de parler directement à Rosario, mais il se garda bien de le faire. Pourtant, après réflexion, je me dis que la meilleure réponse viendrait effectivement de la personne concernée. Je me promis donc de poser la question au principal intéressé à la première occasion, mais Firmin et Léonard, qui semblaient en connaître plus long que moi sur les motifs de ce changement, me prévinrent de ne pas le faire devant leurs parents. J'insistai pour en apprendre plus là-dessus, mais ni Léonard ni Firmin ne se montrèrent disposés à me donner plus d'informations.

Cet incident fut clos de la sorte. Un beau jour, Rosario s'arrêta chez ses parents en passant et donna sa version des faits. Il avait été muté en raison de sa grande expérience. On comptait sur lui pour remettre à flot les finances de la paroisse où il se trouvait désormais. Il aimait bien son travail et n'en voulait pas à l'archevêque de lui avoir confié cette tâche délicate. Sa mère lui demanda s'il croyait pouvoir venir plus souvent à la maison. Il laissa entendre qu'il ne le savait pas encore, parce que s'établir dans une nouvelle cure demande beaucoup de travail, mais qu'il allait faire son possible pour venir.

# Chapitre 52

# P'pa à la retraite

*Hubert*

Depuis son attaque, p'pa avait perdu beaucoup d'énergie. Il n'était plus l'ombre de lui-même. Lui qui aimait tant causer et blaguer était devenu taciturne. À notre grand étonnement, nous n'avions pas eu besoin de lui tordre le bras pour le convaincre de cesser de travailler. Heureusement, il n'avait pas accumulé de dettes et la vente de son entreprise à un de ses employés rapporta suffisamment d'argent pour qu'il puisse passer quelques années sans inquiétudes.

Comme il allait de soi, Léonard et Firmin promirent de prendre soin de lui, de m'man et de Maria. Quant à moi, je me comptais chanceux, avec le peu que je gagnais, de pouvoir demeurer chez mes parents et je leur en étais très reconnaissant.

Une chose, toutefois, nous inquiétait tous. Un homme est fait pour travailler. Depuis qu'il avait cessé de le faire, p'pa tournait en rond et on le voyait dépérir à vue d'œil. Habitué qu'il était de quitter la maison tous les matins pour occuper ses journées à son travail de peintre, il se sentait tout à coup inutile. Notre crainte était de le voir peu à peu se désintéresser de tout et devenir neurasthénique, ce qui inquiétait beaucoup Marjolaine et Clémence. Il passait une bonne partie de la journée dans sa chaise, à lire le journal et à fumer sa pipe. Le salon se remplissait de fumée et m'man passait son temps à ouvrir la fenêtre pour changer l'air et à la refermer pour ne pas trop refroidir la pièce. P'pa, et nous le déplorions tous, était vraiment désœuvré. Après concertation, nous lui fîmes des suggestions de tous genres pour l'inciter à s'occuper.

— Vous devriez jouer au billard, lui conseilla Léonard.

— Au billard! Ça ne m'intéresse pas une seconde.

— Pourquoi? C'est un jeu qui ne coûte rien et vous seriez occupé avec des amis.

— Je n'ai pas d'amis qui y jouent et même si j'en avais ils continueraient à jouer sans moi.

— Songez-y, vous pourriez vous faire de nouveaux amis, vous qui aimez bien jaser avec tout un chacun.

— Ça ne m'intéresse pas.

Léonard ayant manqué son coup, Firmin fit sa proposition :

— Si j'étais à votre place, lui suggéra-t-il, j'irais jouer aux cartes avec mes amis à la salle paroissiale ou ailleurs. Vous pourriez même vous constituer un club de cartes.

— Justement, tu n'es pas à ma place.

— Vous avez pourtant des amis, non?

— Oui, mais ils sont tous occupés.

— À quoi?

— Jos Rancourt fait des meubles, Alfred Lemelin s'occupe de ménage avec sa femme, Joachim Plourde fait du taxi et Arthur Lavigne est tout le temps à la pêche… quand c'est pas à la chasse.

Firmin joua sa dernière carte.

— L'été est proche. Comptez-vous aller à la Trousse pierre?

P'pa laissa entendre qu'il y songeait. Dès lors nous n'aurions plus à nous inquiéter pour quelques mois à son sujet. Petit à petit, à la perspective de se retrouver au bord du fleuve où il y avait toujours toutes sortes de petits travaux à faire, il reprit du poil de la bête.

Tout alla pour le mieux jusqu'à ce que l'automne le contraigne à revenir en ville. Dès lors, son humeur changea. Il se morfondait à ne rien faire et passait ses journées à jongler à je ne sais trop quoi qui le rendait très maussade. Mais Firmin n'avait pas abandonné la partie, il avait préparé son affaire depuis longtemps et parvint à le convaincre de lui donner un coup de main à son hôtel.

— Vous pourriez en être le concierge.

— Moi, concierge? Tu n'y penses pas!

— Ça ne vous intéresse pas?

— Recevoir les plaintes de Pierre, Jean, Jacques et tenter de contenter tout le monde et son père, ce n'est pas pour moi.

Firmin ne lâcha pas le morceau pour autant.

— P'pa, vous savez tout faire. Vous êtes en plein l'homme qu'il me faut. Vous pourriez me rendre service en devenant mon homme à tout faire. Dans un hôtel, il y a toujours quelque chose à réparer et aussi un tas d'améliorations à apporter.

— Tu ne me feras pas accroire que tu n'as pas déjà quelqu'un pour faire ce genre de travail.

— Si je vous le propose, c'est que celui que j'avais est malade et ne pourra pas reprendre son travail avant long-temps… si jamais il le peut. Vous me rendriez vraiment service.

Allez savoir pourquoi, au grand soulagement de tout le monde, cette proposition lui plut et il se mit à prendre tous les matins le chemin de l'hôtel Eldorado. On le vit peu à peu retrouver sa bonne humeur. Mais, comme il arrive souvent, ça ne prit qu'un malheureux événement pour tout faire basculer. Tout alla bien jusqu'à la première bordée de neige. Il attrapa une grippe qui le tint cloué au lit pendant près de deux semaines. Il s'en sortit de peine et de misère et décida qu'en hiver, il valait mieux rester à la maison. Le temps des fêtes nous donna un sursis, mais les gros mois d'hiver furent réellement pénibles pour lui et pour nous qui le voyions dépérir. Nous espérions qu'il ressusciterait avec le printemps. Il se prépara à passer l'été sur la rive sud, mais on sentait que le déménagement lui pesait beaucoup. On se donna le mot pour lui rendre la chose le moins pénible possible. Tous contribuèrent dans la bonne humeur à le reconduire avec m'man et Maria à la Trousse pierre. J'allai même passer une semaine avec eux. Ils avaient l'air heureux. On n'eut plus à nous préoccuper de p'pa durant tout l'été, mais le même scénario que l'année précédente se répéta à son retour en ville. Dès lors, après nous être concertés, il fut résolu de lui proposer de vendre la maison et d'aller vivre avec m'man, Maria et moi au second étage de la maison de Firmin.

— Vous serez proche de l'hôtel et vous trouverez à vous occuper. Vous avez aimé ça, l'année dernière. Et durant l'hiver vous n'aurez pas à aller loin pour être à l'hôtel.

— Jamais ! s'indigna-t-il. Je suis bien chez moi.

Son ton cassant nous fit comprendre que quitter sa maison était au-dessus de ses forces. Il ne semblait même jamais avoir envisagé une telle solution. On eut beau discuter tant et plus, il ne changea pas d'idée et nous nous creusâmes la tête pour l'inciter à s'occuper à autre chose que passer ses journées à jongler dans sa berceuse. Une fois de plus, Firmin, qui ne manque pas d'idées, nous tira d'affaire. Il lui proposa d'abord de s'intéresser à la philatélie.

— C'est quoi ça ?

— La philatélie, c'est en d'autres mots collectionner des timbres-poste. Vous pourriez, par exemple, monter votre album de tous les timbres du Canada et des autres pays. Y a rien comme ça pour nous faire voyager. On apprend toutes sortes de choses par les timbres, sans compter qu'ils sont beaux à regarder.

Voici ce qu'il obtint pour toute réponse :

— Je ne mettrai jamais une cenne noire là-dedans.

— D'accord, concéda Firmin, mais je pense avoir trouvé quelque chose qui va vous passionner.

— Ah, ouais ?

— Vous qui fumez la pipe, vous devriez fabriquer vos pipes.

Cette fois, Firmin avait visé dans le mille. Sa proposition sembla lui plaire. Il répondit :

— Je vais y réfléchir.

Firmin ne lui laissa pas beaucoup de temps à se faire à cette idée, car il lui acheta tout ce qu'il fallait pour fabriquer des pipes et lui donna le tout en disant :

— Vous êtes habile de vos mains. Je suis certain que vous auriez plaisir à fabriquer des modèles de votre invention.

On lui aménagea un coin de la maison où il pourrait s'adonner à ce passe-temps. C'est ce qui le sauva et lui redonna une seconde vie. Il avait de l'imagination et fabriqua bon nombre de pipes vraiment originales. Sous prétexte de commencer une collection, Ovila, qui ne fume pourtant pas, lui en acheta deux : une qui représente une figure de proue d'un navire et l'autre qui ressemble en tout point à la cheminée d'une maison avec un martinet ramoneur qui, accroché à l'extérieur, semble se demander s'il pourra y entrer malgré la fumée.

Firmin en fit exposer dans son hôtel et beaucoup de ses clients offrirent de les acheter. P'pa eut beaucoup de succès avec ses pipes et, comme il gagnait de l'argent en les vendant, il s'encouragea et en produisit à la douzaine.

Firmin n'en resta pas là. Il nous demanda de donner chacun ce que nous pouvions pour faire un cadeau à p'pa. Lorsqu'on voulut savoir de quoi il s'agissait, il dit, mystérieux:

— Vous verrez. Faites-moi confiance, vous ne serez pas déçus et p'pa non plus.

À l'anniversaire de p'pa, on livra une grosse boîte de carton dans laquelle se trouvait un gramophone, le cadeau acheté par Firmin avec nos petites cotisations et la plus importante, la sienne.

C'est ainsi que fut résolu le problème majeur que constituait la retraite de p'pa. Sans nous l'avouer, nous nous demandions tous s'il se lasserait de fabriquer des pipes. Une chose nous rassurait: il pouvait désormais s'adonner à son passe-temps en écoutant de la musique avec m'man.

# Chapitre 53

# L'hôtel Eldorado

*Ovila*

De tous mes beaux-frères, Firmin était celui qui réussissait le mieux. Si Maurice avait du succès avec sa boulangerie, Firmin n'avait rien à lui envier avec son hôtel. Il avait su faire son nom grâce à la bonne nourriture qu'on servait au restaurant de son établissement et aux bons services d'hôtellerie fournis à ses clients. Plus que tout, cependant, le théâtre qu'il y avait ouvert avait fait la renommée de l'Eldorado. Chaque semaine, il faisait paraître dans les journaux les détails concernant les troupes qui venaient y jouer. Il présentait des sketches, des boulevards, du chant, de la danse, de la musique, parfois des bouts de films. Même si la majorité des troupes donnaient leur spectacle en anglais, la mimique des acteurs et les jeux de scène permettaient à ceux qui ne parlaient pas cette langue de comprendre en gros la situation. Ils ne manquaient pas de s'amuser et de rire à gorge déployée.

Un des plus grands succès qu'obtint Firmin arriva en 1914 quand il engagea une troupe d'acteurs français qui interprétèrent *Les Fourberies de Scapin*. Ses problèmes, cependant, commencèrent avec cette pièce. Un ecclésiastique vint assister incognito à une représentation et, comme il arrive fréquemment à ce genre d'individu, il fut scandalisé de ce qu'il avait vu. Il dénonça Firmin dans le journal *L'Action catholique*. Voici ce qu'il écrivit :

*Nous avons assisté cette semaine à la pièce* Les Fourberies de Scapin *présentée au théâtre de l'Hôtel Eldorado. Est-il besoin de dire que la représentation chez nous de mœurs si relâchées ne peut qu'inviter au mal et au péché. Peut-on permettre que des individus d'un autre pays viennent corrompre notre jeunesse sous nos yeux en les invitant à se marier sans le consentement de leurs parents et en leur montrant ensuite comment s'y prendre pour les tromper ? Sous le couvert du rire, on incite nos jeunes à fourvoyer tout le monde tout en se leurrant eux-mêmes. De telles représentations devraient être systématiquement bannies de nos théâtres. Ne l'étaient-elles pas d'ailleurs durant la vie de monseigneur de Laval, pourquoi les tolère-t-on aujourd'hui ?*

Ses propos furent appuyés dans les milieux catholiques, en particulier chez les enfants de Marie, les dames de Sainte-Anne et les messieurs de la congrégation. Blâmé pour son théâtre, Firmin le fut également parce qu'à son hôtel on dansait. Un évêque éleva la voix contre ces danses qu'il qualifiait de lascives, les salles où on les pratiquait et les professeurs venus de l'étranger pour les enseigner.

Interrogé à savoir de quelles danses il parlait, il laissa entendre qu'il s'agissait du turkeytrot et du foxtrot. « Les noms de ces danses, ajouta-t-il, parlent d'eux-mêmes. Elles obligent à marcher comme des dindes ou à sauter comme des renards. Un jour, l'Église bannira ces danses. En attendant, nous avons les cabaretiers à l'œil. Qu'ils se le tiennent pour dit. »

Firmin ne fit pas grand cas de cette menace. Chaque fois qu'il devait se battre pour une raison ou une autre, comme s'il voulait narguer ses adversaires, il réagissait d'une curieuse façon : il se récompensait. Cette fois, sa récompense apparut à la porte de son hôtel sous la forme d'une voiture flambant neuve : une Packard 1912 Model 30, pour sept passagers.

# Chapitre 54

# À propos de Léonard

*Hubert*

Il fut un temps où on ne voyait pratiquement plus Léonard. P'pa et m'man, surtout, s'inquiétaient du fait qu'il ne parlait jamais de mariage et ne nous présentait pas de future fiancée. Gertude l'approuvait et disait que c'était son choix, qu'il y en a comme ça qui préfèrent demeurer célibataires plutôt que de se mettre la corde au cou avec quelqu'un qu'au bout de quelques mois ils ne sont plus capables de sentir.

J'avais assez souvent l'occasion d'aller le voir. Il était toujours aussi dynamique et il s'était aménagé un beau logis à la Haute-Ville, rue Claire-Fontaine. Chaque fois que j'avais l'occasion de me rendre chez lui, il se montrait volubile et profitait de ma présence pour me réciter des vers, souvent de sa composition et parfois d'autres poètes. Je le trouvais manifestement heureux de vivre. Je me souviens d'un soir où il me joua presque une pièce à lui tout seul. Il avait une mémoire phénoménale.

J'arrivais souvent chez lui à l'improviste et il ne me faisait jamais de reproches. «Ah! lançait-il en me voyant, si c'est pas mon Quasimodo préféré!» Bien entendu, il avait pris le temps de me parler du personnage de Victor Hugo, sonneur de cloches à Notre-Dame de Paris. Si par malheur j'avais un peu le cafard, je ne manquais pas de me rendre voir Léonard et sa bonne humeur contagieuse me remettait, comme on dit, bien vite sur le piton.

Aussi fus-je étonné, un jour que je me présentais chez lui, de le voir hésitant à m'ouvrir sa porte et à me faire le reproche de ne pas l'avoir prévenu de ma visite. Il était pâle et nerveux. Je m'excusai en lui demandant :

— Que se passe-t-il ? Es-tu malade ? Puis-je faire quelque chose pour toi ?

— Quand j'aurai besoin de ton aide, répondit-il, j'irai te voir.

Il n'était manifestement pas dans son assiette et ma venue semblait l'avoir dérangé et irrité. Il me déclara :

— Hubert, si tu veux bien, je te prie de revenir un autre jour, mais dorénavant, avant de te présenter chez moi, aurais-tu la bonté de me laisser un message me prévenant de ton passage ? Comme ça, tu me verras toujours heureux de t'ouvrir ma porte, ce que je ne peux pas faire aujourd'hui, ayant beaucoup d'autres soucis en tête.

Je me dis que je l'avais sans doute dérangé alors qu'il était à travailler à la rédaction du second volume sur nos principaux poètes. Quelque peu inquiet, toutefois, de la façon peu ordinaire dont il m'avait reçu, je décidai d'en dire un mot à Firmin.

— As-tu été chez Léonard dernièrement ?

— Je n'en ai guère le temps. Pourquoi donc ?

Je lui racontai l'attitude inhabituelle qu'il avait eue en me recevant. Firmin hocha la tête et dit :

— Sans doute une mauvaise passe... Ça arrive à tout le monde...

Il fixa soudain le vide et poursuivit :

— Toi, tu n'es pas marié, mais si tu l'étais, tu te rendrais compte que ce n'est pas toujours rose, la vie de couple. On a parfois de la difficulté à s'accepter soi-même. Imagine quand nous sommes deux, puis bientôt trois.

Étonné, je lui demandai :

— Chantale attend un enfant ?

— Oui, elle vient tout juste de me l'apprendre. Elle qui est habituée à se faire dorloter depuis qu'elle est née, elle se montre bien inquiète de ce qui l'attend, l'accouchement et tout ce qui suit.

— Elle n'a pas de raison de s'inquiéter, vous avez un cuisinier, une femme de ménage, des femmes de chambre et plein d'autres domestiques. Elle n'a même pas à lever le petit doigt et elle obtient tout ce qu'elle veut.

— Je l'admets, elle est gâtée. Que veux-tu ? Je ne peux rien y changer. Parfois ça cause des frictions entre nous, comme ça arrive dans tous les couples. Mais tu me parlais de Léonard…

— Léonard vit seul. Je n'ai pas compris pourquoi il m'a reçu avec autant d'impatience.

— Il peut avoir ses problèmes comme nous tous. En plus, comme tous les poètes, c'est un homme très sensible. S'il est habituellement de bonne humeur, ça ne prend pas non plus une grosse contrariété pour le virer à l'envers. Tu ne t'es pas présenté à un bon moment chez lui. Comme il est direct, il te l'a fait savoir. Entre frères, parfois, on ne fait pas attention, on pense qu'on sera toujours bien accueilli et sans le vouloir on peut déranger.

Je fus bien obligé d'admettre que Firmin avait raison.

# Chapitre 55

# Mon beau-père raconte

*Ovila*

J'aimais faire parler mon beau-père du temps de sa jeunesse. Je m'étais mis en tête d'écrire un roman et j'interrogeais les anciens afin d'accumuler de l'information pour mon ouvrage. Aussi loin qu'il remontait dans le temps, l'événement qui avait le plus marqué mon beau-père durant son enfance s'était déroulé le jour de ses huit ans. Rarement avait-il l'occasion de voir son grand-père, un vieillard de quatre-vingts ans vivant à la Haute-Ville, que ses parents, pour une raison qu'il ignorait, ne fréquentaient guère. Pourtant, le jour de son anniversaire, très tôt le matin, son grand-père se présenta rue du Pont, disant qu'il tenait à faire vivre une journée spéciale à son petit-fils Philibert. Mais je laisse mon beau-père en faire part lui-même.

« C'était en juillet et la journée promettait d'être superbe. Grand-père me dit : "Enfile ta veste, nous allons faire un tour." Je savais, pour l'avoir entendu raconter par un de mes oncles, que malgré ses cheveux blancs grand-père était un grand marcheur. Il se rendait tous les jours, à partir de sa maison rue d'Aiguillon, soit dans le port, soit sur les Plaines d'Abraham ou encore par le chemin Saint-Louis jusqu'aux abords de la Villa Bagatelle. Il avait ses haltes et connaissait chaque banc susceptible de l'accueillir le long de son trajet. Il continuait parfois par le chemin Saint-Louis jusqu'au cimetière Mount Hermon qu'il traversait à pas lents pour s'arrêter dans le parc voisin afin de contempler à loisir le fleuve. Le Saint-Laurent s'ouvre à cet endroit sur une baie grandiose d'où l'on découvre au nord les falaises de Québec et au sud, comme dans un couloir, un débouché vers la liberté du grand large. Il passait plus d'une heure à cet endroit à admirer le fleuve, en pensant sans doute à ce jour malheureux où dans l'entrebâillement de la falaise, les soldats anglais se faufilèrent jusqu'à Québec et firent d'un peuple fier un peuple conquis.

« Donc, le matin de mes huit ans, il m'invita à le suivre. Nous descendîmes tranquillement la rue vers l'épicerie. Je me dis : "Il va m'acheter des bonbons." Mais il avait une idée différente, car au coin de la rue nous attendait un charretier avec sa voiture. Nous y montâmes sous le gazouillis des hirondelles au-dessus de nos têtes et le concert des merles sur les pelouses voisines. L'air embaumait, rempli du parfum des fleurs. Je demandai à grand-père : "Où allons-nous ?" Il me sortit une réponse dont j'allais me souvenir toute ma vie : "C'est ma surprise pour ton anniversaire. Ce sera un de nos petits bonheurs de la journée. Tu sais que chaque jour, je m'invente un ou des petits bonheurs ? Souviens-toi de ça, si on arrête de rêver on arrête aussi de vivre."

« Je m'intéressai au paysage. Il défilait devant nous à travers les arbres par grands pans d'ombre et de lumière. Il faisait un temps radieux. J'étais persuadé qu'à chacun de mes anniversaires, il ferait toujours aussi beau. Le cheval traversa le pont Dorchester et remonta paisiblement la Canardière en direction du fleuve. Je me demandais bien où nous allions. Plus nous roulions, plus les maisons se faisaient rares, et bientôt nous fûmes en banlieue. Nous empruntâmes une petite route de terre, pleine de nids-de-poule, et continuâmes notre chemin comme deux vacanciers insouciants.

«Le charretier était un petit homme au visage fripé comme une vieille pomme. Il laissait le cheval faire son travail, se contentant, de temps à autre, de lui donner quelques petits coups de cordeaux sur la croupe. Nous roulâmes encore un moment avant de traverser un petit bois pour nous arrêter en même temps que la route au pied d'une clôture. "Terminus!", lança le charretier.

«Grand-père lui dit de nous attendre là, que nous en avions pour deux bonnes heures. Nous descendîmes de voiture parmi les chants d'oiseaux, face à un sentier qui disparaissait sous les arbres. Grand-père me promit: "Au bout du sentier, tu vas avoir une belle surprise." J'avais si hâte que je courus sans plus attendre. Après quelques détours, je sortis de l'ombre en pleine lumière et m'arrêtai, impatient, pour attendre mon grand-père qui n'avançait pas assez vite à mon gré et soufflait comme un vieil harmonium.

«Le sentier débouchait sur une clairière. Je ne pus retenir un cri d'admiration, quand je me rendis compte que droit devant nous s'avançait un majestueux paquebot posé sur l'eau comme un oiseau géant. Tout autour volaient une multitude de goélands. Grand-père rit de me voir si excité. Je l'entends encore me dire de sa voix éraillée de vieillard: "C'est beau, n'est-ce pas?" Je m'écriai: "Merci grand-père, pour une surprise c'est toute une surprise! Je ne savais pas que nous étions si près du fleuve."

«Je n'avais pas assez de mes deux yeux pour admirer les bateaux sur le Saint-Laurent, le petit village sur l'autre rive avec son église argentée et ses maisons agglutinées tout autour comme des pèlerins en prière. Grand-père m'avait déjà raconté l'histoire du bonhomme qui scie du bois dans la lune. Cette fois, il m'apprit que c'était grâce au fondeur d'or dans le soleil que nous pouvions recevoir ainsi des milliers de rayons. Il me demanda : "As-tu faim ?" "Ah, oui !" "Dans ce cas, tu vois la petite maison là-bas sur notre droite ? Tu vas t'y rendre et frapper à la porte. Quand on te répondra, tu diras que tu viens de la part de monsieur Rodrigue Bédard."

« Je courus vers la maison, pendant que grand-père s'assoyait sur une grosse pierre à l'ombre d'un grand érable rouge. Je frappai à la porte. Une femme vint répondre. Je n'eus même pas à me présenter. "Ah ! s'exclama-t-elle en me voyant, monsieur Rodrigue est arrivé et toi tu es certainement son petit-fils, tu as les mêmes yeux." Elle retourna dans la maison et me tendit un grand sac de papier brun. "Porte-le à ton grand-père."

« J'étais tout heureux de rapporter ce sac assez lourd. Je le remis à grand-père. Il l'ouvrit et en sortit des sandwichs, des pommes et des petits gâteaux. "Ce sera notre dîner", déclara-t-il, tout heureux de me voir si étonné. Il étendit son manteau au pied de l'érable, s'assit près de moi et nous fîmes honneur à ce repas champêtre. Nous mangeâmes paisiblement pendant qu'autour de nous le ciel s'animait de la présence de goélands et de mouettes en quête de quelques miettes. J'avais le cœur plein de reconnaissance d'avoir un grand-père si attentionné et si plein de surprises. Il demanda : "Tu es heureux ?" "Ah, oui, grand-père, merci !" "C'est un des mes petits bonheurs pour ton anniversaire." Spontanément, je lançai : "Voilà un grand petit bonheur !"

«Il tira son tabac et sa pipe de sa poche, la bourra et se mit à fumer sans rien dire, les yeux rivés sur le fleuve. Au bout d'un moment, il me dit : "Maintenant, tu peux aller jouer près de l'eau, sans trop t'en approcher. Pendant ce temps, je vais faire un petit somme." Il s'adossa à l'érable et, quelques minutes plus tard, il s'endormit. Je m'en aperçus aux ronflements qu'il poussait, semblables au grondement d'un tuyau d'orgue.

«Je m'approchai du fleuve. Des bécassines s'envolèrent avec un cri de surprise. Je m'amusai à lancer des cailloux dans l'eau et à chercher des coquillages. Le temps passa sans que je m'en rende compte. Soudain, j'entendis grand-père me crier de le rejoindre. Il était toujours assis le dos appuyé au gros érable.

«Il murmura, comme à regret : "Il faut qu'on parte, mais auparavant, tu veux faire quelque chose pour moi ?" "Bien sûr !" "Tu vas entourer le tronc de cet érable de tes deux bras."

«Je le fis, mais je ne parvins pas à joindre mes mains de l'autre côté. "Il est gros, hein ?" "Très gros." "Il a soixante-douze ans." "Soixante-douze ans ? Comment le savez-vous ?" "C'est moi qui l'ai planté le jour de mes huit ans. Mon père possédait ici une maison qui n'existe plus. Mon érable poussait à quelques pieds de la galerie d'en avant."

«Je restai là un bon moment, bouche bée, à admirer ce bel arbre planté là par grand-père, quand il me confia : "Ma vraie surprise pour tes huit ans, la voici." De derrière l'érable, il tira une pelle et un petit arbre dont les racines étaient enveloppées dans un sac de jute. Il me le tendit. "Tu vas le planter là, où j'ai creusé le trou que voici." Je m'exécutai et nous restâmes un long moment à admirer mon arbre. Je n'en croyais pas mes yeux tellement je le trouvais beau. "Tu reviendras le voir de temps à autre. J'espère que tu pourras venir quand tu auras mon âge." Je quittai à regret cet endroit où je venais de goûter à un morceau de vrai bonheur.

# Chapitre 56

# La Grande Guerre

*Hubert*

L'année 1914 fut marquée par des événements majeurs. Depuis nombre d'années, des dizaines de milliers de Canadiens français étaient partis vivre aux États-Unis et l'exode se poursuivait. Afin d'inciter nos concitoyens à demeurer chez nous, un certain abbé Caron organisa une première expédition dans une partie de la province appelée l'Abitibi où, semblait-il, les terres étaient très fertiles. Puis une tragédie occupa les esprits pendant plusieurs jours. Parti de Québec pour l'Europe, le paquebot *Empress of Ireland* fit naufrage non loin de Rimouski après avoir été heurté dans la brume par le navire norvégien *Storstad*. Il y eut plus de mille morts. Certains d'entre eux furent enterrés à Québec d'où ils étaient partis la veille.

Chaque fois que survenaient de telles catastrophes, je me demandais pourquoi Dieu les permettait, puisqu'on nous disait depuis notre tout jeune âge que tout arrivait par sa volonté.

Mais l'événement le plus marquant de l'année fut sans contredit le déclenchement d'une guerre en Europe qui, selon l'opinion des gens en autorité, ne devait durer que quelques mois. Il y avait longtemps que les Allemands, les Britanniques et les Français se préparaient à la guerre. Les Anglais voulaient démontrer qu'ils étaient les rois de la mer, les Allemands avaient un œil sur les pays voisins et les Français rêvaient de reconquérir l'Alsace et la Lorraine qu'ils avaient perdues plusieurs années auparavant.

L'assassinat à Sarajevo de l'archiduc d'Autriche François-Ferdinand fut le prétexte à la déclaration de guerre où on retrouva les Français alliés aux Anglais et aux Russes pour combattre les Allemands, les Autrichiens et les Hongrois. Au moins, je n'avais pas à m'inquiéter d'être contraint un jour d'aller me battre : ma bosse et ma jambe courte l'interdisaient. Mais tous les jeunes hommes en bonne santé étaient exposés à devoir le faire.

J'étais toujours un peu étonné des prises de position des évêques. Monseigneur Bruchési se battait férocement contre le travail du dimanche. Il demandait aux gens de dénoncer ceux qui travaillaient le jour du Seigneur et réclamait des autorités civiles qu'elles interviennent pour faire cesser tout abus en ce sens. Par ailleurs, du même souffle, avec les autres évêques, il se disait en faveur de la guerre. Moi qui m'opposais à toute violence, j'avais de la difficulté à comprendre comment des hommes supposément voués au bien, à l'amour et à la paix pouvaient être en faveur de la guerre…

Tout au cours de ces années, les journaux nous permirent de suivre au jour le jour la progression des combats. Je ne pouvais me faire à l'idée que des gens civilisés se tiraient dessus d'une tranchée à une autre. Les journaux nous rapportaient chaque semaine combien de nos jeunes gens avaient perdu la vie. Sur sept millions d'habitants que nous étions au Canada, si ma mémoire est fidèle, près de soixante-dix mille furent tués et cent soixante-dix mille blessés sur les champs de bataille durant cette guerre.

Pendant qu'on se battait en Europe, ici la vie continuait paisiblement. Tout cela nous semblait bien loin même si on voyait s'ouvrir de plus en plus d'usines de munitions. Malgré tout, nous avions l'impression que la guerre ne nous concernait pas vraiment et qu'elle ne nous touchait pas encore. Nous étions dans l'erreur et nous fûmes très surpris d'apprendre que chaque journée de guerre nous coûtait neuf cent mille dollars. À ce rythme, le gouvernement du Canada n'avait plus les moyens de payer. Pour faire entrer des sous dans les coffres, il prit deux moyens bien différents l'un de l'autre. Les députés votèrent d'abord la loi de l'impôt sur le revenu. Nous allions désormais devoir, selon nos revenus, remettre de l'argent au gouvernement fédéral pour les services rendus.

Puis, l'on vit paraître dans les journaux des annonces très étonnantes. Le gouvernement empruntait de l'argent à du cinq pour cent pour l'effort de guerre. C'est ce qu'on appelait les bons de la victoire. Le ministre des Finances fit plusieurs appels du genre. Pour son effort de guerre, le Canada emprunta plus de deux milliards. Pendant que le gouvernement fédéral s'endettait de la sorte, le gouvernement provincial accusait un excédent budgétaire de plus d'un million et demi.

Chez nous, le champion en ce qui touchait les faits de guerre n'était autre que Léonard. Dans son appartement, il avait affiché sur un mur une carte de l'Europe et, au moyen d'épingles de couleur, il suivait jour après jour les déplacements des différentes troupes, ainsi que leurs progrès et leurs reculs. J'eus le malheur de me rendre chez lui et il m'y retint pendant des heures. Pour lui, cette guerre semblait un jeu. Je lui proposai :

— Tu devrais écrire un livre là-dessus.

— L'idée est bonne, m'assura-t-il, mais il faudrait que je me rende là-bas pour rendre mon récit crédible.

— Pourquoi donc, tu n'as pas assez de documentation ?

— Je suis cette guerre par les yeux des journalistes qui sont sur place. Crois-moi, il n'est pas facile de savoir si ce que l'un ou l'autre raconte est authentique.

— Une chose est certaine, l'assurai-je. Cette guerre, comme toutes les guerres d'ailleurs, nous prouve que les hommes sont stupides. Si nous avons été créés par Dieu, il a bien manqué son coup…

Léonard ne releva pas ma remarque, il était occupé à déplacer tout un régiment sur sa carte. Il fallait que j'aille sonner l'angélus, alors je le laissai à son jeu de vie et de mort.

# Chapitre 57

# Dure épreuve
# pour Gertrude

*Ovila*

Quand j'essaie de comprendre les tourments de ma belle-sœur Gertrude, il me faut remonter à 1914. La guerre s'était déclarée en Europe. Dès son déclenchement, la Grande-Bretagne s'y était engagée et, donc, notre pays voulut faire sa part. Pas moins de trente mille hommes s'engagèrent volontairement et, parmi eux, environ mille Canadiens français. Tout de suite, dans le reste du Canada, on laissa entendre que les Canadiens français ne voulaient pas faire leur part. Certains allaient jusqu'à dire que nous étions des lâches. Mais quel intérêt avions-nous d'aller, une fois de plus, défendre la Grande-Bretagne ? Avant de déclarer la guerre, les Anglais ne nous avaient pas demandé notre avis, et nous étions bien conscients qu'ils se servaient de nous comme de la chair à canon puisqu'ils ne se donnaient même pas la peine de donner des commandants de langue française aux Canadiens français déjà engagés dans l'armée.

Tout cela faisait parler, et pas toujours dans des termes très charitables. Plus la guerre progressait, plus on insistait pour que les jeunes gens s'engagent dans l'armée. Certains laissèrent entendre que les Canadiens français participeraient beaucoup plus à la guerre si on créait des unités de langue française. Il y avait bien les Fusiliers Mont-Royal où tout se déroulait en français, mais leurs rangs étaient complets et le gouvernement s'obstinait à ne pas en créer d'autres. On finit pourtant par voir naître le 22$^e$ bataillon. Mais plus le temps passait, moins les jeunes Canadiens français s'intéressaient à la guerre.

Tout le monde savait que cette guerre était des plus horribles et elle semblait ne mener à rien. Les journaux nous abreuvaient de tout ce qu'on pouvait imaginer de mauvaises nouvelles. Les jeunes Canadiens français combattant en Europe faisaient savoir par des lettres à leurs parents à quel point ils étaient maltraités dans leur propre corps d'armée. Puis un nouveau mot apparut dans le vocabulaire, celui de conscription. Le gouvernement fédéral décida que les hommes âgés de vingt-cinq à trente-cinq ans devraient obligatoirement faire leur service militaire. Cette décision mit le feu aux poudres et de nombreuses manifestations s'ensuivirent, dont une nous toucha directement puisqu'un neveu y fut directement mêlé.

Un soir que Marjolaine et moi étions bien tranquilles à la maison, notre beau-frère Maurice, le mari de Gertrude, arrêta pour nous faire part de ce qu'il venait de vivre. Il nous apprit d'une voix indignée :

— Imaginez-vous que les "spotters" ont arrêté Joseph.

— Les "spotters" ? questionna Marjolaine.

— Oui, les agents du gouvernement à la recherche de jeunes hommes qui, comme Joseph, ont l'âge d'être à l'armée.

Je demandai :

— Où était Joseph ?

— Il s'apprêtait à entrer à la salle Jacques-Cartier. Comme il n'avait pas sur lui les papiers démontrant qu'il était exempté, ils l'ont arrêté et conduit en prison.

— En prison ?

— Eh oui ! Ils ont fini par téléphoner à la maison et je me suis rendu au poste de police avec ses papiers. Ils l'ont libéré. Son arrestation a attiré beaucoup de monde et quand les gens ont vu que les policiers détenaient deux autres jeunes hommes, ils ont attaqué le poste à coups de pierre, de glaçons et tout ce qui leur tombait sous la main. Les policiers ont fini par libérer ces jeunes hommes. Mais d'après moi, ça n'en restera pas là.

— Il ne faut pas s'étonner que ça tourne comme ça, déplorai-je. Les gens sont contre la conscription. On n'a pas le droit d'expédier nos jeunes de force à la guerre.

Le lendemain, les journaux nous apprirent que ce soulèvement ne s'était pas arrêté au poste de police. Un des agents du gouvernement fut pourchassé. Il eut l'idée de se réfugier dans un tramway que les gens renversèrent. Ils l'auraient lynché sans l'intervention d'un prêtre parvenu à les calmer. Restés sur leur faim, les gens se regroupèrent et montèrent à la Haute-Ville où ils saccagèrent les bureaux du registraire et détruisirent les documents concernant les conscrits.

Les choses en seraient probablement restées là si le premier ministre du Canada n'avait pas décidé de donner tout pouvoir à l'armée de mettre de l'ordre à Québec. Des soldats arrivèrent de l'Ontario et du Manitoba. Ils se joignirent aux forces policières de la ville. Les émeutiers de la veille se réunirent à nouveau et décidèrent, malgré le déploiement policier, de prendre d'assaut le Manège militaire afin de libérer les jeunes hommes qu'on y tenait prisonniers pour en faire de force des soldats. Montés sur leurs chevaux, les policiers repoussèrent les émeutiers.

Le lendemain, c'était Pâques. L'église Saint-Roch était bondée comme toutes les églises. Je me souviens très bien que monseigneur Bégin, l'archevêque de Québec, demanda aux prêtres de lire en chaire une lettre ordonnant aux fidèles de respecter l'ordre et la loi. Je peux dire que je n'avais jamais autant entendu grogner dans l'église. Au sortir de la grand-messe, les gens en avaient assez de voir des militaires à tous les coins de rue. Les violences des jours précédents n'avaient pas été oubliées. Ils se révoltèrent. Au cours de l'après-midi, une nouvelle fit le tour de la ville : deux jeunes gens et une jeune fille avaient été blessés par balles. Les rues furent à nouveau envahies en guise de protestation contre l'arrivée de nouveaux contingents de soldats. Nous n'osions pas mettre le nez dehors tant il y avait de l'électricité dans l'air. Marjolaine était bien contente que je n'aie pas à couvrir ces événements pour le journal.

On nous apprit que le seul fait de faire partie d'un attroupement était considéré comme un acte criminel. Ça n'empêcha pas pour autant les gens d'envahir les rues de Saint-Roch. Des projectiles de toutes sortes s'abattirent sur les soldats et la police. Ce qui devait arriver arriva : un peloton d'une quinzaine de soldats, au coin des rues Saint-Joseph, Bagot et Saint-Vallier, ouvrit le feu en tirant dans la foule. Trois hommes et un enfant, originaires de la paroisse, tombèrent sous les balles et une trentaine de personnes furent blessées. Les militaires arrêtèrent une soixantaine de personnes. On proclama la loi martiale et les soldats eurent l'ordre de tirer sur quiconque se présenterait dans la rue. Petit à petit, le calme revint et la loi martiale fut levée.

Mon beau-père, qui avait tout suivi ce que rapportaient les journaux, était indigné. « Quand, s'exclama-t-il, allons-nous apprendre à être maîtres de notre destinée ? Nos rues ont été envahies par des soldats venus du reste du Canada, mais commandés par un Canadien français qui a eu la lâcheté de faire ouvrir le feu sur ses propres compatriotes. Dans quel pays vivons-nous ? »

Quant à Gertrude, elle avait passé de bien mauvais moments. Elle était indignée de ce qu'on avait fait subir à son fils. Elle le fut encore plus quand elle apprit qu'on lui enlevait son exemption de l'armée et qu'il devrait se présenter dès le lendemain dans un des bureaux de recrutement. Quelques jours plus tard, il quitta Québec avec un contingent de l'armée.

## Chapitre 58

# Une étrange gageure

*Hubert*

Un jour que je revenais chez moi, je vis notre voisine, madame Gilbert, à quatre pattes dans son jardin, occupée à y enlever les mauvaises herbes. Pourquoi cette idée me vint-elle en tête ? Je l'ignore, mais je songeai que toute notre vie nous sommes un peu, comme notre voisine, occupés à retirer de notre vie tout ce qui y pousse de mauvais. Il est vrai que les curés se chargent de nous rappeler constamment que nous sommes des pécheurs et que nous devons confesser régulièrement nos fautes. Je me disais qu'il était bien plus facile d'arracher les mauvaises herbes en nous que de le faire dans un jardin. Ne suffisait-il pas d'accuser nos fautes en confession ? Je me faisais la réflexion que la vie est une bien curieuse chose. D'abord, nous ne choisissons pas de naître, et ensuite nous devons nous débattre pour vivre. Avec ma bosse, je me sentais dans le camp de ceux que la vie n'avait pas gâtés. J'étais tourmenté par toutes sortes de questions pour lesquelles je n'avais pas de réponse et si, par malheur, j'en parlais à monsieur le curé, à Rosario ou bien à l'un ou l'autre des vicaires de la paroisse, je n'obtenais qu'une réponse : « C'est la volonté de Dieu. »

Ainsi, nous étions sur Terre pour faire la volonté de Dieu qui nous était enseignée par les prêtres et, faut-il le préciser, qui ressemblait beaucoup à leur volonté à eux. Je trouvais que c'était là une réponse trop facile : ils n'étaient vraiment pas dans ma peau de bossu. S'ils avaient su à quel point j'enviais ceux qui pouvaient mener une vie normale parce qu'ils n'étaient pas infirmes ! Je mesurais à quel point on devait se débattre seul dans la vie et que le temps filait, emportant avec lui nos moindres espoirs de bonheur.

C'est dans cette période où je m'interrogeais le plus que je connus sans doute les moments les plus heureux de ma vie. Je crus que j'allais enfin pouvoir vivre comme tout le monde, quand un dimanche, au sortir de la grand-messe, alors que je finissais de sonner les cloches, une jeune femme souriante, que je n'avais jamais vue auparavant, m'aborda en me demandant :

— Est-ce difficile de sonner les cloches ?

— Il faut y mettre tout notre poids et toute notre force. Ça prend aussi une certaine habileté pour y parvenir.

— Accepteriez-vous que j'essaye ?

— Monsieur le curé ne verrait pas ça d'un bon œil.

— On pourrait le faire quand il ne risque pas de nous voir…

Sa proposition m'étonna, mais je trouvais cette jeune femme si charmante que je ne pus résister à sa demande et lui proposai :

— Vous pourriez venir un matin à six heures au moment de l'angélus.

Deux jours plus tard, je la vis apparaître au petit matin alors même que j'ouvrais la porte de l'église. J'avais gardé d'elle un vague souvenir. J'eus cette fois le loisir de la regarder plus attentivement. Elle était menue, avec un nez retroussé, des yeux enjôleurs, de beaux cheveux semblables à une cascade rousse et un grain de beauté provocateur sur la joue droite près de ses lèvres charnues. Je la trouvais tellement jolie avec ce sourire qui illuminait tout son visage que j'osai penser m'en faire une amie. J'étais si esseulé que j'avais toujours ce réflexe avec les jeunes femmes.

Je l'aidai à réaliser son désir en lui permettant, avec mon aide, bien entendu, de faire tinter, au moyen de la plus petite cloche, les coups de l'angélus. Je croyais qu'elle serait satisfaite de son expérience, mais je vis à son air contrarié qu'elle s'attendait à plus. Elle me le fit d'ailleurs savoir en ces termes :

— Oui, j'ai fait sonner la cloche de l'angélus, mais j'aimerais tellement faire carillonner celle des grandes circonstances.

Je voulus savoir pourquoi elle y tenait tant. Elle ne sut trop quoi répondre.

— Ça me semble être un caprice de votre part, lui dis-je, ou encore une gageure que vous avez prise.

Elle rougit et je vis que j'avais visé juste. Comme elle ne répondait pas, j'insistai :

— Ai-je raison ? Vous avez gagé avec une ou l'autre de vos amies ou peut-être même avec votre petit ami que vous parviendriez à sonner les cloches et, pour ce faire, que vous réussiriez à soudoyer le sonneur que je suis.

Après un moment d'hésitation, elle avoua que telle était la raison pour laquelle elle se trouvait à l'église et elle me supplia de ne pas lui faire perdre sa gageure. Je lui demandai :

— Quelle récompense vous attend, si vous y parvenez ?

— Ah ça, dit-elle, je le garde pour moi, mais je puis vous dire que si vous me permettez de faire résonner la grosse cloche, vous aurez droit à un baiser.

Ma bosse ne semblait pas la rebuter et moi, bête comme je suis avec les jeunes et jolies femmes, je lui promis que lorsque l'occasion se présenterait et que nous ne risquerions pas d'être vus, je lui permettrais de s'accrocher au câble de la cloche principale pour qu'elle puisse gagner son pari. Profitant de la situation, je m'arrangeai pour que se prolongent les rencontres avec elle. Je prétendais chaque fois qu'il y avait trop de gens autour qui risquaient de la voir accrochée au câble comme une araignée à son fil, ce qui me vaudrait des remontrances de la part de monsieur le curé et me coûterait peut-être même ma place. Ainsi, je pus la faire parler et apprendre que son père était l'un des gros marchands de meubles de la rue Saint-Joseph. Elle comptait travailler bientôt à la Dominion Corset. Je lui dis :

— Si jamais vous faites sonner la cloche majeure et que vous informez vos amies que vous avez gagné votre gageure, qui vous assure qu'elles vous croiront ?

— Vous, car je leur dirai de venir vous voir et vous pourrez le leur confirmer.

Et c'est ainsi qu'un bon samedi midi, elle put réaliser son rêve. À la suite d'un baptême auquel peu de monde assistait, je l'aidai à faire carillonner le gros bourdon. Elle s'accrocha vaillamment au câble et, sous le poids de la cloche en action, remonta dans les airs à quelques reprises avant de terminer son expérience en se laissant choir dans mes bras avec un sourire triomphant et le cœur battant la chamade, comme je pus le sentir à son contact. Comme elle l'avait promis, profitant du moment où je la tenais comme un bébé dans mes bras, elle m'embrassa en me passant les bras autour des épaules. Je la déposai au sol, encore un peu sous le choc, et elle me quitta, un large sourire aux lèvres, tout en battant vivement des mains.

Comme je m'y attendais, quelques jours plus tard, deux de ses amies se présentèrent un midi à l'arrière de l'église au moment où je m'apprêtais à sonner l'angélus. L'une d'elle demanda :

— Vous connaissez Angéline Brisebois ?

— Angéline ?

— Oui, notre amie. Elle soutient être venue ici et avoir pu sonner les cloches.

— Elle s'appelle Angéline ? dis-je sottement, en me rappelant avoir omis de lui demander son prénom.

— Oui, assura une des demoiselles. C'est notre meilleure amie.

Je hochai la tête.

— Elle n'a pas menti.

— Est-ce vrai qu'à la fin elle est retombée dans vos bras ?

— Absolument, et elle semblait très heureuse de sa réussite.

Les deux jeunes filles me regardaient d'une curieuse façon. Je me demandai si j'avais laissé entendre quelque chose de trop.

— Elle a réellement gagné sa gageure ? Vous en êtes sûr ?

— Oui, elle est parvenue à sonner les cloches.

— Mais, monsieur, ce n'était pas ça le pari.

— Ce n'était pas ça ? Qu'est-ce que c'était alors ?

— Celui de toucher votre bosse.

Je m'étais fait avoir et les deux jeunes demoiselles continuaient à me dévisager pour me l'entendre confirmer. J'acquiesçai et elles me laissèrent en jacassant, étonnées de constater que leur amie Angéline était parvenue à ses fins. Quant à moi, je restai pantois, ne pouvant pas croire que mon infirmité, une fois de plus, m'avait valu toute cette mise en scène.

# Chapitre 59

# Le curé de la famille

*Ovila*

Nous avions donc appris le changement de cure de Rosario, mais sans savoir pourquoi. Comme je suis tenace, je m'étais juré de connaître les vrais motifs de sa mutation. Je soupçonnais Léonard et Firmin de savoir des choses, et leur silence signifiait à mes yeux qu'une raison majeure avait sans doute été à l'origine de sa mutation. Comme, en bon journaliste, je suis du genre à ne pas lâcher le morceau quand je le tiens, je décidai d'en avoir le cœur net et je choisis de me rendre mener mon enquête dans Portneuf. Je voulus mettre Marjolaine dans le coup et je lui proposai :

— Que dirais-tu de quelques jours de vacances au bord du fleuve dans Portneuf ?

Marjolaine adore la campagne. Elle se montra tout de suite ouverte à ce projet. Spontanément, avec le sourire qui la rend si attachante, elle demanda :

— Quand ?

— La semaine prochaine. Un des mes amis du journal y possède une maison d'été. Nous pourrons y habiter. Pendant que tu te reposeras au bord de l'eau, je mènerai l'enquête qui m'appelle à cet endroit.

— Quelle enquête?

— Une histoire qui ne saurait guère t'intéresser.

— C'est dommage, remarqua-t-elle, que Rosario ne soit plus là, nous aurions pu lui rendre visite.

Je ne relevai pas sa remarque.

Toujours est-il que nous allâmes à Portneuf, mais ma démarche n'eut pas le succès escompté. Je n'appris rien de neuf et ne reçus que des réponses évasives.

Je décidai tout de même de m'informer auprès du nouveau curé de la paroisse. Je sonnai à la porte du presbytère. Une vieille femme, sans doute la ménagère, vint me répondre. Elle avait l'air d'une panthère enragée et se montra des plus rébarbatives. Une de ses premières questions fut:

— Êtes-vous de la paroisse?

— Je suis de Québec.

Ma réponse négative la rendit encore plus soupçonneuse.

Je croyais qu'elle allait poursuivre son interrogatoire à la manière d'un juge de la Cour suprême, mais elle tourna les talons sans rien dire et je supposai qu'elle se rendait prévenir monsieur le curé de mon indésirable présence. Chose certaine, le curé me reçut exactement comme on accueille un indésirable. Il me fit poireauter pendant plus d'une demi-heure avant de daigner venir me rejoindre à l'entrée du presbytère au parloir où j'avais fini par me résigner à m'asseoir. Je ne sais pas si les ecclésiastiques ont le nez assez fin pour détecter les journalistes. Celui-là, qui affichait un air précieux en se présentant à moi, me demanda, dès que je lui eus posé ma question à propos de son prédécesseur:

— Je ne vous connais pas, cher monsieur. Je présume que si vous vous êtes déplacé de Québec simplement pour me poser cette question, c'est que vous êtes journaliste. N'ai-je pas raison ?

Je dus avouer. Dès lors je sus que ce bon curé allait patiner de telle façon que je n'obtiendrais aucun éclaircissement de sa part.

— Vous savez, commenta-t-il, que dans notre vie de curé, nous sommes bien souvent appelés à changer de paroisse. Nous transportons parfois nos pénates d'un bout à l'autre du diocèse quand notre évêque nous demande d'aller servir Dieu dans une autre paroisse. Voilà tout simplement ce qui est arrivé à mon prédécesseur. Il y avait un poste à combler dans une paroisse de Charlevoix. Il a obéi à la demande de monseigneur. Notre évêque nous connaît bien et sait précisément où nous serons les plus efficaces. Ainsi moi, votre humble serviteur, j'étais auparavant dans la Beauce et me voilà dans Portneuf. Mon déplacement ici a eu un effet domino. Monseigneur a dû me remplacer à ma cure beauceronne par un autre curé. Un autre a comblé la sienne et ainsi de suite.

— Au fond, insinuai-je, tout cela ressemble à un grand ménage.

— Ne vous y trompez pas, cher monsieur, tout cela est voulu uniquement pour le bien des paroissiens.

Je n'obtins rien de plus de sa part. Quand j'eus rejoint Marjolaine dans la maison de mon ami, elle me demanda si mon enquête avançait. Je lui répondis par l'affirmative, trouvant un prétexte pour lui faire croire que j'avais quelqu'un d'autre à rencontrer. Je passai quelques heures à me promener dans ce très beau village assis au bord du fleuve comme un roi sur son trône. Je m'attardai sur le quai où quelques hommes s'affairaient à charger divers effets sur une goélette qui, comme je l'appris, faisait le cabotage entre les villages disséminés d'un bord et de l'autre du fleuve. Je m'attardai un moment à cet endroit, puis j'allai chercher Marjolaine qui avait eu la bonne idée de passer à l'épicerie pour nous préparer un panier de pique-nique. Nous allâmes en amoureux déguster notre repas au bord de l'eau.

Ce furent des moments très agréables. Nous avions sous les yeux le fleuve et ses oiseaux. Notre vue se perdait sur la rive opposée où nous apercevions de coquettes maisons certainement habitées par des gens heureux de ne pas vivre parmi l'agitation et les bruits de la grande ville, et chanceux, tous les jours, de vivre dans la belle nature harmonieuse du bon Dieu. Marjolaine rayonnait de bonheur et je la sentais fascinée par tout ce qui nous entourait. Quand nous quittâmes Portneuf, elle me fit promettre de multiplier les occasions de nous retrouver ensemble sans autre souci que de respirer à pleins poumons le bon air de la campagne, tout en nous remplissant les yeux des merveilles que nous offre gratuitement tous les jours la nature. Elle me confia :

— Je crois que je ne peux pas me sentir plus heureuse que lorsque je suis à la campagne. Je m'y sens pleinement moi-même. Dès que j'ai les pieds loin de la ville, tous mes soucis s'envolent.

— C'est bien, lui fis-je remarquer, parce que tu n'as pas, comme les campagnards, l'obligation quotidienne de gagner ta vie. Ils ne doivent pas priser autant que toi le fait de vivre sur une terre dont ils tirent leur subsistance par un dur labeur, occupés qu'ils sont tous les jours à nourrir leurs animaux, à cultiver leur terre et leur jardin quand ils ne sont pas à couper du bois, réparer des clôtures, rentrer du foin, étendre du fumier et que sais-je encore ? Si nous vivions à la campagne, tu aurais aussi tes préoccupations quotidiennes, puisque la vie est ainsi faite.

Mis à part le bonheur de ma femme, en ce qui a trait à mon enquête sur Rosario, je revins de ce voyage dans Portneuf Gros-Jean comme devant.

# Chapitre 60

# Confidences de p'pa

*Hubert*

P'pa aimait beaucoup parler du passé. Par contre, il n'abordait presque jamais ce qui le touchait réellement de près. Ainsi, je ne l'avais jamais entendu parler de ses études au Séminaire de Québec ni de sa rencontre avec m'man. Un soir que je feuilletais l'album de photos familial, je lui demandai comment il s'était retrouvé à fréquenter le séminaire. Il ne me répondit pas tout de suite, prenant le temps d'allumer sa pipe avant de lancer en même temps que sa fumée :

— Par où commencer? Comme tu sais, nous habitions à la Haute-Ville. Les Bédard étaient très bien établis dans Québec et plusieurs des garçons occupaient des postes importants au gouvernement. Mon père eut donc la chance de faire de bonnes études. Il aurait fort bien pu être prêtre, avocat ou médecin, les trois professions les plus en vue à son époque. Mais il avait son idée, et au grand dam de sa famille, il décida de mener sa vie comme il l'entendait. Il choisit de faire ce qui lui plaisait et devint le fossoyeur de la paroisse Saint-Roch. Ce choix eut comme résultat de lui mettre pratiquement toute sa famille à dos. Mais il n'en avait cure. Il ne se voyait pas derrière un bureau des journées entières. À vrai dire, il était peu sociable. Comme il le répétait souvent: "Vaut mieux jaser avec des morts qui ne parlent pas qu'avec des vivants qui nous bourrent de menteries."

« De la Haute-Ville où il avait été élevé, il s'établit dans la Basse-Ville, à Saint-Roch, rue du Pont, en plein là où nous habitons. Sa famille n'était pas très grande: notre mère, ta grand-mère Philomène, était une Saint-Arnaud et n'avait pas une très forte constitution. Elle multiplia les fausses couches. À part moi et mon frère aîné Sévérin, elle donna naissance à tes tantes Malvina et Mathilda. Tous les autres, elle les perdit.

« Comme mon père avait fait ses études au Séminaire de Québec, il tint à ce que j'étudie au même endroit. Je crois que j'avais hérité de lui mon dédain des études supérieures. Dès que j'eus terminé mon cours classique, je me lançai à corps perdu dans toutes sortes de travaux manuels qui firent de moi, en fin de compte, un peintre en bâtiments.

— Comment en êtes-vous venu à avoir votre propre entreprise?

— Ça, je le dois à mon père dont je fus l'héritier. Je n'avais que vingt et un ans quand il est mort. J'ai hérité de la maison et de la majeure partie de ses biens. Ça m'a permis de me partir à mon compte.

— De quelle façon grand-père est-il mort?

P'pa mit du temps à répondre. Après toutes ces années, je le sentais tout ému et bouleversé de devoir en parler.

— Il est mort d'une crise cardiaque au moment où il était occupé à creuser une fosse. On l'a retrouvé sans vie tout au fond du trou. Je l'entends encore répéter, avec un sourire, comme il le fit des dizaines de fois: "Apprends, mon garçon, que pour survivre dans la vie, il faut creuser." Cette phrase, pour lui, n'était pas juste une plaisanterie. C'était sa philosophie. Selon lui, pour faire une bonne vie, il fallait dépasser la surface des choses et nous creuser les méninges afin de découvrir la vraie raison de tout ce qui existe. "La vérité, soutenait-il, se trouve derrière la surface des choses. Un visage peut être très beau, ce n'est pas ça qui compte, mais bien le cœur de celui ou de celle qui le possède."

« Aujourd'hui, moi qui suis peintre, je lui donne raison sur toute la ligne. Combien de surfaces n'ai-je pas peintes pour cacher ce qu'il y avait derrière, alors que le bois sur lequel j'étendais la peinture ne valait plus rien… La vérité se trouve au-delà de la surface des choses.

P'pa s'arrêta de parler. J'attendis un moment et lui demandai :

— Comme ça, vous n'avez pas aimé vos années au séminaire ?

— Je ne m'y sentais pas à ma place. J'avais besoin de bouger. J'étais contraint jour après jour de rester docilement assis derrière un pupitre à étudier le latin. Je trouvais ça inutile. Je n'étais pas fait pour ça.

— Et comment avez-vous rencontré m'man ?

Il esquissa un sourire, puis poussa un soupir.

— Ta mère était la fille d'un marchand de chaussures de Saint-Sauveur. Elle aidait au magasin de son père, ton grand-père Rosario que tu n'as pas connu. Bien entendu, elle ne servait pas les clients, mais elle allait chercher les souliers que son père lui demandait de trouver pour l'un d'eux. Je fus l'un d'eux… J'étais à en essayer une paire, mais je n'avais pas la bonne pointure. Ton grand-père Rosario cria : "Laetitia ! Trouve-moi une paire de douze pour homme." "Dans le brun ou le noir ?" Tu ne me croiras pas, mais je suis tombé amoureux de cette voix. Je voulais absolument voir celle à qui elle appartenait. Quand elle est venue porter les souliers, je l'ai entrevue et ça m'a suffit. J'ai su que je reviendrais la voir.

— Quelle excuse avez-vous trouvée pour y retourner?

— Pour la forme, j'ai essayé les souliers. Pour ne pas avoir à les acheter tout de suite, j'ai prétexté qu'ils ne me faisaient pas. J'ai demandé à monsieur Parent s'il en avait d'autres dans le brun. Ta mère est venue lui en porter une paire et, cette fois-là, elle a jeté un coup d'œil dans ma direction. Tu ne me croiras pas, mais j'ai osé lui faire un clin d'œil! Elle a rougi et s'est retournée vivement. J'étais fier de mon coup, assuré que ce clin d'œil, elle ne l'oublierait pas. Le dimanche suivant, au lieu d'aller à la grand-messe à Saint-Roch, je me suis rendu à Saint-Sauveur, en comptant la voir. Elle était bien à l'église. Je l'ai attendue à la sortie. Elle était avec ses parents. Je n'ai pas osé lui parler, mais je lui ai fait de nouveau un clin d'œil.

— Comment a-t-elle réagi?

— Elle m'a regardé et a esquissé un petit sourire. Ça, venant de ta mère qui ne sourit pratiquement jamais, ça voulait tout dire. Trois jours plus tard, je suis retourné au magasin pour acheter mes souliers. Cette fois, j'ai pris le temps de faire le tour en examinant tout ce qui était offert. Il faut dire qu'il y avait très peu de modèles. J'ai traîné dans la place jusqu'à ce qu'un autre client arrive et, pendant que monsieur Parent répondait à cet homme, je lui ai demandé si je pouvais avoir une paire de souliers bruns dans la pointure douze. Monsieur Parent a crié à sa fille d'en apporter une. Cette fois, elle est venue elle-même me les remettre. Quand elle me les a tendues, j'ai retenu sa main et, tout en lui lançant à nouveau un clin d'œil, je lui ai soufflé : "Il faut que je vous revoie." Elle s'est éclipsée sans rien dire. Le lendemain, je lui ai fait remettre une lettre dans laquelle je lui expliquais un peu qui j'étais et que je désirais fortement mieux la connaître. Je lui donnais mon adresse en espérant qu'elle me réponde, mais à mon grand désespoir elle ne l'a pas fait.

« Toutefois, la Providence veillait sur moi, car j'ai remarqué en sortant du magasin que la façade avait besoin de peinture. J'y suis retourné aussitôt et j'ai dit à monsieur Parent: "Je suis peintre en bâtiment. Je fais aussi du lettrage pour les enseignes. Il me semble que la façade de votre magasin aurait besoin d'être rafraîchie... et puis l'enseigne aussi. Je pourrais vous faire ça à bon prix." Monsieur Parent m'a demandé: "As-tu fait tes preuves ailleurs?" Je venais justement de repeindre la façade d'un magasin, rue Saint-Joseph. Il m'a promis d'aller voir le soir même après la fermeture de son magasin. Il a ajouté: "Repasse demain, et si ton prix est bon, tu auras le contrat."

« Je crois que seulement pour avoir la chance de revoir ta mère, j'aurais peint la façade du magasin de son père gratuitement. Il m'a donné le contrat. Je me suis mis à l'ouvrage de bonne heure le matin. À l'heure du dîner, je me suis arrêté pour manger mon lunch. Ce que j'espérais s'est produit: quand il m'a vu sur le bord du trottoir, monsieur Parent m'a invité: "Tu vas pas dîner là tout seul comme une âme en peine. Amène-toi!" Il m'a fait passer à l'arrière dans leur salle à manger et a lancé: "Faites une place à monsieur Bédard. Il est en train de nous faire du beau travail." Il m'a ensuite présenté sa femme et ses enfants occupés à manger. Il y avait ta mère, mais aussi ton oncle Paul et tes tantes Claudine et Annabelle. Pendant que nous mangions et parlions de je ne sais plus trop quoi, j'en ai profité pour reluquer ta mère qui, chaque fois que je regardais dans sa direction, baissait les yeux. Après ça, j'ai terminé mon travail pour monsieur Parent. Il s'en est montré très satisfait et il a décidé de m'engager pour repeindre des murs à l'intérieur de la maison. J'avais un pied dans la place et je comptais bien en profiter.

— Qu'est-ce qui s'est passé ensuite ?

— Pour le reste, tu demanderas à ta mère.

Je mis bien du temps avant de parler de ça à m'man. Je ne savais pas trop comment elle réagirait. Mais j'étais si curieux de savoir comment elle avait vécu sa rencontre avec p'pa, qu'un beau jour je me décidai :

— P'pa m'a raconté comment vous vous êtes rencontrés.

— Qu'est-ce qu'il t'a dit ?

— Il m'a parlé de clins d'œil et d'une lettre qu'il vous a écrite. Il paraît que vous ne lui avez pas répondu.

M'man réagit vivement :

— Jamais je lui aurais répondu ! C'est une chose qui ne se fait pas, voyons donc ! Il a dîné une couple de fois avec nous à la maison. Ensuite, il est venu demander à mon père s'il pouvait venir me voir certains soirs après le souper. Mon père a tout de suite accepté.

— L'aimiez-vous ?

— Pas tout de suite, comme ça ! Mais il avait le tour de me parler et j'ai fini par trouver que c'était sans doute lui mon promis.

— En aviez-vous rencontré d'autres avant lui ?

— Pas un seul.

— Avez-vous attendu bien des mois pour vous marier ?

— Presque une année. On s'est mariés à Saint-Sauveur. Mais c'était il y a belle lurette. On est tellement vieux à présent…

— Pas tant que ça, m'man. Vous avez quoi?

— Proche soixante-dix ans. Bientôt, je ne serai plus bonne à rien...

Elle murmura ça en branlant la tête. Du coup, je pensai : la vie passe donc bien vite. M'man vient de me parler de leur mariage comme si ça ne datait que d'hier. Pourtant ça fait déjà plus de quarante ans. Ce soir-là, je feuilletai longuement l'album de photos de famille. Pour bien les fixer dans le temps, je montrai à m'man chaque photo. Elle m'aida à inscrire au dos de chacune l'année où elle avait été prise et les noms de celles et ceux qui y figuraient.

# Chapitre 61

# Hubert et le hockey

*Ovila*

Hubert nourrissait une véritable passion pour tout ce qui touchait notre club de hockey, les Bulldogs de Québec. Pendant des années, nos hockeyeurs n'avaient pas eu de succès, mais voilà que maintenant le club reprenait du poil de la bête et nous étions fiers de notre mascotte porte-bonheur, un bouledogue, il va sans dire, qui mettait de l'animation aux parties maintenant disputées à l'aréna du parc Victoria.

Comme journaliste, j'obtenais des billets gratuits et j'en faisais profiter à Hubert. Je ne manquais d'ailleurs pas une partie et m'y rendais en sa compagnie. Avec son ami Réal, nous aimions évoquer les anciens succès des Bulldogs, nous rappelant surtout quand, en 1912 après plusieurs défaites, il avait été décidé de nommer capitaine le jeune Joe Malone. Il n'avait que vingt et un ans, mais il montra une telle vaillance qu'il parvint à redonner de la fierté à toute l'équipe qui se mit à remporter des victoires serrées. Cela les conduisit en finale de la coupe Stanley.

Ce Réal avait une mémoire phénoménale. Il rappelait sans cesse des détails que pour ma part j'avais oubliés, mais dont se souvenait fort bien Hubert.

— Te souviens-tu de Moran?

— Le gardien de but des Bulldogs?

— C'était une méchante tête de cochon!

— Il avait mauvais caractère, mais il nous montra aussi qu'il avait la tête dure. Tu te souviens? On jouait contre les Canadiens quand il a reçu un lancer de Didier Pitre en pleine face! Pitre n'était pas surnommé "Cannonball" pour rien, apparemment: Moran a perdu connaissance et je me demande encore comment il a été capable de continuer la rencontre. Te rappelles-tu la première question qu'il a posée quand il est revenu à lui?

— Oui, quelque chose comme: est-ce qu'ils ont "scoré"?

— On l'assura que non et il continua à garder les buts jusqu'à la fin de la partie. On n'en fait plus, des durs de même!

Tout en discutant de la sorte, nous suivions la partie se déroulant devant nous. Les pauvres Bulldogs n'obtenaient pas autant de succès que durant cette année 1912 où, contre Ottawa, ils avaient réussi à surmonter un déficit de deux buts, grâce à Joe Hall et Joe Malone. Il ne restait que peu de temps à jouer et Ottawa avait les devants 5 à 4. Mais Joe Malone n'avait pas dit son dernier mot. À sept secondes de la fin du match, il inscrivit le but égalisateur. Il y eut deux périodes de surtemps et finalement, Joe Hall marqua sur une magnifique passe de Malone et les Bulldogs finirent l'année en tête du classement.

Malgré le bruit ambiant, quand la foule se mit à huer les Bulldogs qui jouaient on ne peut plus mal, Réal me cria:

— Dommage que nous n'ayons pas un Joe Malone.

— Tu as raison, approuvai-je, et si ça continue comme ça, nous ne sommes pas près de revoir la coupe Stanley à Québec.

Je me souvenais très bien que, cette année-là, les Bulldogs avaient affronté les Victorias de Moncton. Réal rappela que ce fut la première fois dans l'histoire de la coupe Stanley qu'on joua à six joueurs contre six.

Ils évoquèrent ensuite l'arrivée des Bulldogs à Québec avec la coupe. Reçus en grande pompe, ils paradèrent dans les rues de la ville. Pendant qu'ils rappelaient ces moments mémorables, devant nous, les Bulldogs étaient en train de se faire laver. Je dis à Réal :

— On ne reverra jamais de parade de la coupe Stanley dans nos rues.

— Pas comme c'est parti là… D'ailleurs, par les temps qui courent, il est question que l'Association nationale de hockey disparaisse. Elle va être remplacée par la Ligue nationale de hockey. J'ai comme l'impression que ça ne sera pas une bonne chose pour nos Bulldogs.

Réal avait parfaitement raison, car la Ligue nationale de hockey fut fondée et les Bulldogs n'étaient pas assez riches pour en faire partie.

— Crois-tu que nous verrons un club de la nouvelle ligue à Québec ? demanda Hubert.

— J'en doute fort.

Réal demeurait pessimiste, mais moi je gardais espoir. Tant que nous aurions un Joe Malone dans notre équipe, je pensais que nous aurions le plaisir de continuer à voir du hockey à Québec. Après tout, on était bien parvenu, malgré deux gros accidents, à construire le pont de Québec. Pourquoi ne réussirions-nous pas à garder une équipe de hockey chez nous ? J'avais bon espoir que les amateurs se montreraient généreux et fourniraient les sous nécessaires pour maintenir chez nous ce sport tout à fait hors de l'ordinaire.

J'en fis part à mes compagnons et Hubert fit la réflexion suivante :

— Peut-on croire que pendant que deux équipes de hockey, pour notre plaisir, se font la guerre sur la glace sans se tuer, en Europe des milliers de soldats meurent pour les intérêts de quelques politiciens ?

Réal remarqua avec raison :

— Le monde est bien mal fait.

# Chapitre 62

# Les soucis de Clémence

*Hubert*

P'pa et m'man, tout comme moi d'ailleurs, étaient très fiers de Clémence. Elle était parvenue à ses fins et accomplissait fort bien son travail de médecin. Les gens s'habituaient petit à petit à voir des femmes exercer la médecine. Mais elles n'étaient encore qu'une poignée dans cette profession et certains hommes n'acceptaient pas du tout cette situation.

Chaque fois qu'elle venait dîner à la maison, elle nous faisait part de toutes les embûches auxquelles elle devait faire face. Un grand nombre d'hommes refusaient d'être soignés par elle.

— Un jour, dit-elle, je passais dans la rue. Un homme gisait sur le trottoir entouré de badauds qui ne savaient absolument pas comment lui venir en aide. Je me faufilai parmi eux en disant : "Laissez-moi passer, je suis médecin." Eh bien, un homme s'est planté devant moi et m'a empêchée de m'approcher du moribond. Pour tout commentaire, il a dit : "La médecine n'est pas la place des femmes." Entre-temps, un confrère arriva et il s'occupa du malheureux. J'étais furieuse.

Ce qu'elle déplorait le plus était de mesurer à quel point l'écart salarial entre les hommes et les femmes était grand. Pour une tâche similaire, les hommes gagnaient près du double des femmes. Je la vois encore nous demander :

— Savez-vous combien gagne un travailleur du textile ?

Devant notre ignorance, elle s'exclama :

— Vous devriez savoir ça ! Un travailleur du textile touche vingt-quatre cennes de l'heure. Et combien pensez-vous que gagne une travailleuse ?

Je risquai :

— Douze cennes.

— Quinze cennes, précisa-t-elle. Comment expliquer cette différence puisque dans ce domaine les hommes et les femmes font le même travail ?

— Il n'y a qu'une seule explication, intervint Léonard. Les hommes sont les pourvoyeurs de la famille. Il est normal qu'ils touchent un meilleur salaire.

— Je ne suis pas d'accord, soutint Clémence. À travail égal, salaire égal.

Elle poussa ensuite un long soupir avant d'enchaîner :

— Dire que tout ça perdure depuis l'histoire d'Adam et Ève. Où allons-nous ? Pauvres femmes, nous avons encore beaucoup de chemin à faire.

Léonard, qui suivait avec attention l'actualité, lui dit :

— Console-toi, ma p'tite sœur, il est question qu'aux prochaines élections fédérales, les femmes auront le droit de vote. Elles l'ont déjà au Manitoba.

— Les chanceuses... Mais je crois qu'il faudra encore bien du temps pour voir ça dans notre province.

Léonard la regarda en haussant les sourcils.

— Qu'est-ce qui te fait dire ça ?

— Pendant que les femmes sont sur le point d'obtenir le droit de vote au fédéral, chez nous, le gouvernement vient de leur refuser l'autorisation de pratiquer le droit. Même dans le domaine de la justice on est injuste envers les femmes, imaginez alors pour le reste! Heureusement, au moins, que certaines universités sont plus ouvertes.

— Lesquelles?

— Concordia et McGill. Vous savez sans doute que depuis 1912, la botaniste Carrie Derick est la première femme autorisée à enseigner dans une université au Canada?

— Quelle université?

— McGill.

— Il faut donner ça aux Canadiens anglais. Ils sont pas mal en avance sur nous là-dessus.

Clémence ne démordait pas. Elle enchaîna :

— Ce qui est plus déplorable encore, c'est qu'on doit se battre pour faire prendre conscience aux hommes que les femmes qui exercent le même travail qu'eux devraient avoir les mêmes droits et les mêmes salaires qu'eux.

Léonard suivait les propos de Clémence avec attention. Il intervint :

— Compte-toi chanceuse que Rosario ne soit pas ici, il ne manquerait pas de te citer les propos de saint Paul au sujet des femmes.

— Je les connais. Permets-moi de te dire qu'il y a près de deux mille ans que cet homme les a écrits. Il est peut-être temps qu'on passe à autre chose… Il y a pas mal d'hommes et de femmes au moins aussi intelligents que lui qui sont nés depuis ce temps-là. Voulez-vous bien me dire pourquoi on s'obstine à se plier à des préceptes vieux de deux mille ans? Ils sont dépassés depuis longtemps.

— S'ils ont réussi à se rendre jusqu'à nous, assurai-je, il faut croire qu'ils doivent faire l'affaire…

— … l'affaire des hommes! s'exclama Clémence. Ils justifient l'exploitation des femmes par les hommes. Si c'était le contraire qui arrivait et que les femmes étaient mieux payées que les hommes, qu'est-ce qu'il se passerait, d'après vous?

— J'ai bien peur que ça ne surviendra jamais, assura p'pa.

— Eh bien moi, je me battrai jusqu'à ce que les femmes soient considérées comme les égales des hommes!

Pauvre Clémence! Elle s'était lancée dans un dur combat. Elle n'en démordrait pas de toute sa vie.

# Chapitre 63

# La famille à l'aube de 1916

*Ovila*

Un bon journaliste se doit d'être un bon observateur et ça devient en quelque sorte une seconde nature chez lui. Je le constate, car sans même m'en apercevoir, je me suis fait une opinion sur chacun des membres de ma belle-famille, à commencer par mon beau-père que je considère comme un homme bon et soucieux du bonheur des siens, mais devenu étonnamment plus intransigeant depuis sa retraite, lui qui auparavant se montrait très ouvert d'esprit et très tolérant. J'attribue sa nouvelle attitude au fait qu'il se sent parfois désœuvré, bien qu'il se complaise dans son nouveau passe-temps, la confection de pipes à partir de diverses essences de bois, ce qui lui permet de montrer une belle créativité que nous ne manquons pas de souligner chaque fois qu'il nous est donné de dîner en famille et d'admirer ses derniers chefs-d'œuvre.

De son côté, ma belle-mère demeure égale à elle-même. On ne l'entend jamais se plaindre, bien qu'à son âge, elle soit atteinte de différents maux dont, en particulier, de rhumatismes qui commencent sérieusement à lui déformer les mains. Il semble bien que ce soit notre climat qui en soit la cause. C'est ce que soutient Clémence, le médecin de la famille, qui de son côté se fait une réputation enviable parmi les gens les plus démunis de notre société dont elle s'occupe avec un dévouement admirable, tout en continuant à se défendre contre les attaques de certains médecins mâles qui ne peuvent pas admettre qu'une femme puisse exercer le même métier qu'eux. Certains d'entre eux vont même jusqu'à faire courir des rumeurs selon lesquelles ses patients meurent régulièrement, laissant supposer que s'ils avaient été vus par des hommes médecins, ils auraient survécu…

Maria, la fille aînée, a le don de se faire oublier dans la cuisine. Mais elle veille constamment sur le bien-être de chacun et en particulier sur celui de son père, de sa mère et d'Hubert qui vit avec eux. C'est une femme effacée pour qui vivre et s'oublier pour le bonheur des autres semble être la devise et le but de son existence. À mes yeux, elle est le meilleur exemple de charité chrétienne qu'on puisse voir.

Quant à l'aîné Rosario, je n'ai pas su le fin mot de son histoire de mutation dans une autre paroisse. Le curé de Saint-Roch comme celui de Portneuf, malgré leurs propos fort sensés, n'ont pas réussi à me convaincre que l'évêque l'a muté uniquement pour lui donner la chance de s'illustrer dans une autre paroisse. Je suis sûr qu'il y a anguille sous roche et je finirai bien par savoir ce qui s'est réellement passé.

Gertrude, visiblement, n'est pas heureuse ces temps-ci et déjà qu'elle n'a pas très bon caractère, ça n'améliore pas les choses… Curieusement, à nos derniers repas du dimanche, elle n'était pas accompagnée de son mari, sous prétexte qu'il a trop d'ouvrage à la boulangerie. Il est vrai que son commerce a beaucoup prospéré, mais il peut désormais se faire aider par Aurélie, Clémentine ou Archange, les plus vieux de ses enfants que nous ne voyons d'ailleurs plus à nos dîners, sous prétexte, pour les filles, qu'elles sont fiancées et sur le point de se marier. Mais là encore, les choses ne sont pas claires. Marjolaine m'a glissé l'autre jour que ça ne va guère entre Gertrude et Maurice. Je lui ai demandé d'où elle tenait son information. Pour toute réponse elle m'a laissé entendre qu'elle en était arrivée à cette conclusion lors d'une des dernières visites qu'elle a rendues à sa sœur. J'eus beau l'interroger à nouveau là-dessus, je n'ai obtenu que des réponses évasives du genre : « C'est peut-être seulement des idées que je me fais… »

Léonard restera toujours pour moi une énigme. J'ai rarement connu quelqu'un d'aussi fantasque que lui. Je n'emploie pas ce mot dans son sens péjoratif, mais bien dans le but de souligner le côté bizarre et extravagant de ce beau-frère dont, je dois l'avouer, le tempérament me fascine. Il a le don de me dérouter, tant il possède une imagination féconde. Je ne vois pas comment quelqu'un pourrait s'ennuyer, ne serait-ce que quelques minutes, avec lui. En plus, je le considère comme un poète de grand talent et un homme d'une très grande érudition. Tout cela fait en sorte qu'il est un personnage difficile à cerner. Quel mystère l'habite, lui qui préserve jalousement sa vie de célibataire et semble malicieusement s'organiser pour que nous ne sachions rien de ses relations et de sa vie privée ?

Firmin demeure pour moi celui de mes beaux-frères pour lequel j'ai le plus d'admiration. Il s'est battu pour tout ce qu'il possède et il continue de combattre afin que son hôtel et surtout son théâtre, que le clergé ne manque pas d'attaquer, puissent continuer à survivre. Encore dernièrement, n'a-t-on pas lu une critique acerbe dans *Le Soleil* concernant une des pièces jouées dans son théâtre ? Cette critique venait d'un de mes confrères journalistes qui n'est rien d'autre que le porte-parole de l'évêché. Je suis toujours étonné des reproches que l'on adresse à ce genre de pièces. On se scandalise du comportement d'acteurs au théâtre alors qu'ils ne font qu'illustrer ce qui se passe dans la vie courante. Les bigots prétendent que ces scènes sont la cause du relâchement des mœurs, comme s'ils ne savaient pas que la nature humaine est faible et que l'homme restera toujours ce qu'il est, un simple pécheur, peu importe qu'il aille ou non au théâtre. Rien n'empêche qu'en raison de pareils jugements, ce pauvre Firmin doit se battre tous les jours pour ne pas se voir contraint de fermer son théâtre. En plus, il doit se débrouiller pour que quelqu'un s'occupe de ses deux enfants parce que sa Chantale est rarement là. Elle suit la troupe de théâtre dans laquelle elle joue et s'absente des semaines durant.

Quant au dernier de la famille, ce cher Hubert toujours en quête d'une compagne de vie, sa relation avec cette Françoise, la jeune pianiste, reste bien aléatoire. Elle va au gré de cette jeune femme trop sensible pour laquelle la vie ne semble être qu'une chanson ou un air de musique. Pour lors, que peut-elle devenir ? Faute de mieux, Hubert l'accompagne parfois au concert et, lui qui en est visiblement amoureux, il se contente de la fréquenter au gré de ses caprices, quand elle daigne lui faire signe. Tout cela le tourmente, lui qui, envers et contre tout, parvient à demeurer optimiste et croire encore au bonheur.

Voilà donc le portrait de cette famille Bédard au seuil de l'année 1916, au moment où la guerre commence à s'essouffler et où l'espoir d'une vie meilleure pointe à l'horizon.

# Table des matières

DEUXIÈME PARTIE
## DES MOMENTS INOUBLIABLES
### 1900-1904

TROISIÈME PARTIE
## LA VIE QUOTIDIENNE
### 1905-1910

QUATRIÈME PARTIE
## LES TOURNANTS DE LA VIE
### 1911-1916

Suivez-nous

Achevé d'imprimer en septembre 2016
sur les presses de Marquis-Gagné
Louiseville, Québec